Vous rêvez de devenir juré d'un prix littéraire consacré au polar?

C'est l'aventure que nous vous proposons avec le **Prix du Meilleur Polar des lecteurs de POINTS!**

De mars à décembre 2017,
un jury composé de 40 lecteurs et de 20 professionnels,
sous la présidence de l'écrivain **Dror Mishani**,
recevra à domicile 9 romans policiers
et thrillers récemment publiés
par les éditions Points et votera pour élire
le meilleur d'entre eux.

Pour rejoindre le jury, recevoir les titres sélectionnés
directement dans votre boîte aux lettres et élire le lauréat,
déposez votre candidature sur:
www.prixdumeilleurpolar.com

Vous avez jusqu'au 30 avril 2017.

Ragnar Jónasson a été découvert par l'agent d'Henning Mankell, qui a vendu les droits de ses livres dans près de dix pays, dont les États-Unis et l'Angleterre. Né à Reykjavik, Jónasson a traduit plusieurs des romans d'Agatha Christie en islandais, avant d'écrire ses propres romans. Sa famille est originaire de Siglufjördur.

Mörk
La Martinière, 2017

Ragnar Jónasson

SNJÓR

ROMAN

*Traduit de la version anglaise,
d'après l'islandais, par Philippe Reilly*

Éditions de La Martinière

TEXTE INTÉGRAL

TITRE ORIGINAL
Snjóblinda
Published by agreement
with Leonhardt & Høier Literary Agency A/S, Copenhague

Traduction depuis l'édition anglaise,
revue et corrigée par l'auteur :
© Orenda Books, 2015

L'éditeur remercie Ólafur Valsson
pour les cartes d'Islande et de Siglüfjordur

© Ragnar Jónasson, 2010

ISBN 978-2-7578-6378-7
(ISBN 978-2-7324-7850-0, 1ʳᵉ publication)

© Éditions de La Martinière, une marque de la société EDLM, 2016,
pour la traduction française

Pour Kira, de la part de Papa

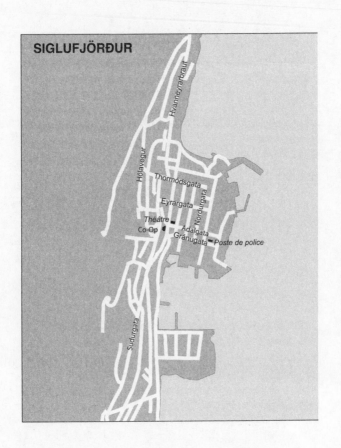

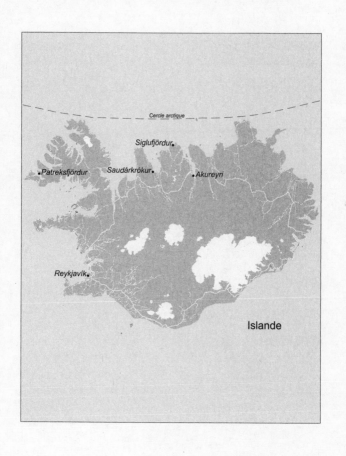

Cercle arctique

Siglufjördur

Patreksfjördur Saudárkrókur Akureyri

Reykjavík

Islande

Prélude

Siglufjördur, mercredi 14 janvier 2009

La tache rouge était comme un cri dans le silence.

La blancheur du sol enneigé, élémentaire dans sa pureté, avait presque banni l'obscurité du ciel d'hiver. La neige était tombée sans interruption toute la journée, de gros et lourds flocons qui descendaient gracieusement vers la terre. Dans la soirée, cela s'était calmé puis totalement arrêté.

Il y avait peu de monde dehors. La plupart des gens restaient chez eux, à contempler le spectacle derrière leur fenêtre. Certains avaient peut-être décidé de se calfeutrer après la mort qui avait endeuillé la Société dramatique. Les rumeurs circulaient vite et chargeaient l'atmosphère de soupçons, malgré l'apparence calme de la ville. Un oiseau survolant les rues n'aurait rien remarqué d'anormal, ni senti la tension dans l'air, l'incertitude et même la peur – sauf à s'aventurer au-dessus de ce petit jardin dans le centre-ville.

Les grands arbres bordant le terrain avaient revêtu leur parure de saison et, dans la pénombre, leur silhouette opaque évoquait, sinon des trolls, des clowns délicatement enveloppés de blanc, des racines à la cime, avec leurs branches alourdies de neige.

Une lumière réconfortante émanait des maisons douillettes et les réverbères éclairaient les rues principales. Malgré l'heure tardive, le jardin était loin d'être plongé dans les ténèbres.

Le cirque montagneux protégeant la ville était presque entièrement blanc et on distinguait à peine les plus hauts sommets – comme s'ils avaient failli à leur devoir ces derniers jours. Comme si quelque chose d'inexpliqué, une vague menace, s'était répandu à travers la ville ; quelque chose resté plus ou moins invisible, jusqu'à cette nuit.

Elle était étendue au milieu du jardin, tel un ange de neige.

De loin, elle semblait paisible.

Ses bras étaient écartés. Elle portait un jean délavé. Elle était dénudée jusqu'à la taille. Ses longs cheveux formaient une couronne dans la neige – une neige qui n'aurait pas dû avoir cette teinte rouge.

Ses lèvres avaient bleui. Son souffle court s'accéléra.

Elle paraissait regarder les cieux sombres au-dessus d'elle.

Puis ses yeux se fermèrent d'un coup.

1

Reykjavik, printemps 2008

Il n'était pas loin de minuit mais il faisait encore clair. Les jours rallongeaient. À cette époque de l'année, chaque nouvelle journée, plus lumineuse que la veille, portait en elle l'espoir de quelque chose de meilleur et, de fait, la vie d'Ari Thór Arason venait de connaître une embellie. Sa petite amie Kristín avait enfin emménagé dans son modeste appartement d'Öldugata. Ce n'était au fond qu'une simple formalité : elle y passait déjà la plupart de ses nuits sauf les veilles d'examen, quand elle préférait réviser au calme dans la maison confortable de ses parents, jusque tard dans la nuit.

Kristín sortit de la douche, une serviette autour de la taille, et entra dans la chambre.

– Bon sang, je suis crevée... Parfois je me demande ce qui m'a pris de choisir médecine.

Ari Thór leva la tête de son petit bureau et se retourna.

– Tu vas être un docteur fantastique.

Elle s'allongea sur le lit, s'étira sur la couverture. Sa chevelure blonde projetait comme un halo blanc sur les draps.

On dirait un ange, songea Ari Thór. Il l'admira tandis qu'elle tendait les bras et les posait doucement sur sa poitrine.

Un ange de neige...

– Merci mon chéri. Et toi un flic brillant. Mais je continue de penser que tu aurais dû finir ton mémoire de théologie…

Elle n'avait pas pu s'empêcher de le dire.

Nul besoin qu'elle le lui rappelle. Il avait commencé par étudier la philosophie, vite abandonnée pour se consacrer à la théologie, à laquelle il renonça aussi pour finalement postuler pour l'école de police. Incapable de se fixer dans une direction, toujours en quête de ce qui pourrait convenir à son tempérament, il cherchait sans cesse cette petite dose d'excitation. Il admettait volontiers qu'il s'était tourné vers la théologie comme pour défier ce Dieu à l'existence duquel il n'avait jamais cru. Ce Dieu qui l'avait privé de tout espoir de grandir normalement lorsque, à treize ans, il avait perdu sa mère et que son père s'était évanoui sans laisser de trace. C'est seulement après avoir rencontré Kristín et résolu – deux ans plus tôt – l'énigme de la disparition de son père qu'Ari Thór connut une certaine sérénité. L'idée de l'école de police germa alors dans son esprit, avec l'intuition qu'il serait sans doute meilleur flic qu'ecclésiastique. Sa formation de policier lui permit d'acquérir une solide condition physique et une carrure sculptée par les haltères, la natation et la course à pied. Évidemment, jamais il n'aurait obtenu ce résultat en passant ses jours et ses nuits sur les commentaires des Pères de l'Église.

– Oui, je sais, répondit-il, piqué. Je n'ai pas renoncé à la théologie, je l'ai juste mise entre parenthèses.

– Tu devrais faire un effort et terminer ton travail pendant que toutes tes connaissances sont encore fraîches. Ça va être très dur de reprendre si tu t'arrêtes trop longtemps…

Elle parlait d'expérience. Elle était toujours venue à bout de tout ce qu'elle entreprenait, survolant avec aisance un examen après l'autre. Rien ne semblait capable de l'arrêter et elle venait juste de boucler la cinquième des six années de son cursus médical. Il n'était pas jaloux – simplement fier. Tôt ou tard, ils devraient s'installer à l'étranger pour qu'elle puisse suivre sa spécialisation, mais ils n'en parlaient pas.

Elle glissa un oreiller sous sa tête et regarda son ami.

– Tu ne trouves pas ça bizarre, que le bureau soit dans la chambre ? Est-ce que cet appartement ne serait pas beaucoup trop petit ?

– Petit ? Non, je l'adore. Je détesterais avoir à déménager vers le centre-ville.

Elle se laissa aller en arrière, enfonçant sa tête dans l'oreiller.

– Bah, de toute façon rien ne presse…

Ari Thór se leva.

– On a tout l'espace qu'on veut ! On doit juste se tenir chaud…

Il dénoua la serviette et s'étendit doucement sur Kristín, en l'embrassant longuement et profondément. Elle lui rendit son baiser, passa les bras autour de ses épaules et l'attira contre elle.

2

Bon Dieu ! comment ont-ils pu oublier le riz ?

Blême, elle décrocha le téléphone pour appeler le petit restaurant indien situé à cinq minutes de leur vaste maison en briques. Avec ses deux étages élégants, son toit orange et son grand garage surmonté d'un patio ensoleillé, c'était une demeure de rêve pour une grande famille. Ils y coulaient encore des jours heureux, même si les enfants avaient tous quitté le nid et que la retraite approchait.

Elle essaya de se calmer en attendant que l'on décroche. Elle s'était fait une joie de passer son vendredi soir devant une série en dégustant un curry de poulet brûlant. Elle était seule à la maison, son mari en voyage d'affaires devait être dans l'avion du retour et rentrerait dans la matinée.

Le plus agaçant, c'était que le restaurant indien ne livrait pas. Elle se voyait déjà obligée de ressortir tandis que son poulet refroidissait. Saleté de saleté... Au moins il ne faisait pas trop froid dehors, ce ne serait pas si pénible de marcher dans les rues.

Enfin, une voix se fit entendre à l'autre bout du fil. Elle alla droit au but.

– Vous avez déjà vu un curry sans riz ? cria-t-elle presque.

La virulence de sa plainte était sans proportion avec le dommage apparemment subi.

Le serveur lui présenta ses excuses et proposa d'un ton hésitant de lui préparer tout de suite une portion de riz. Elle raccrocha violemment le combiné et, surmontant sa colère, ressortit dans l'obscurité.

De retour dix minutes plus tard avec un sachet contenant la barquette de riz, elle mit plus de temps que d'habitude à trouver la clé dans son sac à main. Elle allait enfin savourer une soirée tranquille avec un bon petit plat. Au moment d'ouvrir la porte, elle sentit une présence – quelque chose n'allait pas.

Puis ce fut trop tard.

3

Reykjavik, été 2008

Ari Thór était trempé par la pluie. Rentrer chez lui, dans son appartement d'Öldugata, lui réchauffait toujours le cœur, mais tout spécialement depuis cet été.

– Eh, c'est toi ? cria Kristín depuis le bureau dans la chambre.

Quand elle n'était pas de garde au National Hospital, elle passait son temps plongée dans des manuels.

Il avait l'impression que l'appartement avait acquis un surcroît de vie depuis qu'elle avait emménagé. Les murs blancs, jusqu'alors neutres, étaient brusquement devenus lumineux. Kristín dégageait une certaine aura, même quand elle se contentait de rester en silence assise au bureau, immergée dans sa lecture. Cette énergie captivait Ari Thór. Parfois, il se demandait s'il n'était pas en train de perdre le contrôle de sa propre existence. Il avait vingt-quatre ans, son avenir n'était plus une page vierge. Il n'en avait pas parlé à Kristín ; exprimer ses sentiments n'était pas spécialement son fort.

Il entra dans la chambre. Elle lisait un livre.

Pourquoi a-t-elle passé l'été à étudier, alors ?

L'attrait du soleil ne semblait pas l'avoir tentée.

« Marcher jusqu'à l'hôpital et puis rentrer, ça me suffit comme sortie ! » le taquinait-elle chaque fois qu'il tentait de lui proposer, lors d'une journée de récupération, une promenade dans le centre-ville pour profiter du beau temps. Il travaillait tout l'été à se former avec la police de l'aéroport de Keflavík, avant le début de l'examen final de l'école.

Il avait besoin d'action et d'un peu de variété. Le métier de policier le fascinait. L'excitation, l'aspect dramatique… certainement pas le salaire. Il avait été accepté dans l'école bien que les cours aient déjà commencé.

Il s'aperçut qu'il s'épanouissait dans ce domaine. Il aimait le sens de la responsabilité et la pulsion de l'adrénaline.

À présent, la formation touchait à sa fin. Un dernier trimestre et il en aurait terminé. Il ne connaissait pas encore l'étape suivante, une fois diplômé. Il avait envoyé sa candidature pour différentes affectations, essuyé quelques refus et pas encore reçu l'ombre d'une proposition.

– C'est moi ! Quoi de neuf ? répondit-il en accrochant son manteau dégouttant.

Il rejoignit Kristín dans la chambre. Elle était concentrée sur son livre. Il s'approcha et déposa un baiser sur sa nuque.

– Salut !

Sa voix était chaleureuse mais elle ne délaissa pas son livre pour autant.

– Comment ça va ?

Elle referma enfin son manuel, prenant soin de marquer la page, puis se tourna vers Ari Thór.

– Pas mal. Tu es allé au club de gym ?

– Ouais. Ça m'a fait du bien…

Son téléphone se mit à sonner.

Il retourna dans l'entrée et prit le portable dans sa poche de manteau.

– Ari Thór ? demanda une voix tonnante. Ari Thór Arason ?

– Oui, c'est moi, répondit-il d'un ton dubitatif, ne reconnaissant pas le numéro de son interlocuteur.

La voix se fit légèrement plus amicale.

– Je m'appelle Tómas. Du poste de police de Siglufjördur.

Ari Thór entra dans la cuisine pour parler discrètement. Il avait postulé à Siglufjördur sans en avertir Kristín. Il ne savait pas grand-chose de cet endroit, sinon qu'il était sans doute impossible d'aller plus au Nord en Islande : le village était plus proche du cercle polaire que de Reykjavik.

– J'ai un poste pour vous, reprit l'homme.

Ari était pris de court. Il n'avait jamais considéré Siglufjördur comme un choix sérieux.

– Eh bien…

– J'ai besoin de votre réponse tout de suite. Il y a beaucoup de candidats pour cette place, des gars plus expérimentés que vous. Mais j'aime bien votre parcours. Philo et théologie ! Juste ce qu'il faut pour devenir un bon flic dans un petit village.

– Eh bien, c'est d'accord.

Ari Thór fut le premier surpris de sa réponse.

– Merci, reprit-il. Ça signifie beaucoup pour moi.

– Je vous en prie. Pour commencer, on vous fera un contrat de deux ans. Condamné à deux ans !

La voix redevint tonitruante et le rire résonna sur toute la ligne.

– Après, je suis sûr que vous aurez la possibilité

de rester si vous le voulez. Quand pouvez-vous commencer ?

– J'ai encore des examens à passer cet hiver, donc…

– Vous pourrez les passer ici, je pense. Que dites-vous de novembre, mi-novembre peut-être ? L'époque idéale pour découvrir le coin. Le soleil sera sur le point de disparaître jusqu'en janvier et les pistes de ski vont ouvrir. Nous en avons de superbes. Et nous vous accorderons sûrement un congé pour Noël.

Ari Thór faillit répondre qu'il n'aimait pas trop skier mais il se contenta de remercier de nouveau. Il eut la sensation qu'il pourrait bien s'entendre avec cet homme bruyant, mais cordial.

*

Quand il retourna dans la chambre, il retrouva Kristín penchée sur son manuel.

– J'ai un job ! déclara-t-il abruptement.

Elle leva la tête.

– Quoi ? Vraiment ?

Elle ferma le livre et se tourna prestement vers lui – cette fois, sans marquer sa page.

– Mais c'est formidable ! fit-elle, enjouée.

Kristín ne haussait jamais le ton, comme si rien ne pouvait la surprendre, mais Ari Thór commençait à savoir déchiffrer ses expressions. Ses yeux d'un bleu profond contrastant si vivement avec ses cheveux blonds coupés court pouvaient avoir quelque chose d'hypnotisant au début, mais ils révélaient une personnalité naturellement déterminée et volontaire. Une femme qui savait exactement ce qu'elle voulait.

– Je sais, c'est incroyable ! Je ne m'y attendais pas

aussi vite. On est des tas à passer notre examen en décembre et il n'y a pas tant de postes que ça…

– Alors, ça se passe où ? En ville, ici ? C'est un remplacement ?

– Non. C'est un contrat de deux ans. Au moins…

– En ville ? répéta Kristín.

Il s'aperçut, à son expression, qu'elle soupçonnait quelque chose.

– Eh bien, à vrai dire… non.

Il marqua une pause, poursuivit.

– C'est dans le Nord. À Siglufjördur.

Elle resta silencieuse. Chaque seconde qui passait semblait durer une heure.

– Siglufjördur ?

L'intonation de sa voix, soudain plus aiguë, était sans équivoque.

– Oui. C'est une occasion unique, dit-il penaud, presque implorant, en espérant qu'elle se mettrait à sa place et comprendrait combien c'était important pour lui.

– Et tu as dit oui ? Sans même penser à m'en parler ?

Elle plissa les yeux. Son ton était cassant, presque colérique.

– C'est que…

Il hésita.

– Parfois, il faut savoir saisir les opportunités. Si je ne m'étais pas décidé tout de suite, ils auraient pris quelqu'un d'autre.

Il resta silencieux un instant.

– Ils m'ont choisi, ajouta-t-il en guise d'excuse.

Ari Thór avait vécu seul dans un monde dur depuis l'enfance. Puis Kristín l'avait choisi. En cet instant, il éprouvait exactement la même sensation.

Ils m'ont choisi.

Ce serait son premier vrai travail, et un travail avec

des responsabilités. Il s'était donné du mal pour réussir sa formation à l'école de police. Pourquoi Kristín ne pouvait-elle pas simplement se réjouir pour lui ?

— Tu ne décides pas sur un coup de tête d'aller vivre à Siglufjördur sans en discuter avec moi, bordel ! Rappelle-les pour leur dire que tu as besoin de réfléchir.

Son ton était glacial.

— S'il te plaît, je ne veux pas prendre ce risque… Ils veulent que je commence à la mi-novembre, je passerai mes derniers examens sur place et je prendrai quelques jours pour venir passer Noël avec toi. Et tu peux peut-être m'accompagner ?

— Je dois travailler et étudier ici, tu le sais très bien Ari Thór ! Parfois, je ne te comprends pas…

Elle se leva.

— Putain, c'est ridicule ! Je croyais qu'on était ensemble. Qu'on décidait ensemble…

Elle se détourna pour cacher ses larmes.

— Je vais faire un tour.

Elle sortit d'un pas rapide, traversant la chambre puis le couloir.

Ari Thór resta cloué sur place, sans voix devant la rapidité avec laquelle il avait perdu le contrôle de la situation.

Il allait l'appeler quand il entendit claquer la porte d'entrée.

4

Siglufjördur, novembre 2008

Ugla la chouette est perchée sur une souche…

Ágúst avait toujours chantonné ce vers ancien dans le grenier de la maison de ses parents, à Patreksfjördur, quand ils étaient assis devant la fenêtre donnant sur la route.

À ce souvenir, elle sourit. Depuis peu, elle s'était redécouvert cette capacité en pensant à lui. Quatre années avaient passé depuis son emménagement – seule – à Siglufjördur.

Quatre années aussi depuis qu'elle avait vu Patreksfjördur pour la dernière fois.

Ses parents lui rendaient visite régulièrement – ils étaient encore là en octobre –, passaient deux semaines avec elle avant de retourner vers l'ouest. Puis elle était de nouveau seule, comme en ce moment.

Elle s'était fait de bons amis ici, mais personne de vraiment proche, et elle ne parlait jamais du passé. Pour eux, elle n'était qu'une femme qui arrivait des Vestfirdir[1].

Elle était bien consciente du fait qu'en ville, les rumeurs les plus absurdes circulaient sur son compte.

---

1. Région des fjords de l'Ouest.

Ça n'avait plus vraiment d'importance : elle avait le cuir solide, désormais. Elle se fichait bien de ce que les gamins de Siglufjördur racontaient sur elle. Il n'y avait jamais eu qu'un seul garçon qui comptait à ses yeux.

Ágúst, le plus adorable des garçons de Patreksfjördur – de son point de vue, du moins.

Amis depuis l'âge de sept ans, leur relation avait pris un tour plus profond à l'adolescence. Ils étaient pour ainsi dire inséparables.

Ugla et Ágúst : deux prénoms inextricablement liés. À Patreksfjördur, en tout cas. Mais pas à Siglufjördur, où personne ne savait rien d'eux.

Elle préférait qu'il en soit ainsi. Elle aimait l'idée d'être la mystérieuse jeune femme venue de l'Ouest, objet de toutes sortes d'histoires. Cela dit, peut-être ne se fichait-elle pas complètement de ces rumeurs. Une en particulier lui faisait de la peine : on prétendait que c'était une fille facile. Elle ne comprenait pas d'où cette réputation avait bien pu lui venir.

Sitôt après l'incident qui changea tout pour elle, elle décida de quitter les Vestfirdir. Au départ, ses parents étaient fermement opposés à ce projet. Elle n'avait pas encore fini ses études. Elle était en avant-dernière année à l'université d'Ísafjördur.

Ugla parvint à boucler ses examens de printemps, puis elle envoya sa candidature pour travailler dans différentes régions. Elle reçut une réponse positive d'une usine de transformation de poisson à Siglufjördur. Comme la plupart des habitants de Patreksfjördur, elle avait fait des petits boulots, plus jeune, dans le secteur de la poissonnerie et, malgré son tempérament ambitieux, ce genre de travail ne lui posait pas de problème. Au bout de quelques mois dans l'usine, on lui annonça qu'un poste administratif à mi-temps allait se libérer.

Elle postula, fut retenue et consacrait à présent la moitié de sa semaine de travail à des tâches de bureau. Elle avait réduit son nombre d'heures passées à la chaîne. Ugla espérait que la terrible récession qui s'apprêtait à frapper l'Islande n'aurait pas trop d'effet sur elle. Elle avait besoin de ce travail. Le perdre l'obligerait à retourner vivre chez ses parents à Patreksfjördur.

Le directeur du personnel lui avait parlé d'une location, un bail à court terme, un petit appartement en sous-sol où elle pourrait s'installer, le temps de décider si elle prolongeait son séjour à Siglufjördur. Un gentleman à l'esprit vif lui fit faire le tour du propriétaire : Hrólfur avait l'air d'avoir quatre-vingts ans, mais elle découvrit plus tard qu'il en avait près de quatre-vingt-dix.

Rapidement, elle apprit aussi que le vieil homme n'était autre que Hrólfur Kristjánsson, le célèbre écrivain. Elle se souvenait de son livre *Au nord des collines*, qu'elle avait lu à l'école. Ugla avait d'abord pris ce roman pour une effroyable histoire d'amour champêtre – elle s'était trompée. Une soirée lui avait suffi pour dévorer *Au nord des collines* et, aujourd'hui encore, la beauté de ce texte l'étourdissait. Personne d'autre dans la classe n'avait eu ce genre de coup de foudre, mais le roman de Kristjánsson renfermait à ses yeux quelque chose de captivant. Quelque chose qui expliquait sûrement que cet ouvrage ait connu des ventes exceptionnelles dans les années 1940, en Islande comme dans le monde entier.

C'est par une douce et limpide journée du printemps 2004 qu'Ugla se retrouva nez à nez avec l'auteur. Il émanait une certaine chaleur de cet homme légèrement voûté qui avait été, de toute évidence, extrêmement grand et imposant dans ses jeunes années. Il avait une voix de stentor aux accents paternels, bien qu'il n'ait jamais eu d'enfants. Il était mince, ses cheveux gris se clairsemaient et on sentait, à son autorité naturelle, qu'il avait l'habitude d'être respecté.

Il habitait une maison splendide sur Hólavegur, avec vue sur le fjord. Elle était bien entretenue et flanquée d'un vaste garage, abritant une antique Mercedes rouge. À ce qu'Ugla avait compris, l'appartement en sous-sol était loué de temps en temps à des nouveaux arrivants en ville ou à des artistes en quête de calme et de sérénité, à l'abri du cercle de montagnes. Mais Hrólfur n'avait jamais permis au premier venu de s'installer chez lui : il tenait absolument à rencontrer le locataire potentiel en personne ; il avait déjà renvoyé directement des gens qui ne lui revenaient pas.

– Vous travaillez dans le poisson, c'est bien ça ? demanda-t-il d'une voix rauque et puissante qui résonnait dans tout l'appartement.

Il inspectait Ugla de la tête aux pieds. Son regard était acéré et scrutateur, animé d'une lueur à la fois joyeuse et désespérée.

– Pour commencer, oui, répondit-elle doucement, s'adressant au sol de l'appartement plutôt qu'au propriétaire.

– Quoi ? Parlez plus fort, jeune femme ! s'impatienta-t-il.

Elle éleva la voix.

– Oui, pour commencer !

– Et vos parents sont au courant ? Vous m'avez l'air sacrément jeune…

Il la dévisagea en serrant curieusement les lèvres, comme s'il souriait tout en essayant de s'en empêcher.

– Oui, bien sûr. Mais je suis capable de prendre mes décisions toute seule.

Elle parla distinctement cette fois, d'une façon plus assurée.

– Bien. J'apprécie les gens qui ne laissent personne choisir pour eux. Vous aimez le café ?

Sa voix était légèrement plus cordiale.

– Oui, avait-elle menti.

Après tout, s'habituer au café n'était sans doute pas plus compliqué qu'autre chose.

Il était évident qu'il l'aimait bien. Il accepta de lui louer l'appartement et, bientôt, une routine s'installa entre eux. Une fois par semaine, ils se retrouvaient autour d'un café. Elle n'y était pas obligée, et cela n'avait rien d'un fardeau. Elle prit de plus en plus plaisir à évoquer ses souvenirs avec lui. Il lui racontait sa vie à l'étranger jusqu'à ce que le déclenchement de la Seconde Guerre mondiale l'oblige à revenir en Islande ; les années de prospérité dues au boom de la pêche au hareng ; ses voyages de par les mers, les conférences où il était invité en tant qu'écrivain célèbre…

Hrólfur réussit peu à peu à faire sortir Ugla de sa coquille et elle se mit à apprécier davantage sa vie.

Elle parlait rarement de son passé et ne mentionnait jamais Ágúst. Ils discutaient surtout de livres et de musique. Elle avait appris le piano dès l'enfance, dans la maison de Patreksfjördur. Il lui proposait de jouer chaque fois qu'elle venait le voir. À la fin d'un morceau – une pièce brève de Debussy –, Hrólfur déclara, à la grande surprise d'Ugla :

– Pourquoi ne prendriez-vous pas des élèves ?

– Des élèves ? Je n'ai pas le niveau pour être prof…

Elle se sentait plutôt gênée.

– Vous jouez suffisamment bien. Vraiment bien, même. Je suis sûr que vous sauriez enseigner les bases.

Sa voix était encourageante, pleine de confiance. Cette relation entre simples connaissances s'était peu à peu muée en une amitié sincère.

– Vous pouvez vous servir de mon piano.

– J'y réfléchirai, répondit-elle timidement.

Un matin, particulièrement en forme, Ugla alla scotcher une annonce sur la vitrine du supermarché Co-Op – une feuille A4 sur laquelle elle avait rapidement griffonné : « Leçons de piano. Tarif négociable. » On pouvait arracher les cinq languettes de papier au bas de l'annonce, chacune portant son nom et son numéro de téléphone. Cette initiative ravit Hrólfur ; toutefois, aucun élève ne se manifesta dans les jours qui suivirent.

Ils ne parlaient pas seulement de musique ; elle reconnut s'être intéressée au théâtre quand elle vivait à Patreksfjördur puis à l'université d'Ísafjördur, où elle faisait partie d'un groupe d'art dramatique amateur. Le sujet avait surgi un soir de juin, tandis qu'assis devant la fenêtre ils dégustaient leur café et des pâtisseries. L'eau du fjord était aussi calme qu'un miroir et la ville scintillait ; le soleil avait déjà plongé derrière les montagnes et illuminait les cimes sur la bordure est du fjord.

– Vous savez, je dirige la Société dramatique de Siglufjördur, dit-il d'un air désinvolte mais tout à fait à dessein.

– Une société dramatique ? Ici ?

Elle eut du mal à cacher son étonnement.

– Ne vous laissez pas tromper par les apparences. Cette ville était importante, à une époque, et elle l'est encore malgré sa population en constante diminution. Bien sûr que nous avons une société dramatique !

Il sourit. Elle avait fini par s'habituer à son rictus légèrement pincé. Elle savait qu'il cachait une vraie affection.

– Ça n'a rien d'énorme non plus… Une production par an, maximum. Je me disais que je pourrais bien parler de vous au directeur…

– Oh, s'il vous plaît, non ! Je ne ferais pas du tout l'affaire…

Son refus n'était pas totalement convaincant, et de toute façon, il n'avait jamais eu l'intention d'en tenir compte. Il parla d'elle et, l'automne suivant, elle figurait à l'affiche d'une comédie.

Elle avait du mal à croire qu'elle puisse aussi facilement s'abandonner sur scène.

Face aux feux de la rampe, elle avait l'impression de pénétrer dans un autre monde. Le public n'avait plus d'importance, il pouvait y avoir un, deux ou cinquante spectateurs, tous se fondaient en une seule entité sous la lumière des projecteurs. Quand elle arpentait la scène, elle n'était plus dans les Vestfirðir ou à Siglufjörður. Elle se concentrait sur le texte de la pièce, sur ces émotions qui n'étaient pas les siennes et qu'elle devait jouer pour le public. Sa concentration atteignait une telle intensité qu'elle parvenait même, l'espace d'un moment, à oublier Ágúst.

Les applaudissements, au moment du salut, la ravissaient. Elle se sentait flotter au-dessus des planches. Après chaque représentation, elle avait pour habitude de s'asseoir en silence pour revenir peu à peu sur terre. Alors, la mélancolie revenait. Et avec elle les souvenirs d'Ágúst. Au fil des soirs, cependant, cela devenait plus supportable et, chaque fois, le chagrin mettait un peu plus de temps à affleurer.

La scène lui permettait d'échapper à l'obscurité.

Apprendre à connaître le vieil homme lui procurait aussi une grande joie. Toute seule, elle n'aurait jamais osé frapper à la porte de la Société dramatique.

Tout cela compliqua l'annonce à Hrólfur de sa décision de quitter l'appartement. On lui avait proposé un logement plus grand, entièrement meublé, dans le centre-ville, sur Nordurgata. La présence d'un piano avait emporté sa décision. Elle était fermement déterminée à partir, car il était grand temps qu'elle se trouve un lieu en ville. Un vrai chez-soi. L'appartement de Hrólfur, bien que coquet, n'était pas envisageable sur le long terme. L'appartement de Nordurgata était une première étape dans la bonne direction. En outre, non content d'offrir plus d'espace et d'être plus pratique, il était ouvert sur un petit jardin.

Ugla était encore célibataire. Elle avait repéré quelques hommes qu'elle trouvait séduisants, mais quelque chose la retenait. Le souvenir d'Ágúst peut-être, du moins au début. Ou bien n'était-elle pas prête à considérer Siglufjördur comme la ville où elle voulait s'établir. Elle ne se voyait pas encore jeter l'ancre – pas tout de suite.

Sa relation avec Hrólfur se poursuivit après son déménagement. Chaque mercredi après-midi, elle grimpait la colline abrupte qui séparait son appartement de la maison sur Hólavegur, où il l'attendait pour prendre le café, comme si elle vivait encore au sous-sol. Ils discutaient de tout et de rien, le vieil homme de son passé et de ses voyages, la jeune femme de son avenir. Un charmant vieillard, pensait-elle souvent, et elle espérait toujours qu'il avait encore de belles années devant lui.

Aujourd'hui, elle négociait un nouveau tournant dans son existence. Úlfur, le directeur de la Société dramatique, lui avait récemment proposé le rôle principal de leur nouvelle pièce. Les répétitions étaient imminentes et la première aurait lieu juste après Noël.

Le rôle principal ? Son cœur avait bondi. Certes, ce n'était qu'une troupe de théâtre amateur, mais un premier rôle reste un premier rôle.

Son personnage était intéressant. L'auteur de la pièce était de la région et, avec un peu de chance, la production pourrait peut-être tourner du côté d'Akureyri – la plus grande ville de la côte Nord – et pourquoi pas à Reykjavik.

Novembre avait débuté, elle prenait ses marques dans son nouvel appartement, attendant avec impatience les premières répétitions. Il neigeait. Elle regarda par la fenêtre ces flocons si beaux, blancs comme des perles, qui lui procuraient un sentiment de tranquillité.

Elle ouvrit la porte donnant sur le jardin arrière et alla respirer une ample bouffée glacée d'air nocturne. Le vent cinglant du nord l'obligea à vite la refermer, et soudain le souvenir d'Ágúst l'emplit.

Pourquoi avait-elle dû vivre ça ? Pourquoi avait-il dû connaître une fin si brutale ? Pourquoi avait-elle dû souffrir une perte aussi tragique à un si jeune âge ? Ça n'était pas juste.

Elle ferma les yeux et pensa à l'alcôve devant la fenêtre à Patreksfjördur. Elle chantonna la vieille comptine.

Ugla la chouette est perchée sur une souche.
À qui le tour ?
Un, deux,
À ton tour !

5

Sa première réaction ne fut pas la peur, mais la colère de ne pas avoir remarqué quelque chose d'anormal – la présence de quelqu'un derrière elle dans la nuit. Puis la peur la submergea.

Il la plaqua violemment contre la porte, une main surgit pour couvrir sa bouche, l'autre pour tourner la clé dans la serrure. La porte s'ouvrit et, quand il la poussa dans l'entrée, elle faillit perdre l'équilibre. La main était toujours fermement plaquée sur sa bouche. Paralysée par le choc, elle n'était même pas sûre d'avoir la force de crier s'il relâchait sa poigne. Il referma la porte avec précaution et les quelques secondes qui suivirent s'écoulèrent dans un flou total, comme si elle avait pénétré dans un autre monde et perdu toute capacité à résister.

Incapable de se retourner, elle n'avait pas encore pu le voir.

Tout à coup, il s'immobilisa et, pendant ce qui parut une éternité, il ne se passa rien. Elle devait tenter quelque chose. Il la tenait d'une seule main et elle essaya d'évaluer ses chances. Elle pouvait le surprendre avec un coup de poing ou de pied, se dégager et courir, appeler à l'aide...

Trop tard. Elle avait hésité, perdu trop de temps à réfléchir à la situation ; c'est lui à présent qui passait à l'action. Il sortit de son étui un couteau de chasse acéré.

6

Siglufjördur, novembre 2008

À moins de vouloir faire le voyage par la mer ou par la montagne, complètement inaccessible en hiver, ou encore de connaître un pilote d'avion privé susceptible d'atterrir sur le petit aérodrome – qui n'accueillait plus aucun vol régulier à l'arrivée ou au départ de la ville –, le vieux tunnel étroit était l'unique voie d'accès pour se rendre à Siglufjördur.

Persuadé qu'il n'aurait pas besoin de voiture dans une si petite ville, Ari Thór avait laissé à Kristín la Toyota jaune. La jeune fille était trop prise par son travail et ses études pour l'accompagner vers son nouveau poste à Siglufjördur, malgré les efforts déployés par Ari Thór pour la convaincre qu'une petite balade dans le Nord leur permettrait de se retrouver dans le calme et la sérénité.

Kristín lui en voulait toujours de sa décision de partir. Elle n'en parlait pas beaucoup mais chaque évocation de Siglufjördur était accueillie par un silence glacial et le sujet était vite abandonné. Tous deux étaient très pris par leurs études et, à côté de ses cours magistraux, Kristín continuait de travailler à l'hôpital. Ari Thór était déçu qu'elle n'ait pas réussi à trouver le temps de l'accompagner, surtout qu'un long mois les séparerait jusqu'à Noël. Il évitait d'y penser mais revenait sans cesse la même question : à quel niveau Kristín le situait-elle sur l'échelle de ses priorités ? Tout en haut ? Ou juste derrière la médecine ? Ou en troisième position, derrière les études et le travail ?

Elle l'avait serré tendrement dans ses bras et lui avait donné un baiser d'adieu avant d'ajouter d'une voix pleine d'affection :

– Bonne chance mon amour.

Une nouvelle frontière les séparait désormais, une ligne fine et invisible qu'il lui semblait percevoir – et peut-être Kristín en était-elle consciente, elle aussi.

Tómas, le sergent qui dirigeait le poste de police de Siglufjördur, vint le chercher à l'aéroport de Saudárkrókur, une ville à cent kilomètres environ de Siglufjördur. C'était l'aéroport le plus proche pour les vols commerciaux réguliers.

– Content de te rencontrer ! lança-t-il d'une voix plus forte que dans le souvenir qu'Ari Thór gardait de leur première conversation téléphonique.

Tómas affichait la cinquantaine, et son visage chaleureux était couronné de cheveux blancs – du moins de ce qu'il en restait : pas une mèche ne barrait son crâne déserté.

– Pareillement.

Ari Thór était fatigué après un vol matinal et agité.

– En temps normal, il faut compter une heure et demie pour rejoindre Siglufjördur, mais les routes sont très peu praticables en ce moment, alors ça risque d'être un peu plus long… Si on arrive à destination en un seul morceau !

Tómas rit de son trait d'humour noir. Ari Thór resta silencieux, ne sachant que penser du bonhomme.

Pendant le trajet, le sergent parla peu. Il se concentrait sur la route même s'il la connaissait sans doute par cœur.

– Tu es du Nord ? demanda Ari Thór.

– J'y suis né et je n'en suis jamais parti.

– Les étrangers n'ont pas trop de mal à s'y accoutumer ?

– Eh bien… la plupart du temps, ça se passe sans problème. Il faut juste faire ses preuves. Il y a des gens qui vont être très accueillants avec toi, et d'autres non. La plupart des habitants sont au courant de ta venue et impatients de faire ta connaissance.

Il marqua une pause.

– Le vieux Eiríkur part à la retraite, c'est toi qui le remplaces. Il s'est installé dans la région en 1964 et il y a toujours vécu depuis. Mais pour la plupart d'entre nous, c'est encore un étranger !

Il rit. Pas Ari Thór.

Est-ce qu'il avait pris la bonne décision ? S'installer dans une petite communauté rurale où il pourrait bien ne jamais s'intégrer ?

Les derniers kilomètres avant d'atteindre le tunnel ne ressemblaient à rien de ce qu'Ari Thór connaissait. La route sinuait à flanc de montagne en laissant juste assez de place pour un véhicule. À droite, les massifs blanchis par la neige, intimidants et magnifiques, et à gauche, une chute à pic, terrifiante, vers la vaste étendue du Skagafjördur balayé par les vents. Une erreur de conduite, une plaque de verglas et Ari Thór ne verrait jamais le lendemain. Ce n'était peut-être pas plus mal que Kristín ne l'ait pas accompagné. Il se serait fait un sang d'encre de la savoir, au retour, seule sur cette route.

Ces pensées firent resurgir ses doutes. *Pourquoi n'avait-elle pas pris quelques jours de congé pour être avec lui ? Était-ce trop demander ?*

Il se détendit en voyant approcher l'entrée du tunnel. Ils y étaient arrivés, et en un seul morceau. Mais le soulagement fut de courte durée : il s'était attendu à un large tunnel moderne, parfaitement éclairé, mais celui-ci s'annonçait autrement austère. Une seule voie étroite. Plus tard, il apprendrait que le tunnel avait été creusé dans le versant montagneux près de quarante ans plus tôt, à l'époque où ce genre d'aménagement était rare en Islande. Pour ne rien arranger, de la voûte rocheuse qu'on ne distinguait pas s'écoulaient des filets d'eau. Ari Thór se sentit brusquement tenaillé par une sensation qu'il éprouvait pour la première fois : une claustrophobie suffocante.

Il ferma les yeux et tenta de la dissiper.

Il ne voulait pas découvrir Siglufjördur dans cet état d'esprit. Il envisageait d'y passer deux ans, peut-être davantage. Il avait souvent emprunté des tunnels sans ressentir le moindre malaise. Peut-être se sentait-il affecté par l'isolement de ce fjord plutôt que par le tunnel lui-même ?

Quand il ouvrit les yeux, la voiture venait de négocier un virage et la sortie du tunnel apparut devant lui. L'air libre. Ses battements de cœur ralentirent et, quand Tómas lui lança « Bienvenue à Siglufjördur », il était complètement calmé.

Le fjord les accueillit sous le gris oppressant d'un ciel chargé. Des nuages traversés de bourrasques escamotaient l'encerclement des montagnes, empêchant le paysage de révéler toute sa splendeur. Sous la faible lumière, les toits des maisons se fondaient dans un monochrome uniforme ; une mince couche de neige tapissait leurs jardins, traversée çà et là par des touffes d'herbe rebelles qui paraissaient refuser l'hiver. Tout autour se dressait la masse écrasante des montagnes.

– Tu penses que l'hiver va être rude ? demanda Ari Thór mû par le besoin de se rassurer en envisageant des perspectives plus joyeuses.

Tómas rit à la question du nouveau venu.

– Mon ami, à Siglufjördur, *tous* les hivers sont rudes, répondit-il avec son timbre de basse.

Peu de passants arpentaient les rues et la circulation se faisait rare. Midi approchait : où était passée l'animation de l'heure du déjeuner ?

– C'est vraiment calme, observa-t-il pour rompre le silence. J'imagine que le crash financier a des répercussions ici comme dans le reste du pays ?

– Le crash ? Nous, on n'a rien senti. Un crash, c'est bon pour Reykjavik. Ça ne remontera jamais vers le Nord. Nous sommes trop loin de tout ça.

La voiture entra sur la place principale du centre-ville.

– Nous sommes passés à côté du boom économique, alors le crash ne nous inquiète pas.

– Pareil pour moi. Les étudiants n'ont pas vraiment profité de la prospérité…

– S'il y a une récession ici, reprit Tómas, elle vient de la mer. Dans le passé, cette ville a connu une activité trépidante, avant la disparition des harengs. Aujourd'hui, le nombre d'habitants est en chute libre. Il doit y en avoir mille deux cents, mille trois cents.

– Et pas beaucoup de PV, je suppose ? On ne voit pas de voitures…

– Écoute, répondit Tómas d'un ton soudain solennel, ce job ne consiste pas à distribuer des PV. Au contraire. Ici, c'est une petite communauté, et nous sommes plus que de simples flics. L'idée, ce serait plutôt de distribuer le moins de PV possible, tu vois ? Tu vas vite te rendre compte que notre travail n'a pas grand-chose à voir avec celui des flics du Sud. Les habitants sont très soudés. Ne t'inquiète pas, tu vas apprendre…

Tómas s'engagea dans la rue principale, Adalgata, qui était bordée de petits restaurants, de boutiques et de maisons cossues encore habitées.

– Ta maison se situe un peu plus bas, vers la gauche, sur Eyrargata, expliqua-t-il en indiquant la direction de l'index sans quitter la route des yeux. Mais on va d'abord passer devant le poste, pour que tu te repères un peu…

Il tourna à droite, puis encore à droite dans Gránugata, une rue parallèle à Adalgata, et ralentit.

– Tu veux venir jeter un coup d'œil ou tu préfères aller d'abord chez toi ?

Chez toi ?

De nouveau ce malaise – claustrophobie et nostalgie. Arriverait-il vraiment à se considérer chez lui dans cet endroit étrange, avec son fjord si impressionnant ? Ses pensées le transportèrent à Reykjavik – *chez lui* – et il se demanda ce qui pouvait bien occuper Kristín à cet instant précis.

– Allons chez moi, répondit-il en avalant difficilement sa salive.

Quelques instants plus tard, Tómas se gara dans Eyrargata, devant une maison qui se dressait parmi un petit ensemble de demeures imposantes remontant à une ou plusieurs générations.

– J'espère que ça te conviendra, au moins pour commencer. La municipalité a acheté cette maison il y a quelques années et elle n'a pas été aussi bien entretenue qu'elle aurait dû. En fait, c'est surtout la façade qui mérite un rafraîchissement. L'intérieur doit être assez confortable. Elle était à vendre depuis une éternité. Elle est trop grande pour toi mais peut-être qu'à un moment donné, ta fiancée te rejoindra dans le Nord ?

Et d'ajouter, avec un large sourire :

– C'est parfait pour une grande famille.

Ari Thór essaya de lui rendre son sourire.

– Il n'y a pas de voiture avec, mais crois-moi, dans cette ville, tu n'en auras pas besoin. Si tu as besoin d'aller dans le Sud, l'un de nous t'emmènera à l'aéroport de Saudárkrókur, ou on peut trouver quelqu'un qui te déposera.

Ari Thór recula de quelques pas et examina la maison plus attentivement. La façade était peinte dans un rouge pâle qui avait commencé à s'écailler. Il y avait deux niveaux, l'étage supérieur se nichant sous l'avant-toit. Le toit rouge vif était presque entièrement caché sous une couche de neige. Les pièces de vie se trouvaient au sous-sol et deux fenêtres apparaissaient au rez-de-chaussée. Une grande pelle était posée contre la porte.

– Tu en auras besoin !

Le rire de Tómas était à la fois sombre et jovial.

– Surtout quand on a vraiment de la neige et qu'il faut se frayer un chemin pour sortir. Tu ne nous seras pas utile si tu es bloqué ici !

Le malaise grandit dans la poitrine d'Ari Thór et son cœur s'emballa.

Ils montèrent les marches du perron jusqu'à l'entrée. Ari Thór hésita.

– Qu'est-ce qu'on attend, jeune homme ? Entre ! On va attraper la mort ici…

– Je n'ai pas les clés, répondit naïvement Ari Thór.

– Les clés ?

Tómas posa la main sur la poignée, ouvrit et entra.

– Personne ne ferme sa porte à clé ici. À quoi bon ? Il ne se passe jamais rien à Siglufjördur.

43

Pour autant, Tómas fouilla dans sa poche et en extirpa un trousseau de clés qu'il tendit à Ari Thór.

– Je me suis dit que tu préférerais quand même en avoir.

Il sourit.

– À plus tard !

Ari Thór se retrouva seul. Il referma la porte derrière lui. Dans la cuisine, il regarda par la fenêtre : elle donnait sur les maisons dans la rue et, avec un peu de chance, par beau temps, sur le spectacle des montagnes.

Les paroles de Tómas résonnèrent dans son esprit. « Il ne se passe jamais rien à Siglufjördur. »

Dans quoi je suis allé me fourrer ?

Putain, dans quoi je suis allé me fourrer ?

7

Elle avait déjà vu des couteaux de chasse. Son mari en possédait plusieurs. Mais rien n'aurait pu la préparer à vivre cet instant. Elle se raidit puis sentit ses membres se vider de toute force. Les ténèbres s'étendirent devant ses yeux. L'homme la relâcha, ou la laissa tomber, et elle s'effondra.

Alors, pour la première fois, elle le vit. Il était entièrement vêtu de noir : une veste en cuir miteuse, un jean foncé, des baskets et une cagoule qui laissait juste voir ses yeux, son nez et sa bouche. Elle était certaine qu'il s'agissait d'un homme, depuis qu'il s'était approché d'elle et, à en juger par sa poigne, il devait être jeune. Elle sut tout de suite qu'elle ne pourrait jamais le reconnaître si elle réussissait à s'en sortir vivante.

Elle l'entendit lui ordonner d'une voix sifflante de se taire sans quoi elle sentirait la lame de son couteau et il n'hésiterait pas à s'en servir. Elle avait intérêt à le croire. Elle prit brusquement conscience de sa mortalité. À l'idée qu'elle vivait peut-être ses derniers instants, son front se couvrit d'une sueur froide. Les questions fusaient dans son esprit. Qu'est-ce qu'il y a après ? Une éternité obscure ou le paradis ? Elle était allongée sur le sol, chaque parcelle de son corps endolorie par sa chute. Elle le regardait, debout au milieu du salon, *prêt à passer à l'acte dans sa tenue de camouflage, le couteau dans la main.*

Pour la première fois depuis des années, elle se surprit à prier.

8

Siglufjördur, décembre 2008

La chambre dans laquelle Ari Thór avait décidé de s'installer était basse de plafond. Ce n'était pas la plus grande pièce de l'étage mais, suivant son instinct, il avait choisi celle avec un lit simple plutôt que l'autre, meublée d'un lit double. Comme pour bien se faire entrer dans le crâne qu'il s'agissait d'une aventure en solitaire.

Il avait déplacé le lit sous le Velux afin de voir le ciel quand il se couchait et quand il se réveillait, même s'il y avait rarement quoi que ce soit à admirer. Juste l'obscurité totale.

Pour la quatrième fois, le réveil fit entendre son buzzer. Ari Thór tendit le bras pour atteindre le bouton qui lui offrirait dix précieuses minutes de rêves supplémentaires. Chaque fois, il retombait dans le sommeil et dans un rêve différent du précédent. Comme une série de courts-métrages dont il était à la fois le scénariste, le réalisateur et l'acteur principal.

Il était bientôt 10 heures et il devait prendre son service à midi. Les premières semaines s'étaient écoulées à toute vitesse. Le sentiment prégnant de malaise avait peu à peu faibli ; Ari Thór l'avait tenu à distance en se concentrant sur les révisions de ses derniers examens et en ne comptant pas ses heures au poste, se portant volontaire chaque fois qu'il fallait assurer une garde supplémentaire. Grâce à cela, le sentiment de claustrophobie ne faisait son apparition que dans la soirée quand, allongé dans son lit, son regard se perdait dans l'obscurité au-delà du Velux. Peu importait : il préférait la vitre à un plafond vide.

Certains jours de mauvais temps étaient accablants, surtout quand il avait neigé. Ari Thór n'avait pas encore fait installer une connexion Internet, par choix. Il pouvait relever ses e-mails au travail et appréciait de rentrer tous les soirs chez lui – oui, chez lui, un concept presque nouveau – pour retrouver le calme, la paix, sans contact avec le monde extérieur. Il prenait le temps de se cuisiner un dîner délicieux. Au bout d'une semaine, il était déjà devenu un client régulier du poissonnier local. Il avait goûté au haddock, que sa mère lui préparait toujours le lundi, et au flétan, plus savoureux. Mais son poisson préféré, pour le moment, restait la truite tout juste pêchée. Il l'assaisonnait légèrement, l'enveloppait dans une feuille d'aluminium et mettait la papillote au four, juste assez longtemps pour que la chair se détache de l'arête sans perdre ses arômes.

Après le dîner, il se plongeait dans ses manuels ou dans d'autres livres choisis pour son plaisir. La première semaine, il avait profité de la pause-café pour aller faire un tour à la bibliothèque et emprunter une pile d'ouvrages qu'il avait toujours eu envie de lire sans jamais en avoir le temps. Quand les manuels devenaient trop pénibles, il se tournait vers ces livres-là…

Il avait aussi emprunté quelques CD de musique classique, qu'il écoutait quand il ne lisait pas ou ne travaillait pas. Parfois, il s'asseyait simplement dans la pénombre du salon et pensait à Kristín, à ses parents décédés, à sa solitude. Un soir, il entendit à la radio une retransmission en direct d'un concert de l'Orchestre symphonique d'Islande. Ce simple nom lui rappela sa mère, morte dans un accident de voiture quand il était tout juste adolescent. Elle était violoniste au sein de cet orchestre.

Il essayait d'éviter, autant que possible, de regarder la télé. De temps en temps seulement, pour suivre les infos. À ce qu'il comprenait, Reykjavik sombrait peu à peu dans le chaos après le crash des grandes banques. Jour après jour, les manifestations antigouvernementales paraissaient plus désespérées et plus virulentes.

Après chaque service, il mettait un point d'honneur à rentrer chez lui en faisant un détour par une route longeant le rivage. Il s'y arrêtait un moment.

Le fait de se trouver au bord de la mer avait quelque chose de rassérénant, qui l'aidait à prendre ses marques dans cette ville lointaine et isolée. À observer les vagues souvent houleuses, il en arrivait presque à s'imaginer sur le rivage, à Reykjavik. La mer se trouvait à quelques minutes de marche de son appartement d'Öldugata. Le soir, penser à la mer l'aidait à repousser la sensation étouffante de claustrophobie qui, parfois, menaçait de le noyer.

Il aimait bien son travail. Le poste de police ressemblait parfois davantage à une cantine, presque un centre social. Il comptait ses visiteurs habituels qui passaient boire un café – certains plusieurs fois par semaine – et bavarder de tout et de rien : le crash financier, les manifestations et le gouvernement constituaient les principaux sujets de débat. Avec la météo. Dans les journées qui avaient suivi son arrivée, le taux de fréquentation de la machine à café du poste de police avait sensiblement augmenté. Tout le monde voulait jeter un coup d'œil au petit nouveau venu du Sud.

Un jour, devant un gobelet de café, Tómas annonça qu'Ari Thór était diplômé en théologie. Ce dernier s'empressa de rectifier :

– Non, ce n'est pas tout à fait exact.

– Tu as quand même fait des études de théologie, pas vrai ?

– Oui…

Il hésita.

– … mais je ne suis pas allé au bout. J'ai fait une pause pour entrer à l'école de police.

S'entendre dire le mot « pause » le surprit lui-même. En son for intérieur, il savait qu'il ne terminerait jamais son cursus.

– Eh bien, c'est déjà ça ! renchérit Hlynur, un collègue de Tómas depuis de longues années.

Hlynur avait dans les trente-cinq ans, mais il paraissait beaucoup plus vieux. Ses cheveux commençaient à se raréfier et il ne donnait pas l'impression de remplir les conditions physiques minimales pour entrer dans la police. Son tempérament distant semblait avoir pour but de décourager quiconque de se rapprocher de lui.

– Un prêtre en herbe est parmi nous ! s'exclama-t-il.

Ari Thór s'obligea à sourire, pourtant loin de trouver la remarque amusante.

– Tu vas nous aider à résoudre les affaires qui échappent aux simples mortels ? insista Hlynur. Avec un petit coup de main de là-haut ?

Tómas partagea l'éclat de rire de son collègue.

– Le révérend Ari, résuma Hlynur. Le révérend Ari Thór résout le mystère !

Après cet épisode, les personnes les plus improbables prirent l'habitude de l'appeler « le Prêtre » ou « le Révérend ». Il s'en accommodait, bien qu'il n'ait jamais aimé les surnoms – encore moins s'ils se fondaient sur des études débutées à contrecœur puis finalement abandonnées.

Durant sa première journée au poste, il téléphona à Kristín – sans obtenir de réponse. Il lui envoya un e-mail dans lequel il décrivait son périple vers le Nord, donnant toutes sortes de détails sur Tómas et sur sa maison et mettant de côté toute considération sur ce qu'il ressentait ; il ne parla pas de l'obscurité lugubre du lieu, ne commenta pas la réaction de la jeune femme à l'annonce de son nouveau job ni sa décision de ne pas l'accompagner à Siglufjördur – ne serait-ce que pour un week-end. Peut-être n'avait-elle pas envie de trop lui faciliter la tâche ? Ou espérait-elle qu'il reviendrait à Reykjavik au bout de quelques semaines, découragé par la neige et l'isolement ?

Ari Thór reçut sa réponse le lendemain. Elle lui parlait de son travail, de ses cours, et lui annonçait que son père venait de perdre son poste à la banque où il officiait depuis des années – un licencié parmi tant d'autres. Il savait qu'elle allait être profondément affectée par ce revers. D'autant que sa mère travaillait dans un cabinet d'architectes où les effets du crash financier risquaient de se faire sentir incessamment. Kristín ne semblait pas disposée à entrer dans les détails : son message était court, dépourvu de toute émotion. Comme celui qu'Ari Thór lui avait écrit.

Le lendemain, il réussit à la joindre par téléphone. Il venait de rentrer chez lui après une longue journée de travail et n'était pas aussi disponible qu'il l'aurait voulu pour lui parler à cœur ouvert. Ils discutèrent un certain temps de choses et d'autres, rien de vraiment profond. Kristín était une personne calme, posée ; elle se laissait rarement ébranler par des préoccupations banales, mineures. Était-il le seul à esquiver des problèmes qui les heurtaient tous les deux ?

Les semaines passèrent. Ils se parlaient tous les jours. Ari Thór évitait de montrer sa déception – elle ne le soutenait pas assez dans son nouveau travail –, et Kristín semblait elle aussi fuir le sujet. Elle devait encore lui en vouloir d'avoir quitté Reykjavik. C'était injuste. Là-bas, elle avait ses parents, ses amis. Alors que lui était seul dans ce lieu inconnu ; il aurait apprécié un peu de réconfort. Pourtant, au lieu d'aborder de front ces questions, ils s'en tenaient à des conversations brèves, cordiales. Banales.

On était déjà à la mi-décembre, il était installé à Siglufjördur depuis plus d'un mois et Noël approchait. Tómas avait attribué à Ari Thór des gardes pendant les vacances, et il n'était pas particulièrement impatient d'avoir cette discussion avec Kristín. Tómas y avait certes mis les formes, mais Ari Thór n'était guère en position de refuser. Il voulait faire ses preuves.

Il débuta la journée par un bol de céréales arrosées de lait glacé et par la lecture du journal de la veille. Il commençait à s'habituer à recevoir la presse en retard, car les éditions du matin n'atteignaient pas ce fjord reculé avant la mi-journée du lendemain. Ça n'avait pas vraiment d'importance. La vie suivait un rythme différent, ici. Le temps passait plus lentement, sans la bousculade et la précipitation de la grande ville. Les journaux arrivaient quand ils arrivaient.

Il se décida enfin à composer le numéro de téléphone de Kristín et dut attendre un moment avant qu'elle décroche.

– Salut, je suis au boulot, là, je n'ai pas trouvé mon téléphone tout de suite. Comment ça va ?

– Pas mal, dit-il d'un ton hésitant en regardant par la fenêtre de la cuisine.

Un épais manteau neigeux recouvrait la ville. Aucune voiture ne pouvait s'en dépêtrer, hormis les énormes 4 × 4. Il fallait juste s'équiper d'une bonne paire de bottes ou de skis.

– Il y a de la neige chez toi ? Ici, ça tombe non-stop.

– Non, rien du tout. Il fait juste froid. Pas beaucoup de vent, pas mal de verglas. J'ai bien l'impression que ce sera un nouveau Noël sans neige à Reykjavik. Dommage pour toi ! La neige va tomber au Nord et tu ne seras pas là pour en profiter…

Ari Thór resta muet, le temps de peser scrupuleusement chacun des mots qu'il était sur le point de prononcer.

Kristín poursuivit :

– J'ai parlé à Maman et Papa et on dînera avec eux le 25, comme l'an dernier. Comme ça, pas besoin d'acheter un sapin, sauf si tu as envie d'en avoir un à la maison…

– Écoute… j'ai un truc à te dire.

– Ah ?

– Oui. Tómas est venu me voir hier, il m'a expliqué que j'allais devoir bosser ici quelques jours pendant les vacances…

Silence à l'autre bout du fil, puis, sa voix, tranchante :

– Quelques jours ? C'est-à-dire ?

– Eh bien… le réveillon, le jour de Noël, et encore deux ou trois jours avant le Nouvel An.

Le silence reprit, assourdissant.

– Mais alors tu viens quand ?

– Eh bien, le mieux, c'est que je vienne début janvier, quand je pourrai prendre une semaine de congé.

– En 2009 ? Tu rigoles ? Tu ne viens pas du tout pour Noël ?

Elle n'avait pas élevé la voix mais elle était glaciale.

— On avait décidé qu'on aurait une grande discussion à Noël, qu'on mettrait tous nos projets à plat pour l'an prochain ! Et maintenant tu me dis que je ne vais pas te voir avant janvier ? Peut-être même février ?

— J'essaierai de venir en janvier. Je suis le petit nouveau au boulot alors je n'ai pas vraiment la possibilité d'imposer mes choix... Je dois plutôt me montrer reconnaissant d'avoir une véritable opportunité de carrière ici.

Il était légèrement agacé mais tentait de le dissimuler pour ne pas envenimer la situation.

— Une opportunité ? Mais retire tes œillères, Ari Thór ! Une opportunité de quoi ? De consolider une relation ? De fonder une famille ? Cinq cents kilomètres nous séparent ! Cinq cents, Ari Thór !

Plutôt dans les quatre cents, rectifia-t-il en silence. Ce n'était pas le moment de la reprendre.

— Je n'y peux vraiment rien. Mes collègues sont en place depuis plus longtemps que moi et ils ont tous une famille...

Il regretta ses paroles sitôt prononcées.

— Parce que toi, tu n'as pas de famille à Reykjavik, peut-être ? Et moi ? Et mes parents ?

— Ce n'est pas ce que je voulais dire.

Silence.

— Je dois y aller.

Elle parlait d'une voix plus grave, traversée d'un sanglot.

— Je dois y aller, on me bipe, là... On se reparle plus tard.

9

Quelles étaient ses intentions ? Elle n'en avait aucune idée.

Un terrible pressentiment monta en elle, des pensées qu'elle n'osait pas mener jusqu'à leur terme. S'agissait-il d'un simple cambriolage ou de quelque chose de bien pire ?

L'idée d'ignorer ses menaces et de se mettre à hurler, à hurler avec tout ce qui lui restait de force, traversa son esprit. Mais il n'y avait pas beaucoup de gens susceptibles de l'entendre, et leurs maisons étaient séparées de la sienne par de grands jardins.

Elle était prisonnière de sa propre prospérité, dans cette vaste maison indépendante au cœur d'un quartier tranquille, où les gens n'hésitaient pas à mettre le prix pour se couper des problèmes du monde.

Il ne disait rien et regardait autour de lui. Elle n'osait pas parler, à peine le regarder. Il balayait le salon du regard, sans un mot, et ce silence était un fardeau écrasant ; le silence et l'incertitude.

Bon sang... pourquoi ne parlait-il pas ? N'importe quoi pourvu qu'elle ne reste pas là, immobile parmi les pensées qui l'assaillaient.

Son esprit se tourna vers ses deux enfants qui avaient depuis longtemps quitté le cocon maternel et fondé à leur

*tour une famille. Ils ne risquaient pas de surgir brus-
quement maintenant qu'elle avait besoin d'eux – déjà
qu'ils rendaient rarement visite à leurs parents, sinon
pour les vacances ou à Noël.*

Non. Elle était seule avec cet inconnu.

*Toujours immobile, il paraissait prendre la mesure
de la salle de séjour. C'était une pièce somptueuse,
aussi délicatement aménagée que dans un magazine
de décoration : deux aquarelles au mur représentaient
des paysages champêtres, une table basse élégante
côtoyait un canapé flambant neuf, un vieux secrétaire
en bois hérité de la famille de son mari et, enfin, un
fauteuil design en cuir ridiculement cher auquel elle
était profondément attachée. Elle faillit s'étrangler
quand il se laissa tomber dans le fauteuil et se mit à
caresser l'accoudoir de la pointe de son couteau. Il la
regarda. Il dit quelque chose, un mot prononcé avec un
accent rauque, comme s'il ne voulait pas qu'elle puisse
l'identifier plus tard. C'était encourageant, comme le
fait qu'il ait caché son visage. Peut-être allait-il lui
laisser la vie sauve.*

Elle fit un effort pour comprendre ce qu'il disait.

– Pardon ? demanda-t-elle dans un murmure terrifié.

– Les bijoux !

Un misérable cambrioleur, songea-t-elle, soulagée.

*Elle se leva mais se sentit faible. Luttant pour gar-
der son équilibre, elle désigna l'escalier au bout du
couloir. La plupart de ses bijoux se trouvaient dans la
chambre à l'étage, mais son mari avait rangé les plus
chers avec divers documents et autre biens précieux
dans le coffre du petit bureau du rez-de-chaussée. Elle
n'en connaissait pas la combinaison, ce qui lui procura
un léger réconfort.*

Il tenait son couteau avec désinvolture, tout en laissant

deviner qu'il savait exactement le manipuler. Comme si ce n'était pas la première fois qu'il s'en servait. Il la suivit tandis qu'elle s'engageait dans l'escalier. Elle lui montra rapidement où se trouvaient les bijoux dans la chambre, décidant qu'il ne servait à rien de faire traîner les choses, espérant qu'il prendrait ce qu'il était venu chercher et partirait en la laissant en vie.

Il vida la boîte à bijoux sur le lit et en éparpilla le contenu – autant de souvenirs pour elle : sa bague de fiançailles, des cadeaux d'anniversaire, des cadeaux de mariage... Elle pensa à son époux. Et si cet homme ne la relâchait pas ? Et si... ?

Elle pensa à l'avenir, aux années de rêve qu'ils avaient prévu de passer à voyager, à explorer le reste du monde...

Ce salopard allait-il tout détruire ?

10

Siglufjördur, 14 décembre 2008

Pile deux années. Il avait du mal à le croire. Ari Thór se rappela, comme si c'était hier, le jour où il était allé en centre-ville pour acheter son premier cadeau de Noël à Kristín. Ces souvenirs s'agitaient dans son esprit tandis qu'il se tenait devant la maison d'Ugla et que les cloches de l'église retentissaient tout autour du fjord. Elles résonnaient à travers la ville, au point qu'il avait du mal à déterminer l'origine de ce bruit. Par réflexe, il se tourna vers les montagnes : les tintements semblaient dévaler leur versant. Soudain, une vision s'imposa à lui : non plus les montagnes, mais une soirée tranquille passée près du lac à Reykjavik, deux ans plus tôt.

Les examens de fin de trimestre approchaient mais il avait abandonné ses cours de théologie pour la soirée et laissé Kristín à la maison avec ses manuels dont elle ne s'arrachait jamais qu'à contrecœur. Il avait marché jusqu'au centre-ville où il avait acheté deux livres dans une librairie qui restait ouverte jusqu'à très tard. Puis il s'était promené jusqu'au lac, lieu incontournable de ce quartier de Reykjavik. Ce jour-là, le temps avait été étonnamment calme pour la saison, tout juste rehaussé d'un petit vent glacé qui s'insinuait sous le col de sa veste. Dans tous les coins de la ville, les guirlandes de Noël illuminaient de leur halo le ciel chargé de nuages. Il s'était assis face au lac, dos au Parlement, l'hôtel de Ville sur sa gauche. Les passants étaient rares alentour, et il avait regardé les façades des maisons comme s'il était extérieur à lui-même – un simple observateur admirant un joli panorama, une séquence de film se déroulant sous ses yeux. Il était 21 heures et aux fenêtres de ces maisons cossues scintillaient des bougies de l'Avent, des sapins de Noël aux guirlandes clignotantes. Les cloches de la cathédrale se mirent à sonner. On aurait dit que la paix de la ville l'avait emporté sur la cohue de Noël. Les canards du lac répondirent aux cloches. Ari Thór restait immobile, s'imprégnant de l'atmosphère de cet instant. Jamais le temps n'avait passé aussi lentement.

Le carillon résonnait toujours, mais cette fois c'était celui de Siglufjördur. Ari Thór se laissa envelopper par ce souvenir. Une main se posa sur son épaule. Elle avait la légèreté d'une plume, ce qui ne l'empêcha pas de sursauter. Il pensa aussitôt à Kristín – pourtant, ce ne pouvait être elle.

Il regarda autour de lui, la vit et sourit : Ugla, la professeur de piano. Elle portait un jean foncé et un tee-shirt d'un blanc éblouissant. Elle avait la petite vingtaine. Grande, mince. Elle dégageait quelque chose de chaleureux malgré l'air frisquet, mais ses yeux laissaient aussi filtrer une certaine tristesse. La lueur des réverbères se reflétait sur ses longs cheveux clairs. Elle lui rendit son sourire.

– Vous ne voulez pas entrer ? Vous allez mourir de froid dehors.

Ari Thór avait vu sa petite annonce sur la vitrine du Co-Op deux semaines plus tôt. Il avait toujours eu envie de jouer du piano mais n'avait jamais pris le temps de se lancer, ou eu l'impulsion nécessaire. Il avait arraché une des languettes portant le nom et le numéro de téléphone de la pianiste et voilà qu'il se présentait à son deuxième cours.

Habillé pour se protéger du froid, il remarqua la chair de poule sur les bras dénudés d'Ugla.

« Une contraction des muscles sous la peau », lui avait un jour résumé Kristín. Il venait de lui dire qu'il avait la chair de poule chaque fois qu'il la voyait – un horrible cliché – ; elle lui avait répondu par une explication médicale.

– Merci, dit-il en accrochant son manteau dans l'entrée et en refermant la porte derrière lui. Naturellement, je n'ai pas pu travailler mon morceau depuis la dernière fois, vu que je n'ai aucun instrument. Je suis sûrement le pire élève que vous n'ayez jamais eu !

– Ne vous en faites pas. Vous êtes le pire et le meilleur puisque vous êtes mon seul élève. Alors disons que vous êtes le meilleur. Je me demande encore pourquoi j'ai mis cette petite annonce, mais j'imagine que le vieux Hrólfur a piqué mon intérêt…

– Hrólfur ? L'écrivain ?

Il avait appris que le vénérable maître habitait en ville.

– Lui-même. C'est un vieil homme absolument adorable. Vous devriez le rencontrer ; lui demander une dédicace. On ne sait jamais… ça pourrait être votre dernière chance. Il est encore alerte pour son âge, il a l'esprit très affûté.

– Je n'ai jamais ouvert un de ses livres mais, oui, j'aimerais bien faire sa connaissance.

– Il faut que vous lisiez *Au nord des collines*. C'est un chef-d'œuvre. Son seul roman, et une vraie merveille. Ensuite, il n'a plus écrit que des nouvelles et des poèmes.

– Je l'ignorais…

– Je vous prêterai mon exemplaire. Mais il me l'a dédicacé, alors vous ferez attention de ne rien renverser dessus !

Elle lui lança un sourire amical.

– Qu'est-ce que je vous sers ? Un café ?

– Vous n'auriez pas plutôt du thé ?

Ari Thór avait éclusé tellement de litres de café pendant ses années universitaires que sa seule odeur évoquait désormais des souvenirs désagréables de révisions tardives dopées au stress et à la caféine. Il essayait de se sevrer en se mettant au thé.

– Pas de problème. Asseyez-vous, je vous apporte ça.

Il s'enfonça dans un fauteuil rouge moelleux, posa ses mains sur les accoudoirs et observa le salon. Pendant leur première leçon, Ugla lui avait expliqué qu'elle louait l'appartement meublé et que le vieux piano faisait partie du mobilier. De fait, personne n'aurait pu imaginer que la décoration de cette pièce était l'œuvre d'une jeune femme. C'était un véritable saut en arrière dans le temps : le superbe parquet en bois était à moitié caché par un tapis aux curieux motifs marron et blancs ; deux étroites bibliothèques brun foncé d'apparence artisanale avaient été débarrassées de leurs livres par le propriétaire – leurs étagères contenaient juste quelques livres de poche, un mélange de polars classiques et de romans à l'eau de rose. Et puis un exemplaire magnifiquement relié d'*Au nord des collines*, de Hrólfur Kristjánsson. La longue cloison derrière le canapé était décorée d'une reproduction d'un tableau célèbre. Juste en face, le piano paraissait enfoui sous un tas de partitions.

Ugla sortit de la cuisine avec un mug fumant.

– J'espère que je ne suis pas hors-la-loi en donnant des cours de piano sans autorisation…

Elle lui tendit le mug et deux sachets de thé.

– Désolée, je n'ai que deux sortes de thé, s'excusa-t-elle.

– Merci. Si je découvre que vous êtes dans l'illégalité, je fermerai les yeux.

Ari Thór sourit et plongea un sachet dans l'eau chaude.

– La police a mieux à faire que traquer les professeurs illégaux…

Il se demanda si c'était vraiment le cas. Les premiers temps à Siglufjördur avaient constitué une expérience intéressante, avec des patrouilles régulières à bord d'une grosse jeep et peu de travail. Quasiment personne ne commettait d'excès de vitesse, du moins pas en ville et sûrement pas sur les routes de montagne enneigées, avec leur à-pic vertigineux de l'autre côté du tunnel. Plus par peur du danger que par crainte d'une amende. Il était intervenu sur un accident de voiture – un froissement de tôle mineur – et avait été appelé à deux reprises pour ouvrir des portières de voiture bloquées. Il avait aussi raccompagné quelques ivrognes chez eux. De toute évidence, la police offrait une gamme de services plutôt large, par ici.

– Je vais me faire un café et on commence la leçon, annonça Ugla.

Le cours était censé durer quarante-cinq minutes, mais la semaine précédente, il était resté une heure de plus à discuter avec la jeune femme.

Depuis son arrivée, il avait éprouvé par tous les pores de sa peau l'impression d'être un nouveau venu dans un lieu étrange. Personne ne l'approchait, et pourtant, tout le monde savait qui il était – tout le monde savait qui était tout le monde dans cette ville repliée sur elle-même. Au club de sport ou à la piscine, personne ne venait lui parler. Il croisait souvent des regards interrogateurs, qui jaugeaient cette nouvelle recrue de la police locale.

Une fois, il avait failli verbaliser un conducteur qui téléphonait au volant.

– Vous êtes qui, d'abord ? Un officier de police ? Je ne savais pas qu'on avait un nouveau flic… avait riposté l'homme, cinglant, avant de jouer les imbéciles, avec un demi-sourire arrogant :

– Comment je sais que vous ne venez pas de voler une voiture de patrouille et un uniforme ?

Ari Thór lui avait souri en retour et, tout en restant courtois malgré sa frustration :

– Je ne vous donne pas de PV cette fois-ci. Mais ne recommencez pas.

En cas de récidive, il se montrerait moins compréhensif.

Il se savait observé. Un jour où, pendant une patrouille, il avait oublié de mettre son clignotant, Tómas lui avait annoncé qu'un piéton anonyme s'en était plaint.

– Tu ne pensais quand même pas que ce serait une promenade de santé, si ? l'avait mis en garde son collègue. On n'a peut-être pas de tueurs ou d'autres cinglés dans le genre, mais ce n'est pas non plus un jardin d'enfants…

Il s'était tout à coup senti très seul. Comme un étranger venu passer le week-end à Siglufjördur qui s'apercevrait que son séjour se prolongeait, jour après jour. Comme un voyageur sans billet de retour.

Il pouvait discuter avec Tómas et Hlynur en buvant un café, mais cela restait superficiel et tournait toujours autour du sport et de la politique.

Ugla était différente. Elle était accueillante, avenante,

64

pas avare de son temps et, lorsque c'était nécessaire, elle était capable d'écouter attentivement.

Elle revint avec son café. Elle n'avait pas du tout l'air pressée de commencer le cours.

– Vous vous vous plaisez à Siglufjördur ? demanda-t-elle avec un demi-sourire.

– Eh bien... ça va, oui.

– Je sais. C'est difficile de s'y faire, au début. C'est une si petite communauté. Les cancans fusent dès que vous avez le dos tourné... J'ai connu ça, moi aussi.

Sa voix était apaisante, agréable.

– Le fait d'arriver de Patreksfjördur m'a aidée : je connaissais déjà l'ambiance des petites villes. Pourtant, ces deux-là sont différentes. La vie ici n'a rien à voir avec celle dans les Vestfirdir, mais j'ai du mal à déterminer en quoi. Chaque ville a son charme propre, je suppose...

Elle tentait de le mettre à l'aise.

Il y avait quelque chose de fascinant en elle, qui incitait à lui faire confiance.

– J'ai entendu dire que vous faites des études pour devenir prêtre ?

– Pas vraiment. Je les ai abandonnées depuis un certain temps.

– Vous devriez aller au bout.

Ari n'avait aucune envie d'entrer dans cette discussion. Une diversion s'imposait.

– Et vous ? Des études universitaires, aussi ?

– Oui, répondit-elle vivement. Si tout va bien. Mon dossier doit d'abord être accepté. J'ai quitté Patreksfjördur un peu précipitamment...

Sa phrase resta en suspens. Ari Thór sentit qu'elle n'en dirait pas plus sur Patreksfjördur.

Après un bref silence gêné, elle reprit :

– J'hésite à tenter l'université d'Akureyri ou celle de Reykjavik… Je risque de ne pas aimer la vie dans une si grande ville.

– Elle n'est pas si grande. Vous pourriez vous y plaire. J'ai un appartement dans le centre, près du port.

Il fut surpris de constater qu'il lui parlait déjà comme à une vieille amie. Pour une raison inconnue, il ne mentionna pas Kristín et le fait qu'ils vivaient ensemble. Il n'avait pas envie de lui avouer qu'il avait une petite amie. Ce qui n'était pas vraiment un mensonge puisque Ugla ne lui avait pas posé la question directement.

– Ça doit vous faire un sacré changement, observat-elle. D'accord, vous êtes encore près d'un port, mais ce n'est pas la même échelle !

Une partie d'elle lui demeurait inaccessible. Certes, elle était loin de sa famille. Mais sa tristesse semblait plus profonde que cela. Chaque sourire s'accompagnait d'un regard où passait un reflet sombre.

– Il y a aussi les montagnes…

Il sourit.

– On dirait qu'elles nous enferment, pas vrai ?

– Exact, admit-il.

Il embraya sur un sujet moins gênant :

– Vous restez ici pour Noël ?

– Oui, mes parents vont venir passer les vacances avec moi. Comme je suis loin d'être un cordon-bleu, ma mère s'occupera du menu spécial du réveillon.

À en juger par sa voix, elle était impatiente d'y être.

– La cuisine n'est pas mon point fort non plus…

Il y avait un peu de fausse modestie dans la remarque d'Ari Thór.

– … mais j'essaierai quand même de cuisiner quelque chose d'un peu festif.

Il avala une gorgée de thé brûlant.

– Comme je suis de garde pendant le réveillon, je prendrai mon dîner avec moi – et quelques bons livres.

– Ça s'annonce bien triste…

La sincérité de la jeune femme lui plut.

– Oui, mais je n'ai pas vraiment le choix.

– Vos parents ne monteront pas vous voir ?

C'était une question innocente. Il n'avait pas pour habitude de se présenter comme un orphelin. Mais il n'allait pas se laisser troubler.

– Non… J'ai perdu mes parents il y a bien longtemps.

Il la regarda droit dans les yeux puis baissa le regard quand elle se mit à fixer son café d'un air embarrassé.

– Je suis navrée.

Elle avait un ton sincère.

– Vraiment navrée. Je ne m'en serais jamais doutée.

– Ce n'est pas grave. On s'y fait.

– Vraiment ? demanda-t-elle, étonnée.

Ari Thór haussa les épaules.

– On s'y fait, vraiment ? répéta-t-elle.

– Oui… Oui, je le pense. Ça m'a pris beaucoup de temps pour me faire à l'idée, ça n'arrive pas du jour au lendemain. Disons que ça s'arrange. Il faut continuer à avancer, la vie suit son cours…

Ugla s'assit sans dire un mot.

– Pourquoi cette question ? s'enquit Ari Thór.

Elle resta encore un moment silencieuse, fixant son mug comme s'il contenait la réponse à toutes les interrogations. Puis elle leva la tête.

– J'ai perdu… J'ai perdu mon fiancé il y a quelques années. C'est pour cela que j'ai emménagé ici.

Habitué à être celui qui portait le deuil – celui qui recevait des marques de sympathie –, Ari Thór ne sut comment réagir.

– Mes condoléances…

Que dire d'autre ? Il était conscient que ses paroles étaient vides de sens. Il aurait aussi bien pu lui tendre une carte de condoléances trouvée chez un fleuriste.

– Merci.

– Comment est-il mort ?

– Eh bien... un soir où nous étions sortis boire un verre... Il y a un petit bar à Patreksfjördur et il...

Elle aurait voulu dire *Ágúst* mais elle hésita, comme si elle n'arrivait pas à prononcer son nom à haute voix.

– ... il s'est disputé avec un client complètement saoul, un type qui n'était pas de la ville. Il a reçu un coup de poing, il est tombé et... il ne s'est plus jamais relevé. Un seul coup de poing...

Elle avait une expression affligée mais Ari Thór avait la sensation que raconter cette histoire l'avait soulagée.

– Je suis désolé. Vraiment.

– Merci, murmura-t-elle de nouveau.

Elle posa son mug de café et regarda la pendule.

– Je ne vais pas vous garder toute la soirée, lança-t-elle avec une cordialité forcée. Il est grand temps qu'on s'y mette...

– Absolument. Il faut que je revoie ce qu'on a joué la semaine dernière. Ça ne va pas être joli joli !

Il s'assit au piano et plaça les mains sur le clavier.

– Non, pas comme ça.

Ugla corrigea sa posture, levant sa main droite et la déplaçant. Il rougit quand elle le toucha. Il émanait d'elle une chaleur agréablement énergisante...

– Merci. Voilà, c'est mieux.

Et soudain, ce fut comme si Kristín se trouvait à des milliers de kilomètres.

11

D'une voix plus forte cette fois, suffisamment pour lui faire peur mais pas assez pour être entendu de la rue, il lui redemanda où se trouvait l'argent. Elle portait toujours le manteau qu'elle avait enfilé pour aller chercher son riz.

Le riz. L'avait-elle oublié ? Elle repoussa cette pensée au fond de son esprit, surprise de s'en préoccuper dans un moment pareil.

La première fois qu'il lui avait posé la question, elle avait tendu son porte-monnaie.

Il avait jeté un rapide coup d'œil au porte-monnaie, constaté qu'il ne contenait presque rien, et insisté : où ce foutu fric était-il planqué ?

Elle secoua la tête. Il lui demanda où était le coffre.

Elle secoua de nouveau la tête, mais ses yeux durent la trahir. Comme un chat traquant sa proie, il venait de flairer une piste.

Il s'approcha d'elle. Posa le couteau sur sa gorge.

– Il te reste une chance. Ne foire pas ton coup.

Sa voix la terrifiait.

Il ajouta :

– Si tu me dis qu'il n'y a pas de coffre, je te tue tout de suite. J'ai zéro tolérance pour les conneries.

Elle lui montra aussitôt le chemin : en bas des escaliers, dans le couloir qui menait de l'entrée au *bureau. Il pressa l'interrupteur et l'ampoule basse tension éclaira la pièce. L'imposant coffre-fort se trouvait juste devant eux.*

Il l'interrogea du regard.

Elle lui répondit avant qu'il pose la question.

– Je ne connais pas la combinaison. Vous devez me croire !

Elle criait presque.

– Vous allez devoir attendre le retour de mon mari.

Il leva son couteau. Elle sentit son cœur marteler sa poitrine.

C'est sans doute le téléphone qui lui sauva la vie à cet instant – ou du moins lui offrit un répit.

12

Siglufjördur, veille de Noël 2008

– Joyeux Noël, mon garçon ! s'exclama gaiement
Tómas avant de sortir dans la nuit glacée.

Ari Thór faillit répondre quand il entendit la porte
claquer. Il jugea inutile d'adresser des vœux aux murs.
Il s'assit devant l'ordinateur du poste de police. Des
guirlandes de papier rouge et blanc avaient été suspen-
dues aux murs et un sapin en plastique orné de boules
pas chères montait la garde à l'entrée. Noël au poste
de Siglufjördur.

Peut-être n'était-ce du reste pas nécessaire d'en faire
davantage : cet endroit n'allait pas précisément se trouver pris d'assaut en période de vacances. Ari Thór serait
seul pour cette garde de vingt-quatre heures, jusqu'au
lendemain midi, jour de Noël. Travail solitaire mais
bien payé, et ces heures supplémentaires étaient les
bienvenues. Compte tenu de la situation économique du
pays, il ne manquait jamais de se rappeler qu'il pouvait
s'estimer heureux d'avoir un travail.

Ce n'était certes pas le Noël auquel il s'était attendu
– leur premier, depuis que Kristín et lui vivaient ensemble.
En même temps, il réalisa avec stupeur qu'il y avait sans
doute peu de chance pour qu'ils vivent encore ensemble

tout court. Il avait emménagé de l'autre côté du pays et il était peu probable qu'elle se décide à le suivre. Le fait qu'elle habite encore dans son appartement à lui, à Reykjavik, n'était qu'une maigre consolation. En cet instant, il n'estimait pas que cet appartement était *chez lui*, de même que Kristín ne pouvait considérer Siglufjördur comme *chez elle*.

Il avait envie de lui écrire un e-mail ou de lui téléphoner, mais quelque chose le retenait. Après tout, c'était à elle de l'appeler. C'est lui qui était seul et abandonné dans une ville reculée, à des kilomètres de toute zone civilisée, loin de tous ses amis, entouré par de stupides guirlandes de papier.

Dehors, la neige ne faiblissait pas. L'attention d'Ari Thór passait tour à tour de l'écran d'ordinateur à la couche qui s'épaississait au-dehors. Sa nuit allait être bien solitaire. Il sortit sur le trottoir pour respirer un peu d'air pur – plus pur que celui de Reykjavik, ça ne faisait aucun doute – et pour déblayer le seuil. Il n'avait pas l'intention de rester bloqué par la neige, surtout qu'il devait pouvoir partir à tout moment en cas d'urgence.

Ari Thór se rappela les paroles de Tómas.

Il ne se passe jamais rien à Siglufjördur.

Jusqu'à présent, son travail avait été incroyablement monotone : patrouilles et interventions mineures. Le seul événement grave à l'avoir occupé était un marin qui s'était cassé la jambe sur un bateau. Ari Thór avait dû prendre les dépositions des membres d'équipage. Il avait consciencieusement noté leur description de l'accident mais avait eu du mal à en reconstituer le déroulement. Il les soupçonnait de prendre un malin plaisir à user du vocabulaire maritime pour dérouter le jeune gars du Sud, sans aucune expérience de la navigation. Mais il avait refusé de tomber dans leur panneau en leur demandant des explications.

Son regard embrassa la ville tranquille.

La veille, il s'était arrêté dans la petite librairie pour acheter un roman tout juste paru qui figurait sur sa liste de Noël. Il ne pouvait compter sur personne d'autre pour le lui offrir. À vrai dire, sa liste de cadeaux n'existait que dans sa tête et même Kristín, l'année précédente, n'avait pu deviner ce qu'elle contenait quand elle avait choisi un roman pour lui. Ses parents lui offraient toujours un livre à Noël. La tradition islandaise de lire un nouveau livre la veille de Noël jusqu'aux petites heures du matin tenait un rôle important dans sa famille. À treize ans, à la disparition de sa mère et de son père, il partit vivre avec sa grand-mère. Depuis, il mettait un point d'honneur à s'acheter un livre à chaque Noël, un titre qui lui faisait particulièrement envie.

– N'hésite pas à rentrer chez toi pour dîner vers 18 heures, du moment que tu emportes le téléphone, lui avait suggéré Tómas avant de partir.

Mais la perspective de dîner seul en silence face à ses quatre murs l'avait dissuadé. Dans la matinée, il s'était préparé un repas de Noël islandais traditionnel à base de porc fumé, l'avait enveloppé dans de l'aluminium et emporté au poste – avec quelques canettes de bière, une grosse bougie blanche, son nouveau roman et un CD emprunté à la bibliothèque.

Il ne recevrait aucun cadeau cette année. Pas même de la part de Kristín.

Il essaya de penser à autre chose mais son esprit revenait sans cesse vers elle. Son ressentiment était intense, inexplicable. En même temps, pour être honnête, lui non plus n'avait rien envoyé. Il avait commis une erreur en acceptant ce poste sans en discuter au préalable avec elle, mais il était trop orgueilleux pour l'admettre. Ils ne s'étaient plus parlé depuis leur conversation houleuse sur son emploi du temps pendant les fêtes. Il avait honte et redoutait qu'elle lui en veuille encore. Au fond de lui, il espérait la voir faire le premier pas, renouer le contact pour lui dire que tout allait s'arranger.

Toute la journée il avait guetté le courrier, espérant l'arrivée d'un petit cadeau. D'un mot. Enfin, quelque chose était tombé dans la boîte aux lettres. Une carte de vœux. Il avait déchiré l'enveloppe d'un geste impatient, le cœur battant.

Et merde.

La carte provenait d'un ami d'enfance. Rien de Kristín. Tentant de dissiper sa déception, il s'était réjoui que ce vieil ami ait pensé à lui.

De temps en temps, il décrochait le téléphone, prêt à appeler Kristín, comme si une voix lui chuchotait de se laisser guider par l'esprit de Noël et d'oublier leurs désaccords. Mais il craignait la façon dont elle pourrait réagir. Alors autant éviter une nouvelle désillusion…

*

Tómas ajusta sa cravate devant la glace. Ses yeux étaient fatigués, ses paupières lourdes.

Il ne comprenait pas pourquoi sa femme voulait quitter Siglufjördur. Il ne voyait vraiment pas. Était-ce quelque chose qu'il avait fait ?

Ils étaient mariés depuis trente ans. Elle avait commencé à donner quelques signes durant l'automne : elle voulait déménager, quitter la ville, descendre vers le Sud, s'inscrire à l'université. Pourquoi éprouvait-elle le besoin, maintenant, de reprendre des études ? Elle lui avait dit qu'il pourrait la rejoindre à Reykjavik s'il

74

voulait – mais ça n'était pas vraiment envisageable. Il ne se voyait pas quittant Siglufjördur, ou son métier. Avec un peu de chance, elle changerait d'avis, mais les choses se présentaient mal.

– Tu veux divorcer ? C'est ça ?

– Non… je veux que tu viennes avec moi.

Elle avait une voix qui lui déniait clairement toute possibilité de refuser.

– J'ai besoin de changement.

Lui n'éprouvait pas du tout le besoin de changement.

Ils devraient aussi parler de tout ça avec leur fils Tómas. Ce n'était plus un petit garçon, mais un adolescent mature de quinze ans qui allait entrer en fac à Akureyri l'hiver suivant. Son frère aîné était parti depuis longtemps : il avait quitté la maison plus de dix ans auparavant et ne s'aventurait plus que rarement dans le Nord.

Elle devrait attendre le printemps pour déménager.

Le changement.

Il voyait bien sur son visage qu'elle ne reviendrait pas. Leur fils partirait bientôt pour l'université et il resterait seul.

Il se concentra devant le miroir : la cravate était toujours trop courte.

Saleté, pensa-t-il.

Elle la lui avait offerte l'année précédente, à Noël.

Elle ne reviendra pas.

*

Il n'était pas encore 18 heures quand le téléphone sonna au poste de police. Ari Thór sursauta. Le silence avait été complet jusque-là, rythmé par le ronflement de l'ordinateur et le tic-tac de la pendule murale.

À mesure que la neige s'amassait autour du poste, un sentiment d'asphyxie de plus en plus intense l'enveloppait. Comme si les dieux de la météo avaient décidé de construire autour du bâtiment un mur qu'Ari Thór ne pourrait jamais abattre. Il voyait les choses autour de lui s'assombrir et, soudain, il se débattait pour reprendre sa respiration. Mais, cette fois, l'impression se dissipa rapidement.

Quand la sonnerie du téléphone rompit le silence, il se demanda si, par chance, ce n'était pas Kristín.

Il jeta un œil sur son téléphone portable ; l'écran était éteint. Il comprit alors que la sonnerie provenait du téléphone sur son bureau.

Il ne se passe jamais rien à Siglufjördur.

Il se dépêcha de décrocher.

– Police, j'écoute.

Aucune réponse. Il sentait pourtant une présence à l'autre bout de la ligne. Il vérifia le numéro qui venait de s'afficher sur l'écran : un portable.

– Allô ?

– … il…

Ce n'était qu'un faible murmure. Difficile de reconnaître un homme ou une femme, comme de lui attribuer un âge.

Ari Thór frissonna, sans savoir si c'était à cause du coup de fil ou du froid pénétrant de la neige. Cette neige qui tombait sans interruption.

– Allô ? répéta-t-il en forçant sur les graves pour se donner un semblant d'autorité.

– … je crois qu'il va me faire mal…

Il était sûr à présent d'avoir perçu de la peur dans la voix – de la peur et du désespoir. À moins qu'il ait projeté ses propres sentiments d'angoisse – la claustrophobie, la solitude – sur son interlocuteur ?

– Vous pouvez répéter ?

La communication se coupa.

Il rappela mais personne ne décrocha. Il chercha le numéro de téléphone dans la base de données de la police : aucun utilisateur référencé. Ce devait être une carte SIM achetée dans un kiosque à journaux quelconque, peut-être même ici, à Siglufjördur. Mais l'appel en lui-même pouvait venir de n'importe quel coin du pays.

Que faire maintenant ? Il n'en avait aucune idée. Il attendit un instant et composa de nouveau le numéro.

Il y eut une sonnerie, puis on décrocha. La même voix, le même murmure.

– Pardon… Je n'aurais pas dû… pardon.

Et de nouveau, la tonalité.

Perplexe, Ari Thór sortit dans l'obscurité.

Foutue obscurité.

– Appelle-moi s'il y a quoi que ce soit, lui avait dit Tómas, pris de remords à l'idée de laisser la nouvelle recrue seule au poste une nuit de Noël.

Il était 17 h 30. Tómas, un homme qui abordait la vie avec calme et ne se laissait pas bousculer, sûrement pas à Noël, ne devait pas encore avoir revêtu son costume.

Et merde…

Ari Thór composa le numéro de son collègue.

– Allô ?

À l'autre bout du fil, la voix familière : grave, puissante mais aimable.

– Tómas ? Ari Thór à l'appareil. Désolé de t'appeler au plus mauvais moment…

– Ah, bonsoir.

Tómas paraissait distrait, et nettement moins jovial qu'à l'accoutumée.

– Noël ne commence pas tant qu'on n'est pas prêt, et

je n'ai pas l'intention de me presser. On en est encore à emballer les cadeaux. Le pire, c'est que le prêtre commence toujours la messe à 18 heures ! Bah, ça ne sera pas la première fois qu'on déboule en plein milieu.

Même son rire semblait forcé.

– Je viens de recevoir un appel bizarre. Je ne sais pas quoi en penser. La personne, un homme ou une femme, je ne sais pas, disait en murmurant qu'elle était en danger – en tout cas, c'est l'impression que j'ai eue. Quand j'ai rappelé son numéro, elle m'a répondu que c'était une erreur.

– Ne te bile pas, répondit Tómas d'un air absent.

Il paraissait fatigué.

– On reçoit régulièrement ce genre de coup de fil. C'est toujours un canular, en général des jeunes… Ah, ces gosses.

Il hésita avant d'ajouter :

– Tu me dis que la personne a quasiment avoué que c'était une blague quand tu as rappelé ?

– Bah… en quelque sorte.

– Alors pas d'angoisse. C'est toujours chiant d'être flic à Noël et il y a des gens qui n'ont pas de scrupules. Allez, Révérend, tu n'as pas mieux à faire ? Préparer un sermon ou un truc dans le genre ?

Nouveau rire forcé. Ari Thór tenta de sourire pour oublier l'impression gênante que la voix murmurante avait laissée en lui.

– Si, sans doute… Allez, salue ta famille pour moi.

– Sans faute.

– Et joyeux Noël, ajouta-t-il, mais Tómas avait déjà raccroché le combiné.

Ari Thór prit le roman qu'il avait acheté malgré la promesse qu'il s'était faite de ne l'ouvrir qu'après le dîner. Il comptait sur ces petits plaisirs pour lutter contre l'ennui. Après quelques pages, il s'aperçut qu'il n'avait rien retenu de ce qu'il lisait. Incapable de se concentrer, il se leva, ouvrit la porte, marcha dans la neige et leva les yeux vers les montagnes. L'homme les avait vaincues en creusant des tunnels et faisait le maximum pour repousser les forces de la nature en dressant des murs anti-avalanches si énormes qu'on les aurait dits construits par des trolls. Mais la nuit et la neige étaient à jamais invincibles. Ari Thór tourna la tête vers le ciel et ferma les paupières, offrant aux flocons légers comme des plumes son visage comme un refuge.

Il y eut un bruit à l'intérieur. Aucun doute cette fois, c'était son portable et non le téléphone du poste. Un texto.

Kristín ?

Il retira la neige de son visage et, en quelques pas glissants qui faillirent le faire trébucher, il retourna à son bureau. La vieille table en bois clair était probablement le meuble le plus élégant du sinistre décor. Le voyant rouge clignotant du portable indiquait un message en attente. Une diode minuscule plus réconfortante que toutes les illuminations de Noël.

Il oublia aussitôt le coup de téléphone, la voix murmurante, la peur et l'incertitude pour attraper son téléphone et lire le message. La déception suivit de peu : ce n'était pas Kristín. Ni même un numéro qu'il connaissait.

Il lut le texto, stupéfait.

« Joyeux Noël ! Amusez-vous bien pendant votre garde ! »

Et en dessous, une signature : « Ugla ».

Ugla avait pensé à lui écrire un message alors que Kristín ne lui avait rien envoyé ?

Son agacement contre l'oubli – et la susceptibilité –

de Kristín céda peu à peu la place au plaisir d'avoir reçu un message d'Ugla. Penser à elle fit naître un sourire sur son visage. Il la revit : grande, mais pas autant que lui. Avec ses doigts délicats de musicienne...

Elle était vraisemblablement chez elle avec ses parents, en train de tout préparer pour le réveillon, et elle s'était tout de même souvenue de lui. Il lui écrivit un message reconnaissant, lui souhaita un joyeux Noël, puis retourna s'asseoir avec son roman. Cette fois, la concentration vint plus aisément.

*

Les cloches de l'église résonnèrent à travers la ville et jusqu'aux montagnes, mais pas au-delà. Comme si elles s'adressaient aux seuls habitants de Siglufjördur.

Ari Thór délaissa son livre et sortit la bougie de son sac. Il la posa sur le rebord de la fenêtre et alluma la mèche. Puis il fit de la place pour son dîner en repoussant les piles de paperasses sur le bureau et se remplit un verre de bière. Ses pensées allèrent vers sa mère, qui préparait toujours un carré de porc fumé à Noël et passait le même vieux disque qu'interrompaient seulement les cloches à la radio, avant la retransmission nationale de la messe de Minuit.

Il prit le CD dans son sac et le glissa dans la mini-chaîne, antédiluvienne mais toujours pratique, qui équipait le poste de police. Il monta le volume avant le début du disque. Ce qu'il avait envie d'écouter en cet instant précis ? Le *largo* de *L'Hiver*, de Vivaldi.

Et sur ces notes, Noël arriva.

13

Le téléphone portable dans son manteau – pourquoi n'avait-elle pas essayé de s'en servir ? Pourquoi n'avait-elle pas appelé la police ? Ç'aurait été facile : trois chiffres à presser à tâtons… Merde. Trop tard pour y penser, maintenant que la sonnerie stridente perçait à travers sa poche.

Il sursauta. La lame acérée, pressée contre son cou, la coupa. Elle posa une main sur la plaie, elle était superficielle.

Il s'empara du téléphone, regarda l'écran et le lui montra. C'était son mari, qui voulait certainement bavarder avec elle avant d'embarquer dans l'avion.

– S'il vous plaît, murmura-t-elle, laissez-moi répondre. C'est mon mari. Il va s'inquiéter si je ne décroche pas.

Ce n'était pas vrai. Il avait pris soin d'appeler son portable plutôt que le téléphone de la maison pour ne pas la déranger si elle dormait, l'appareil basculé en mode silencieux.

L'homme réfléchit un moment, essayant de déterminer si elle disait ou non la vérité. La sonnerie stridente ne s'arrêtait pas, chaque trille plus fort que le précédent.

Puis il la regarda et, délibérément, fit glisser le téléphone dans la poche de sa veste en cuir.

– *Donne-moi la combinaison, maintenant !*

– *Je ne la connais pas, vous devez me croire !*
supplia-t-elle.

Son cœur menaçait de rompre.

14

Siglufjördur, jeudi 8 janvier 2009

Ugla se leva de la vieille chaise de cuisine au revê-
tement de skaï usé. Elle resta immobile un instant et
plongea son regard dans les yeux de l'homme qui se
tenait en face d'elle. Karl. Son épaisse chevelure noire
n'avait pas commencé à grisonner, bien qu'il ait dépassé
de quelques années la quarantaine. Son expression
avait toujours dérouté la jeune femme : ses yeux légèrement plissés semblaient dire à la fois « viens ici » et
« va-t'en ». Elle s'approcha, il l'attira à lui et l'embrassa
passionnément.

Les applaudissements d'Úlfur, le metteur en scène,
résonnèrent dans la salle.

– Parfait ! On est presque au point pour samedi.

Il se faisait tard et la répétition avait commencé à
17 heures.

– Ça, on verra...

La voix grave et déterminée était celle de Hrólfur,
président de la Société dramatique, qui avait assisté à
la répétition depuis le balcon en compagnie de Pálmi,
l'auteur de la pièce.

– On verra, répéta-t-il.

Sur la scène, Ugla et Karl attendaient de nouvelles instructions du metteur en scène. La remarque de Hrólfur semblait avoir ébranlé Úlfur.

La répétition se déroulait dans le théâtre d'Adalgata. De vieilles affiches en noir et blanc des premières productions de la Société dramatique, datant des années 1950, décoraient le hall.

Un couloir menait de l'entrée principale vers l'auditorium. À gauche de la scène, un escalier conduisait au balcon. Des chaises supplémentaires avaient été installées en prévision de la première, samedi.

*

Karl avança rapidement vers le bord de la scène, puis attendit qu'Úlfur annonce la fin de la répétition. À quelques jours de la date fatidique, inutile de froisser le metteur en scène qui prenait un plaisir évident à diriger les opérations – c'était son spectacle. Le seul à ne pas respecter son autorité était le vieux Hrólfur qui, assis au balcon, assistait à toutes les répétitions avec l'avidité d'un rapace. Ses rares commentaires étaient invariablement négatifs.

Karl adorait être sur scène, sous les projecteurs, dominant le public – les gens ordinaires. Ici, la star incontestée, c'était lui. Lui sur qui se concentraient toute l'attention et les applaudissements. Lui, le rôle principal.

Il extirpa son téléphone de sa poche et envoya un texto à Linda, qui l'attendait à la maison.

« Je suis au théâtre. Encore une heure. À + »

Il prenait un risque avec ce mensonge. Mais il aimait se mettre en danger.

Six mois avaient passé depuis que Linda et lui étaient venus s'installer dans le Nord. Ils louaient un appartement sur Thormódsgata, payé par le salaire d'infirmière de sa femme.

Linda ne répondit pas. Elle était de garde et n'avait sûrement pas le temps de lui écrire un texto. *Tant mieux*, se dit-il. Et si elle l'appelait, la répétition lui servirait d'excuse pour ne pas décrocher. À présent, elle ne s'attendait pas à avoir de ses nouvelles. Avec un sourire, il écrivit un second texto, mais pas à Linda cette fois.

– C'est bon pour ce soir, je pense, annonça Úlfur avec ce ton magistral conféré par l'autorité. Je vous retrouve demain. Préparez-vous à y passer toute la soirée ! Il faut que ce soit parfait.

Et il répéta, pour en souligner l'importance :

– Parfait.

Karl salua rapidement l'équipe et disparut dans la profonde nuit hivernale.

*

Pálmi descendit du balcon et rejoignit Úlfur. Ils s'acheminèrent vers la sortie. Pour ces deux retraités, la Société dramatique était le vecteur parfait pour canaliser leur énergie. L'auteur était un ancien instituteur et le metteur en scène avait fait carrière dans la diplomatie.

– Et si on prenait le temps de tout passer en revue une dernière fois ? suggéra Úlfur.

Il jeta un coup d'œil à l'escalier, dans l'espoir d'y voir apparaître Hrólfur.

– Peut-être que Hrólfur a envie d'une bonne discussion autour d'un verre de vin…

Il sourit et, baissant d'un ton :

– Ou alors d'une discussion autour d'un verre de bon vin.

Son sourire s'élargit devant ce jeu de mots.

– Pas ce soir, malheureusement, répondit Pálmi d'un air sinistre. J'ai des visiteurs qui sont arrivés du Danemark ce matin.

– Des visiteurs ?

– Oui. Une vieille femme, Rosa, et son fils. Ils restent pour la semaine. Je ne sais pas ce qui m'a pris d'accepter…

– D'accord. Tu es censé leur tenir compagnie tous les jours ?

– Ça, aucune idée. Elle m'a dit que je ne devais pas m'embêter. Elle veut juste se reposer, après ce long voyage.

– Elle est de la famille ?

– Non, mais elle a bien connu mon père au Danemark.

Pálmi regretta aussitôt sa formulation et son intonation. Il ne voulait rien insinuer de sentimental ou de déplacé, mais il devina que sa réponse allait être interprétée dans ce sens.

– Bien connu ? Tu veux dire…

– Franchement, je n'en sais rien. Mon père avait rompu avec ma mère quand il est parti vivre à Copenhague. Je ne suis pas du genre à poser trop de questions. Je devrais quand même saisir l'occasion pendant qu'il est encore temps. Essayer de découvrir ce que le vieux fabriquait avant d'attraper la tuberculose ici…

Il observa un silence.

– Parfois, j'ai envie d'interroger Hrólfur. Tu sais qu'il était étudiant à Copenhague à la même époque ? Mais, même s'ils sont devenus bons amis ici, à Siglufjördur, il ne passait pas beaucoup de temps avec lui – sauf vers la fin.

– Saisis l'occasion à deux mains ! Tu n'en auras peut-être pas d'autre. J'espère que ton invitée ne va pas se retrouver bloquée par la neige.

– J'espère aussi !

Pálmi posa brièvement la main sur l'épaule d'Úlfur, puis partit.

*

Leifur, l'homme à tout faire de la Société dramatique, se dépêcha de ranger les accessoires et arriva devant le Co-Op juste avant la fermeture.

Il était le seul client dans le supermarché. Il parcourut les vitrines réfrigérées sans rien trouver d'intéressant. Un panneau annonçant une promotion sur le hachis de bœuf attira son attention : c'était plus tentant que les tristes pilons de poulet et les mornes escalopes de dinde.

Leifur avait dans les trente-cinq ans et son activité à la Société dramatique lui plaisait. Encore deux jours et ce serait la première de la pièce. Le théâtre était un moyen idéal pour adoucir les souvenirs et il était particulièrement soulagé qu'une des représentations tombe un jour où il aurait bien besoin d'une distraction. Le 15 janvier.

Cette date était gravée dans sa mémoire. Avec une autre : la veille de Noël, plus de vingt ans auparavant.

Il avait onze ans à l'époque. Noël ne l'excitait pas spécialement, contrairement au jour précédent : il adorait regarder les feux d'artifice, et il était assez grand maintenant pour aider son père et son frère aîné à en préparer. Il attendait cette soirée avec impatience depuis des semaines. Cette année-là, c'était son frère Árni, presque dix-sept ans, qui en avait la responsabilité. Il avait économisé pour acheter plus de fusées que d'habitude. Et puis, Leifur fut terrassé par la grippe. Ses parents refusèrent catégoriquement de le laisser sortir, le condamnant à admirer le spectacle depuis la fenêtre.

Rien à voir avec l'excitation d'y assister dehors, dans l'obscurité de la nuit d'hiver. Frustré, trop vieux pour verser quelques larmes, il s'enferma dans sa minuscule chambre à l'arrière de la maison pour s'apitoyer sur son sort. Quand une fusée passait dans le ciel, il jetait un coup d'œil par la fenêtre mais il était hors de question qu'il quitte sa tanière.

Les jours suivants, ses parents n'avaient pas manqué une occasion de féliciter Árni. Leifur, lui, s'interdisait de rejoindre le concert d'éloges, trop occupé à se convaincre qu'il avait bien fait de se cloîtrer dans sa chambre. Bien sûr, Árni voyait clair dans son jeu et tentait de lui remonter le moral, lui promettant qu'ils s'occuperaient ensemble du feu d'artifice l'année suivante. Mais cela avait été leur dernier 24 décembre ensemble.

D'après la mention dans l'annuaire téléphonique, Leifur était menuisier. En réalité, c'était un mélange de vérité et de fantasme. Il avait toujours été habile de ses mains et, d'une façon ou d'une autre, il était entendu qu'il deviendrait menuisier. À l'âge de dix ans, il avait fait promettre à son frère qu'ils seraient un jour à la tête d'un grand atelier à Siglufjördur. Pour un garçon qui n'aimait rien tant que passer des heures dans le garage familial avec des planches, un marteau et une scie, c'était une perspective excitante. Il savait qu'Árni tiendrait sa promesse.

Mais ces belles intentions, comme tant d'autres, ne s'étaient jamais concrétisées.

Après l'école, Leifur était entré dans un lycée technique. Une fois ses études terminées, il était retourné à Siglufjördur, où il avait lancé son activité – de chez lui. La maison était divisée en deux et Leifur avait racheté l'appartement à l'étage. La superficie suffisait pour un homme seul et son fidèle labrador. Il avait aménagé une pièce en atelier et se voyait confier, de temps en temps, un petit chantier. Son taux horaire était assez bas mais la demande était plutôt rare. Tout était plus calme que dans les grandes villes, et les gens préféraient prendre le temps de bricoler eux-mêmes plutôt que de faire appel à un menuisier. Pour autant, Leifur n'avait pas renoncé : il continuait de faire tourner son atelier sur son temps libre. Son frère aurait voulu qu'il en soit ainsi.

Son revenu régulier, Leifur le gagnait à la station-service de Siglufjördur où il travaillait depuis la fin de sa formation. Il n'avait jamais envisagé de s'installer ailleurs, là où les perspectives auraient forcément été meilleures. L'idée d'abandonner ses parents lui déplaisait ; il n'y avait même pas pensé. Non qu'ils aient exercé une pression sur lui pour qu'il revienne, mais il ne pouvait pas les laisser tomber.

Ils ne méritaient pas de perdre leur second fils.

Il se sentait chez lui dans le petit appartement de Thormódsgata. Il y était bien. Il aimait travailler le bois chaque fois qu'il en avait la possibilité et c'était dans ces moments-là qu'il éprouvait les plus grandes satisfactions. Il évoluait dans un autre monde, son monde à lui, où rien ne pouvait le déranger. Le théâtre était une bénédiction : il y trouvait toutes les occasions d'exprimer ses talents. Certes, il s'agissait d'une activité bénévole – pour autant qu'il sache, personne n'était payé dans des productions amateurs. Mais il y avait un certain prestige à y prendre part.

Au fil des ans, la qualité de ses réalisations lui avait valu de plus en plus de louanges et il se voyait désormais confier la fabrication des décors de toutes les productions. Il avait même carte blanche, dans les limites fixées par Hrólfur et Úlfur, deux personnages hauts en couleur qui savaient ce qu'ils voulaient. Leifur ne s'embêtait pas à discuter, il préférait laisser cela aux autres.

Outre son activité de menuisier, on lui avait offert un petit rôle dans chaque pièce. Dans cette compagnie, chacun devait donner du sien et on lui confiait tantôt la doublure du rôle principal, tantôt un rôle de figurant avec quelques répliques. Il répétait sans relâche, jusqu'à les connaître par cœur. Il avait beau souffrir de trac, il se sentait dans son élément au sein de la Société dramatique. Mais son plus grand rôle restait toujours en coulisse.

Il commençait la plupart de ses journées en sortant son chien. Quand il avait fini de travailler à la station-service, il faisait un tour à la piscine, pas pour y nager mais pour utiliser les équipements de la salle de sport et soulever de la fonte. Il y croisait quelques habitués, aucun d'aussi accro que lui. Des types de l'équipe de football locale, plus jeunes naturellement, ainsi que ses voisins du dessous, Karl – de la troupe de théâtre – et sa femme, Linda. C'était l'endroit idéal pour oublier les rigueurs de la journée, se détendre et faire le plein d'énergie avant de sortir de nouveau le chien et d'aller bricoler à l'atelier. Leifur y passait toutes ses soirées, qu'il ait ou non un chantier en cours. Faute de mieux, il fabriquait un objet pour son appartement ou pour l'offrir à d'autres.

Il était chez lui à Siglufjördur. Sauf le 15 janvier. Cette date ne s'effacerait jamais de son esprit.

On prétend qu'avec le temps, toutes les blessures cicatrisent. Leifur n'en était pas certain. Le chagrin était toujours là. Et la colère. La colère envers l'assassin de son frère.

Il – ou elle – menait sans doute une existence tranquille, en ce moment même, loin de tout cela. Quelqu'un qui ne connaissait peut-être même pas Árni et se fichait bien des dégâts et des traumatismes causés par sa mort.

Árni aurait certainement voulu que sa famille continue à vivre et pardonne au chauffard. C'était dans sa nature : toujours prompt à l'indulgence.

Leifur, lui, n'avait jamais rien pardonné.

*

Linda Christensen annonça qu'elle ne se sentait pas bien et rentra chez elle plus tôt.

Par chance, il n'avait pas trop neigé ces derniers jours. Le froid était pénible, mais l'obscurité était plus difficile à supporter. Elle l'oppressait.

– Je m'en vais ! lança-t-elle à l'infirmière en chef.

Elle avait beau avoir vécu de longues années au Danemark, Linda parlait presque à la perfection l'islandais, sa langue natale. Elle avait mis un an, après son retour à Siglufjördur, pour se défaire de son accent, qui avait à présent complètement disparu. Ce qui ne l'empêchait pas de se sentir toujours étrangère, plus danoise qu'islandaise. Peut-être cela changerait-il avec le temps ?

Elle enfila son manteau et se mit en route.

*

Le temps était inhabituellement dégagé quand Leifur prit le chemin du retour.

Le froid était mordant mais le trajet à pied du théâtre à son appartement était assez court. Il passa devant quelques maisons aux façades colorées. Certaines auraient eu besoin de quelques réparations, d'autres avaient été rafraîchies par leurs nouveaux propriétaires. Leifur savait que les vieilles bâtisses du centre-ville étaient en grande partie rachetées par des gens de Reykjavik qui y venaient pour les vacances. Il se demandait si c'était une bonne chose ou non. Du moins cela redonnait-il un peu d'animation à la ville.

En tournant au coin de Thormódsgata, il reconnut sa voisine Linda devant l'entrée. Elle serrait son manteau contre elle. Son visage était pâle, ses yeux fatigués. Elle parut surprise de le voir.

– Bonsoir, dit-elle. Vous rentrez plus tôt de la répétition ?

Il y avait de l'inquiétude dans sa voix, qu'elle tenta de dissimuler sous un sourire fabriqué.

– Hors de question ! Úlfur ne le permettrait jamais…

Leifur lui retourna son sourire.

– On a tous terminé il y a un quart d'heure.

Il ne put s'empêcher de remarquer le trouble, la colère et la déception qui traversèrent le visage de Linda avant qu'elle se compose une expression plus digne. Puis, hochant la tête, elle tourna la clé dans la serrure et entra chez elle.

15

Siglufjördur, vendredi 9 janvier 2009

Anna Einarsdóttir avait manqué la répétition de la veille. Comme chaque jeudi, elle était restée de garde tout l'après-midi à l'hôpital. Ça n'était pas si grave car son rôle était – malheureusement – très secondaire. C'était plus simple pour le metteur en scène de faire répéter Ugla et Karl, seuls ce jour-là.

Mais le vendredi, Anna se présenta aux portes du théâtre à 16 heures pile, après son travail au Co-Op. Le trajet était rapide : il suffisait de traverser la place principale. Elle avait couru sous la pluie. La météo avait été plutôt clémente toute la journée, jusqu'à cette averse violente peu avant son arrivée.

Dans le hall, elle essuya consciencieusement ses chaussures sur le grand paillasson. Au guichet, Nína Arnardóttir leva la tête de son tricot pour la saluer.

– Salut ! répondit Anna. Ça fait longtemps que tu es là ?

Elle connaissait déjà la réponse. À l'approche d'une première de la Société dramatique, le théâtre devenait pour ainsi dire la seconde maison de Nína. Elle vivait seule et adorait toute cette tension et cette agitation. Elle était toujours la première à arriver et la dernière à partir.

– Depuis le déjeuner. Il faut bien s'assurer que tout sera prêt pour l'arrivée de nos stars, répondit-elle en souriant.

Anna balaya le hall du regard. Ces vieilles affiches, dont certaines dataient de la guerre, la faisaient voyager à une époque qu'elle ne connaissait qu'à travers les livres et les films. Elle avait vingt-quatre ans. Originaire de Siglufjördur, où elle avait grandi, elle était partie étudier à Reykjavik du lycée jusqu'à l'université. Pendant le lycée, elle vivait chez sa tante maternelle, mais quand elle commença des études d'histoire, elle s'installa dès que possible dans une location étudiante. Une fois sa licence en poche, elle décida de tenir une vieille promesse faite à elle-même et de prendre une année sabbatique dans sa ville natale, avant de déterminer quelle direction donner à sa vie. Il y avait peu d'offres d'emploi à Siglufjördur, sinon comme vendeuse au Co-Op. Elle y ajouta quelques gardes à l'hôpital pour rendre visite à son grand-père, qui y séjournait comme patient.

Dès la première semaine de la Nouvelle Année, elle sut que le moment était venu de décider de son avenir. Peu après son retour à Siglufjördur, elle avait entendu parler d'un poste d'institutrice qui se libérerait à l'école primaire au printemps. Ce travail lui plaisait d'autant plus qu'il lui permettrait de rester ici, chez elle. Les postes de professeurs étaient très difficiles à trouver dans le Sud, le crash économique ayant entraîné des coupes drastiques dans les budgets. Longtemps, elle avait rêvé de partager le savoir acquis au long de ses études, et enseigner en primaire lui convenait parfaitement. Elle s'était d'ores et déjà entretenue avec le directeur de l'école et l'affaire était pour ainsi dire conclue, beaucoup de futurs collègues ayant exprimé leur plaisir de la voir rejoindre l'équipe pédagogique. Rien n'était encore signé, mais la plupart laissaient entendre que le poste était pour elle.

*

Quand Leifur arriva, secouant ses cheveux dégoulinants de pluie, il vit Anna plongée dans la contemplation des affiches, perdue dans son monde. À ses yeux, elle avait presque tout du mannequin : longs cheveux foncés, nez et lèvres délicatement ciselés, profil saisissant. Elle se tourna vers lui.

– Bonjour !

Elle lui sourit poliment, remarquant à peine sa présence.

Leifur la salua à son tour. Elle n'était plus la même maintenant qu'il l'avait vue de face. Tout à coup, elle lui parut banale, son charme s'évanouissant comme s'il n'avait été contenu que dans son profil. Curieux comme changer de point de vue pouvait modifier les choses. Elle était une fille à deux visages.

Peut-être devrait-il apprendre à la connaître – même si l'interaction sociale n'était pas son point fort. Elle était par ailleurs plus jeune que lui de plusieurs années. Elle n'avait sans doute pas du tout envie de passer du temps avec lui. Il se gifla mentalement pour avoir une fois de plus cédé à son tempérament négatif.

Par la porte ouverte sur la rue, Leifur vit la Mercedes rouge du président de la Société dramatique se garer.

– On a intérêt à tout donner pour monter cette misérable pièce ! s'exclama Hrólfur en sortant de la voiture et en pénétrant dans le hall, la voix plus forte que nécessaire.

– Ça va bien se passer, j'en suis sûre, répondit poliment Anna.

– Ah oui, vous en êtes sûre ? Ça n'atteindra jamais des sommets. Ce texte n'a rien d'extraordinaire et nous avons une troupe d'amateurs. Mais qui sait, il y a peut-être moyen d'en tirer quelque chose…

Il enleva son pardessus qu'il tendit mécaniquement à Nína, sans dire un mot.

– Je me souviens d'un soir, à Édimbourg, c'était… en 1955, je crois. J'étais venu pour une lecture d'un de mes livres et j'ai assisté à plusieurs représentations dans le cadre d'un festival des arts. Ça, c'était du théâtre, vous pouvez me croire, du vrai théâtre. Parfois, je me demande pourquoi je perds mon temps avec ces bras cassés…

Nína alla suspendre le manteau de Hrólfur. Pálmi et Úlfur arrivèrent. Pálmi secoua son parapluie avant d'entrer, suivi d'Úlfur, qui frappa ses bottes trempées sur le paillasson, l'air ulcéré.

– Alors c'est peut-être le moment de tirer votre révérence, dit-il d'une voix basse mais sonore.

Hrólfur pivota sur ses talons et jaugea le personnage trapu qui lui faisait face. Avec ses lunettes rondes et son feutre noir, Úlfur paraissait vieux et fatigué.

Leifur l'avait toujours perçu comme un vieux dignitaire légèrement en dessous de son rang. Il était *presque* taillé pour le rôle, il maîtrisait *presque* parfaitement l'étiquette, mais il était *un peu trop* en quête de respect et d'admiration. Un personnage assez burlesque au fond, et son arrogance de diplomate à la retraite ne faisait qu'accuser ce trait aux yeux de Leifur.

– Ma révérence ? Vous avez perdu le sens commun, mon ami ! Je suis le seul capable de maintenir à flot la Société dramatique. Je continue de lui sacrifier tout mon temps, et il me reste encore de belles années. Ne vous inquiétez surtout pas pour moi, Úlfur.

Manifestement, Úlfur avait une réplique virulente au bord des lèvres : ses joues s'empourprèrent, ses yeux se plissèrent. Il retira d'un coup sec son feutre, révélant son crâne chauve.

Hrólfur ne lui laissa aucune chance de riposter : il se tourna vers Nína.

– Nína, ma chère… Pourriez-vous me redonner mon pardessus, je vous prie ? J'ai laissé quelque chose dans ma poche.

Elle lui donna son manteau sans dire un mot.

Leifur observa Hrólfur qui sortait de sa poche un journal et une flasque, avant de rendre le vêtement à Nína et de marcher aussi vite que ses vieilles jambes le lui permettaient vers l'auditorium. Ce n'était pas la première fois que le directeur de la Société dramatique se présentait aux répétitions avec son flacon d'alcool. Et comme aujourd'hui il était venu en voiture, tout laissait penser qu'il demanderait ce soir à Anna de le raccompagner à Hólavegur, où elle vivait elle aussi.

Leifur connaissait ça par cœur.

Il observait toujours le vieillard quand Karl et Ugla firent leur entrée. Úlfur regardait autour de lui, manifestement énervé, mais faisant de son mieux pour donner l'impression que rien ne s'était passé. Il tapa dans ses mains et, se composant un sourire :

– Allons ! Mettons-nous au travail, voulez-vous !

*

Depuis la scène, Anna voyait Ugla et Karl en pleine conversation au milieu de l'auditorium. Elle se tourna vers Pálmi qui paraissait inhabituellement préoccupé.

Elle le trouvait encore vif pour un vieil homme, mais ses traits et sa façon de se mouvoir trahissaient son âge. Encore séduisant malgré les années, elle imaginait qu'il avait dû faire des ravages en des temps plus fastes. Il n'en était pas moins resté perpétuellement célibataire.

À présent retraité, il vivait seul à Siglufjördur et consacrait son temps à écrire pour oublier le froid et l'obscurité.

Était-ce le genre de destin auquel Anna aspirait ? Avait-elle bien fait de postuler à l'école ? De s'enraciner à Siglufjördur ? Ne serait-elle pas mieux à Reykjavik ? Elle n'était pas totalement convaincue de prendre la bonne décision, mais c'était le choix le plus évident et le plus simple – plus simple que de retourner à Reykjavik où elle ne pourrait compter que sur elle-même. Ici, elle pouvait vivre dans le sous-sol de la maison de ses parents quelques années encore en attendant de trouver un endroit pas trop cher où s'installer. Elle avait l'impression qu'il lui manquait peut-être ce dynamisme qu'elle sentait chez certains de ses amis. D'une certaine façon, vivre seule à Reykjavik avait été amusant, mais son existence s'était trouvée remplie d'obligations bien plus pénibles qu'elle l'avait imaginé. Elle avait envie de retarder le moment de s'y confronter de nouveau ; sans parler de la demande tacite de ses parents, qui redoutaient de la voir repartir.

Du balcon, Hrólfur et Úlfur pouvaient impérieusement embrasser tout ce qui passait sur scène. Ugla et Karl étaient prêts à débuter la répétition générale, et Leifur devait certainement être tapi quelque part derrière le décor. Anna ressentait une poussée d'agacement chaque fois qu'elle voyait Ugla, qui lui avait volé *son* rôle principal. Une étrangère qui aurait juste dû s'estimer heureuse d'intégrer la troupe.

Anna avait à peu près deviné comment les choses s'étaient passées. Le vieil Hrólfur s'était entiché de cette fille qui louait son appartement et ils avaient continué à se voir pour prendre un café après qu'elle eut déménagé. Il la protégeait, c'était évident, et ç'avait été déterminant au moment de distribuer les rôles. Bien sûr, le metteur en scène était Úlfur, officiellement du moins, et c'est lui qui était censé prendre les décisions – mais Anna n'était pas naïve.

Dans l'ombre, la personnalité forte, ferme, c'était toujours Hrólfur. Tout le monde en était bien conscient.

16

Il semblait aussi surpris qu'elle d'entendre la sonnerie stridente dans son autre poche de veste – comme s'il avait oublié qu'il avait lui aussi un téléphone portable.

Elle y vit l'occasion de reprendre son souffle, de se rassembler et de réfléchir. Qu'allait-il se passer ensuite ? Elle ne pouvait pas lui donner la combinaison du coffre sans appeler son époux, et il y avait peu de chance qu'il lui permette de le faire. Il était du reste fort peu probable qu'elle parvienne à se faire comprendre, même s'il la laissait téléphoner.

Elle ne lui était plus d'aucune utilité. Peut-être allait-il décider d'attendre le retour de son mari pour le forcer à ouvrir le coffre. Allait-il se servir d'elle en échange de la combinaison ? Rien n'était moins sûr.

Il répondit au coup de fil en quelques mots lapidaires :
– Oui... Non... Non, pas encore.

Il avait déjà menacé de la tuer une fois. Est-ce qu'il bluffait ? Est-ce qu'il était sérieux ? Là encore, impossible de savoir.

Il marcha jusqu'à la porte pour continuer sa conversation. Puis elle le vit tourner à gauche, dans le couloir menant à la chambre d'amis et à la porte du jardin de derrière. À droite, c'était le salon, le vestibule – et la sortie. Une occasion inattendue, qui appelait une décision rapide.

Ses marmonnements faiblissaient, preuve qu'il s'éloignait dans le couloir. Il s'attendait à ce qu'elle reste à sa place, dans ce réduit sans fenêtre qui servait de bureau. Comme un animal pris au piège.

Elle pensa à son mari, qui devait être en train de monter à bord de l'avion qui le ramenait chez lui. Que voudrait-il qu'elle fasse ? C'était sûrement son unique chance. Allait-elle la saisir ? Ou attendre et espérer ?

Impossible de savoir comment elle fit son choix. L'instinct prit le relais.

Elle jeta un coup d'œil rapide dans le couloir : il lui tournait le dos. Elle devait y aller ! Mais comment faire ? Courir et attirer son attention, ou progresser en silence, sur la pointe des pieds ?

Son cœur frappait sa poitrine avec une telle violence qu'elle était persuadée qu'il allait l'entendre.

Elle tourna le coin, hors de sa vue, et se retrouva à quelques pas de la porte. Elle savait que le loquet était mis et qu'elle allait avoir besoin de ses deux mains pour tourner la poignée – des mains bien fermes et des mouvements synchronisés.

Alors, elle l'entendit. Elle se précipita sur la poignée, tritura le loquet mais ses mains refusaient de lui obéir. Encore quelques secondes, elle le sentait, et il se jetterait sur elle.

Ravalant des larmes de frustration, elle tira sur la porte.

Et tira encore.

17

Siglufjördur, vendredi 9 janvier 2009

Il ne se passe jamais rien à Siglufjördur.
Le hall du théâtre était magnifique. L'histoire de Siglufjördur imprégnait l'atmosphère et les affiches témoignaient d'un lointain âge d'or artistique, protégé des vicissitudes de l'époque. La Société dramatique avait donné de nombreuses représentations quand la ville était florissante, lorsque la mer débordait de harengs et que l'usine de salage tournait jour et nuit. D'autres pièces avaient été montées par la suite. Le mot « prospérité » ne se lisait plus alors que dans le dictionnaire, même s'il était encore en vigueur dans les régions du Sud. Cette scène de théâtre avait vu l'amour naître puis s'étioler, des gens vivre puis mourir, parfois assassinés, pour le plus grand plaisir d'une salle comble.

Il pleuvait sans discontinuer depuis le milieu de l'après-midi quand, enfin, le ciel s'était éclairci. Ari Thór ne fréquentait pas les théâtres régulièrement mais il pouvait comprendre l'excitation suscitée par une bonne représentation. La tension dans l'air était souvent palpable, mais jamais autant qu'en ce vendredi soir dans le théâtre de Siglufjördur. Sauf que cette fois, aucune pièce ne se jouait sur scène et l'auditorium était vide. Ari

Thór et Tómas – tous deux de garde cette nuit-là – se tenaient face à un corps. Il ne faisait aucun doute qu'il était mort, mais Tómas vérifia quand même son pouls.

La Société dramatique avait déjà vu le sang couler – du moins un liquide que les spectateurs prenaient pour du sang. Celui qui s'écoulait de la plaie dans le crâne du vieil homme paraissait grossièrement irréaliste, comme s'il n'était pas à sa place. Un ketchup de série Z.

– Il a dû tomber dans l'escalier, suggéra Ari Thór.

– Ça saute aux yeux, répondit brutalement Tómas.

Son ton jovial l'avait déserté ; l'incident était grave et allait attirer l'attention, c'était évident.

L'habitant le plus illustre de la ville était allongé par terre, devant eux. Hrólfur Kristjánsson avait jadis été l'écrivain le plus célèbre d'Islande. Bien que son œuvre soit passée de mode ces dernières années – peut-être même décennies –, il ne faisait aucun doute que sa mort aurait droit aux gros titres.

Ari Thór et Tómas constatèrent qu'il avait bu : l'odeur de l'alcool était immanquable.

– Putain de merde, maugréa Tómas à mi-voix. On ne peut pas se permettre de voir débarquer ces foutus journalistes qui vont monter en épingle toute cette histoire. Pas un mot à la presse, c'est compris ?

Sa voix était déterminée.

Ari Thór hocha la tête. Il ne savait pas quelle attitude adopter. Tómas était d'ordinaire un personnage avenant, paternel, et cela faisait bien des années qu'Ari Thór ne s'était pas trouvé face à un vrai père. Il avait perdu le sien dix ans plus tôt et avait presque oublié à quoi ressemblaient la bienveillance et la discipline paternelles. Il tenta de garder la tête froide et inspecta la scène. Hrólfur était allongé sur le dos, au pied de l'escalier, la tête contre la marche la plus basse.

– On dirait qu'il est tombé en arrière, remarqua-t-il. Ça laisse supposer qu'il a été poussé.

– Épargne-nous tes conneries ! aboya Tómas.

Le sang d'Ari Thór se glaça.

– Prends des photos et tais-toi.

Le jeune homme photographia le corps puis se rendit dans le hall où attendait Nína, qui avait prévenu la police. Elle paraissait inquiète mais pas spécialement bouleversée. Ari Thór était toujours sous le choc de la sortie violente de Tómas, mais il continua de prendre des photos. Il voulait apporter sa contribution, montrer qu'il pouvait être utile… Il finit par se tourner vers Nína.

– Il y avait une répétition prévue aujourd'hui ? La première est bien pour demain, n'est-ce pas ?

– Oui… on devait répéter.

– Où sont passés tous les autres, alors ?

– C'était… la pause dîner. Je venais juste de revenir quand je l'ai trouvé… lui, Hrólfur… étendu là.

Ari Thór rangea son appareil photo numérique dans sa poche et rejoignit Tómas devant l'entrée de l'auditorium.

– Est-ce qu'on ne devrait pas appeler… hum… des experts ?

– Des flics de Reykjavik, tu veux dire ? C'est un accident facilement explicable, tu sais. Le vieux a dû…

Tómas baissa la voix.

– … il a dû avaler une gorgée de trop. Ajoute à ça la fatigue, l'angoisse… C'est un accident. Pas la peine de déranger une équipe d'experts pour tirer ça au clair à notre place.

Ari Thór remarqua que Nína avait quitté le hall pour se rapprocher de l'auditorium et qu'elle ne perdait rien de l'échange entre les deux hommes. Elle détourna le regard pour dissimuler son indiscrétion, enfila un manteau rouge élimé, prit un parapluie à pois suspendu à une patère et marcha vers les deux policiers avec une expression chagrinée.

– Vous ne voyez pas d'inconvénient à ce que je rentre chez moi ? Je ne me sens pas bien. C'est la première fois que je vois un cadavre.

– Désolé, répondit Tómas, nous allons avoir besoin de vous interroger avant. Allez vous asseoir et essayez de reprendre vos esprits.

Elle lui adressa un sourire las et soupira.

– L'ambulance est en route ? demanda Ari Thór.

Tómas confirma.

– Et ils peuvent enlever le corps ?

Ari Thór était nerveux. Il ne voulait pas commettre de faux pas devant son chef.

– Oui, certainement. Tu as bien pris des photos de tout, n'est-ce pas ? Je n'ai rien remarqué de suspect…

Puis, à l'intention de Nína :

– Il y avait quelqu'un d'autre ici ?

Elle ne répondit pas. Elle paraissait absente.

Tómas toussa.

– Nína, il y avait quelqu'un d'autre au théâtre quand c'est arrivé ?

– Quoi ? bredouilla-t-elle, troublée.

Tómas la fusilla du regard. Sa patience s'émoussait. Il répéta la question et sa voix puissante résonna dans le hall désert.

– Oui… répondit-elle.

Elle semblait réfléchir.

– Je veux dire, non… Je ne crois pas. J'étais au sous-sol à l'heure de la pause. Il y a une cave sous la scène, l'escalier qui y conduit se trouve à l'arrière. J'étais descendue faire du rangement – on garde tous nos costumes là-bas – puis je me suis offert une petite sieste sur le vieux canapé. J'avais déjà mangé pendant la répétition. Il n'y avait personne ici à l'heure du dîner, à part moi et Hrólfur. Il était resté au balcon, seul.

– Et vous êtes certaine de n'avoir vu personne quand vous êtes remontée et que vous avez trouvé… le corps ?

Ari Thór avait fait de son mieux pour vérifier que Nína était bien seule dans le théâtre à leur arrivée. Il avait inspecté le sous-sol et le balcon, où il n'avait remarqué que quelques vieilles chaises et deux ou trois guéridons. Sur une table, un journal ouvert.

– Oui, j'en suis sûre.

– Vous savez s'il avait bu ? demanda Tómas.

– Oui. Il avait apporté une jolie petite flasque. Selon moi, c'est pour cette raison qu'il n'est allé nulle part pendant la pause dîner. Le temps était pourri et il conduisait.

Ari Thór était sur le point de poser une question à la jeune femme mais Tómas le prit de court.

– Ça ira. Vous pouvez rentrer chez vous et vous reposer. On vous rappellera demain, si on a d'autres questions.

– Quand les autres reviennent-ils de dîner ? demanda Ari Thór.

– Úlfur a parlé d'une heure de pause. Ils ne vont pas tarder. D'ici dix minutes, un quart d'heure…

Les ambulanciers arrivèrent avant que Tómas puisse ajouter quoi que ce soit. Ce n'était d'ailleurs pas nécessaire : ils s'activèrent, rigoureux et silencieux.

– Ari Thór, tu peux te poster dehors ? Des gens vont arriver et il faut à tout prix éviter un attroupement. On annoncera simplement qu'il y a eu un accident, que Hrólfur a glissé dans les escaliers et… qu'il est mort.

18

Siglufjördur, vendredi 9 janvier 2009

Un grincement se produisit quand Leifur pénétra dans l'auditorium par la porte de derrière. Tómas leva les yeux brusquement, surpris.

Leifur murmura un salut et regarda autour de lui. Des ambulanciers emportaient le corps de Hrólfur sur une civière.

– Vous êtes resté là tout le temps ? demanda Tómas.

– Tout le temps ?

Leifur fut pris de court. Il passa une main sur son crâne puis sa barbe de quelques jours.

– Non, je rentre de dîner. Que se passe-t-il ?

Tómas attendait. Leifur devina sa prochaine question sans qu'il ait besoin de la poser.

– Il y a une issue arrière, derrière la scène. Qu'est-ce qui s'est passé ?

– Il y a eu un accident dans l'escalier menant au balcon.

La voix de Tómas était assurée.

– Apparemment, Hrólfur a fait une mauvaise chute et… il est mort.

Il est mort.

Ces mots, jamais Leifur ne pourrait les oublier. C'étaient ceux que le prêtre avait dits à ses parents quand il était venu ce soir-là, le 15 janvier, vingt-trois ans plus tôt. Leifur se trouvait dans le salon et il n'était certainement pas censé avoir entendu.

La famille savait qu'Árni, le frère de Leifur, était sorti avec quelques amis et qu'il avait pris la route étroite et dangereuse reliant Siglufjördur à la ville voisine. Partis au début de l'après-midi, ils auraient dû rentrer dans la soirée. Leifur se rappelait que sa mère avait supplié Árni de ne pas y aller. La météo était horrible, les routes verglacées, la visibilité mauvaise… Mais Árni n'avait rien voulu entendre. Il voulait à tout prix fêter son permis de conduire tout neuf. Un peu plus tard, ce soir-là, des coups avaient été frappés à la porte d'entrée. Son père avait ouvert. Un prêtre, accompagné de policiers, lui avait annoncé qu'un accident avait eu lieu sur la route. Une voiture s'était retournée. L'ami qui accompagnait Árni était en soins intensifs et son pronostic vital n'était pas engagé.

– Mais votre fils Árni est mort, avait déclaré le prêtre.

Leifur sortit soudain de ses pensées et regarda Tómas.

– Hein ? Qu'est-ce que vous racontez ? Hrólfur… mort ?

– Oui. Ça ressemble à un accident.

– Il buvait beaucoup. Alors…

– Ne vous en faites pas, mon vieux. C'est évident, il avait bu. Vous êtes sorti pendant la pause ?

– Oui. Je n'ai aucune idée de ce qui s'est passé.

– Il est juste tombé, répondit Tómas froidement. Et maintenant, vous feriez mieux de rentrer chez vous. Il n'y aura pas de répétition ce soir. Nous vous recontacterons sans doute plus tard si nécessaire, pour un complément d'informations.

Leifur hocha la tête et repartit par là où il était entré.

*

Ari Thór referma les portes d'accès au théâtre et se posta au-dehors, comme s'il montait la garde. L'air était humide après l'averse et un frisson le traversa.

– Qu'est-ce que la police fabrique ici ? s'interrogea à haute voix un passant.

Il ne paraissait pas plus inquiet que cela. Une fille d'une vingtaine d'années l'accompagnait.

– Et une ambulance ? Il s'est passé quelque chose ?

– Vous êtes de la Société dramatique ? demanda Ari Thór.

– Oui. Moi, c'est Karl, et voici Anna.

Ari Thór se présenta puis annonça la nouvelle.

– Mort, vraiment ? répéta Karl, choqué.

– Oui. Et nous avons besoin de passer le théâtre au peigne fin. Il vaudrait mieux que vous rentriez chez vous. Nous vous recontacterons si nous avons besoin de vous interroger.

Anna semblait décontenancée. À sa grande surprise, Karl passa un bras autour de ses épaules. Deux hommes plus âgés les rejoignirent.

– Qu'est-ce que c'est que ce bordel ? demanda le plus petit. Et vous êtes qui ?

– Mon nom est Ari Thór, je suis officier de police. Comme si l'uniforme n'était pas assez parlant.

– Bien sûr. Le Révérend. Je suis Úlfur, le metteur en scène de la Société dramatique. Qu'est-ce qui se passe, bon sang ? Pourquoi cette ambulance ?

– Il y a eu un accident.

– Un accident ?

– Hrólfur est tombé dans les escaliers.

– Ce vieux fou a encore picolé…

Il y avait plus d'agacement que de stupeur dans la voix d'Úlfur.

– Il est mort, ajouta Ari Thór.

Le metteur en scène resta bouche bée.

Les portes s'ouvrirent sur les ambulanciers portant leur civière.

– C'est terrible… pauvre vieux, dit l'autre homme.

– Et vous êtes ? demanda Ari Thór.

– Pálmi. Je suis… je suis l'auteur. C'est moi qui ai écrit la pièce.

Une pointe de fierté s'entendait dans sa voix, en dépit des circonstances.

Úlfur avança pour entrer mais le bras tendu d'Ari Thór lui barra le chemin.

– Compte tenu de ce qui s'est passé, nous demandons aux gens de rentrer chez eux. L'enquête est en cours sur place.

– Sur place ?

Úlfur poussa le bras du policier et fit un pas de plus.

– Est-ce que Tómas est à l'intérieur ? Laissez-moi lui parler !

Sa colère croissait à chaque mot.

Ari Thór réfléchit à toute vitesse. Il avait deux possibilités : soit rester impassible et provoquer une dispute bruyante, soit appeler son chef. Ayant déjà été sermonné par Tómas, il ne mit pas longtemps à décider de répercuter le problème à son supérieur. De toute évidence, ce dernier entendait mener les opérations à sa façon.

– Attendez un moment, dit-il pour donner le change et une illusion d'autorité.

Il passa la tête par la porte entrouverte et appela Tómas. Le policier ne tarda pas à apparaître.

– Bonsoir, dit-il à Úlfur.

Il regarda l'autre homme.

– Bonsoir, Pálmi.

Et il adressa un signe de tête à Anna et Karl qui se tenaient légèrement en retrait.

– Ari Thór vous a expliqué ce qui vient de se passer ?

– C'est affreux, c'est un choc… dit Úlfur, que la présence de Tómas semblait avoir calmé. On peut se parler à l'intérieur ?

– Nous, on va y aller, déclara Karl qui tenait toujours Anna par les épaules.

Tómas hocha la tête et ils partirent.

– Entrez ! lança Tómas à Úlfur et Pálmi. Mais par pitié, n'approchez pas de l'escalier. On doit encore examiner chaque marche pour déterminer la cause de cette chute. Même si, pour moi, c'est assez évident.

– Vraiment ? Qu'est-il arrivé, alors ? demanda Pálmi dès qu'il fut dans le hall avec le metteur en scène.

Ari Thór les suivit tandis que Tómas prenait la suite des opérations et déclarait d'un air définitif :

– Le pauvre vieux est tombé dans l'escalier.

– Qu'est-ce que vous tenez là ? demanda Ari Thór en indiquant à Pálmi un sac de courses.

– La dernière version de ma pièce. En deux exemplaires.

L'intérêt du policier le surprenait.

– Hrólfur et moi avions procédé à quelques modifications, expliqua Úlfur. Pálmi les a entrées sur ordinateur et a imprimé le nouveau texte. La première est programmée pour demain soir.

– J'ai bien peur que ce soit impossible, intervint fermement Tómas.

– On ne peut pas… on ne peut pas laisser la mort de Hrólfur gâcher notre spectacle ! s'emporta Úlfur avec passion.

Il sembla aussitôt regretter cet éclat.

113

– Ça, ce n'est pas mon problème, répondit Tómas en s'efforçant de rester poli. Vous allez peut-être pouvoir récupérer la salle demain, mais ce serait vraiment mieux que vous reportiez la première de quelques jours.

L'expression d'Úlfur s'assombrit. Ses yeux s'écarquillèrent.

– C'est impossible ! explosa-t-il.

Ari Thór eut l'impression que cet homme était habitué à toujours obtenir ce qu'il voulait. Il regarda tour à tour Tómas et Pálmi et se dit que son chef pouvait régler ce problème sans son aide. Il ressortit et se posta devant l'entrée du théâtre. Ugla n'allait sans doute plus tarder. Elle avait dû participer à la répétition et il éprouvait le besoin curieux de lui annoncer lui-même la triste nouvelle. Inutile de se préoccuper de la conversation entre Tómas, Úlfur et Pálmi qui, de toute façon, se fichaient bien de son opinion. Ils se fréquentaient apparemment depuis des années, pouvaient se disputer et l'instant d'après s'en aller chacun de son côté, une fois leurs différents réglés. Ari Thór était doublement conscient d'être étranger à cette ville *et* novice dans le métier – le nouveau flic qui ne s'éterniserait sans doute pas à Siglufjördur, seulement venu parfaire son expérience du terrain. Tómas, lui, était là pour durer.

– Eh ! Qu'est-ce que vous faites ici ? demanda Ugla, tirant Ari Thór de ses pensées.

Il ne l'avait pas vue venir. Il réfléchit un instant, mal assuré, sans savoir au juste pourquoi.

– Il s'est passé quelque chose. Un accident. Un accident dans l'escalier…

La noirceur qu'il avait déjà remarquée dans ses yeux réapparut d'un coup. Son visage se fit implorant.

– Le vieux Hrólfur est tombé.

– Comment va-t-il ? demanda-t-elle aussitôt, le teint blême.

– Il est mort. L'ambulance vient de l'emmener.

Ugla resta immobile, muette, puis quelques larmes coulèrent sur ses joues. Elle s'approcha d'Ari Thór et l'enlaça. Il hésita, puis l'étreignit à son tour.

Après un moment, elle se reprit et sécha ses yeux.

– Je n'arrive pas à y croire, dit-elle dans un sanglot, luttant pour contenir son émotion. Je n'y arrive pas...

Elle essuya ses larmes, hasarda un sourire.

– Il était tellement gentil.

Elle marqua une pause. Elle ne savait pas quoi faire.

– Le mieux, c'est que je rentre chez moi. Les gens ne doivent pas me voir dans cet état.

Et elle s'éloigna vivement.

– Oui, bien sûr, répondit Ari Thór.

Il resta hébété et troublé, tandis qu'elle disparaissait dans la nuit.

Úlfur apparut sur le seuil du théâtre. Il devait avoir conclu une trêve avec Tómas. Pálmi le suivait de près, l'air maussade et ténébreux. Ils ne dirent rien à Ari Thór en passant devant lui, et il se glissa à l'intérieur sans un regard vers eux.

– Retour au poste ? demanda-t-il.

Tómas consulta sa montre.

– Je vais finir le rapport préliminaire. Tu peux rentrer chez toi si tu veux. Je te vois demain. De toute façon, il faut que je fasse quelques heures sup...

Tómas semblait curieusement soulagé de ne pas en avoir terminé.

Comme s'il n'avait pas envie de retrouver sa famille, songea Ari Thór en sortant dans la rue.

19

Siglufjördur, dimanche 11 janvier 2009, à l'aube

Ari Thór se réveilla en sursaut, trempé de sueur. Il ne savait plus où il se trouvait. Il avait l'impression d'être prisonnier de son propre corps, et dut lutter pour retrouver son souffle. Il s'assit, scruta la pénombre autour de lui. Il happait l'air par courtes goulées rauques. Il était persuadé que les cloisons se refermaient sur lui ; il aurait voulu hurler, mais il savait que c'était inutile. Cette impression d'écrasement, il l'avait déjà ressentie au poste de police, le soir du réveillon. Il se força à se lever et marcha jusqu'à la fenêtre. Le ciel était d'un noir d'encre. Sa montre aux chiffres faiblement phosphorescents lui apprit qu'il se trouvait au beau milieu de la nuit. Des flocons commençaient à tomber. Et il se rappela qu'il était dans sa chambre, à Siglufjördur. Il ouvrit la fenêtre et aspira longuement l'air frais, pur et glacé, en tremblant. Ses pensées se bousculaient. Il se sentait manipulé, il perdait tout contrôle… Il fallait que cela cesse. Il regarda son lit : les draps étaient moites, en boule. Peut-être valait-il mieux sortir – quitter la maison, entrer dans la nuit. Il rejeta l'idée sitôt formulée. Ça ne suffirait pas. Il ne trouverait pas la sérénité en se promenant dans les rues, les yeux tournés vers le ciel, l'esprit empli de neige. Chaque flocon lui donnerait l'impression d'être enfoui dessous, bloqué dans cet étrange lieu. Prisonnier.

Au rez-de-chaussée, le plancher grinça.

Soudain, il comprit pourquoi il s'était réveillé si brutalement.

Il y avait quelqu'un dans la maison.

Il n'était pas seul.

Son cœur se mit à marteler sa poitrine. La peur obscurcissait sa raison. Il savait qu'il devait réfléchir à toute vitesse, cesser de penser à cette neige qui l'étouffait un instant plus tôt. Mais il était incapable de bouger.

Il se faufila finalement sans un bruit dans le couloir menant à l'escalier. Les mouvements au rez-de-chaussée et les bruits étouffés indiquaient que l'intrus essayait de ne pas attirer son attention.

Sur le qui-vive à présent, il jura en silence.

Pourquoi n'avait-il pas fermé la porte à clé ?

Je n'aurais jamais dû écouter Tómas.

Il descendit l'escalier en limitant ses pas au minimum pour éviter de faire craquer le bois, mais il ne se rappelait plus quelles marches grinçaient.

Il hésita avant de franchir la dernière et d'arriver dans le vestibule. Il se sentait plus en sécurité en hauteur. Il avait l'avantage. Il savait qu'un intrus se trouvait chez lui – il pouvait lui sauter dessus par surprise. Il avait aussi envie de rester en appui sur la rambarde, aux aguets. Essayant de dissiper la brume dans son esprit.

Malgré son entraînement à l'école de police, il avait encore peur.

Sur qui allait-il tomber ? Une seule personne ? Plusieurs ? Un ivrogne à la recherche d'un abri pour la nuit, un cambrioleur, quelqu'un qui lui voulait du mal ?

Il frissonna à l'idée que quelqu'un était en train d'arpenter sa maison dans l'obscurité.

Putain...

Toutes les lumières étaient éteintes. Seule la lueur d'un réverbère à travers la petite fenêtre au bout du couloir lui permettait de distinguer quelque chose. La porte du salon était fermée et, avec les rideaux tirés, la pièce devait être plongée dans le noir. L'accès se faisait par le couloir de l'entrée, et le salon donnait sur la cuisine, elle-même prolongée par un petit bureau. L'intrus se trouvait forcément dans l'une ou l'autre de ces pièces. Le moment était venu de passer à l'action. Ou d'y passer tout court.

Il ouvrit la porte du salon le plus discrètement possible. Aussi ancienne que la maison, elle était plutôt solide et ses gonds ne devaient pas avoir vu une goutte d'huile depuis des années.

Il scruta l'obscurité et tendit l'oreille, mais aucun son ne lui parvint. Il attendit, la main sur la poignée, guettant le moindre bruit.

Il perçut un froissement de tissu qui provenait manifestement de la cuisine. La porte était fermée mais il avait la certitude que quelqu'un s'y trouvait. Il laissa ouvert derrière lui pour bénéficier de la faible lueur venant du vestibule et avança à pas prudents dans le salon, sur la pointe des pieds pour ne pas alerter son visiteur.

Il comprit son erreur dès qu'il atteignit le centre de la pièce. Les parquets anciens étaient très inégaux, et le sol – comme d'ailleurs la maison centenaire elle-même – légèrement en pente. La porte du salon commença doucement à se refermer, réduisant la lumière à un mince rai. Sans butoir pour la bloquer, elle allait prendre de la vitesse en se rabattant… Ari Thór se retourna rapidement, et tenta de la retenir – en vain.

La porte se referma avec un claquement qui, dans le silence de la nuit, lui fit l'effet d'un coup de tonnerre.

Merde.

Il demeura immobile au milieu du salon, espérant sans trop y croire que le bruit n'avait pas alerté le visiteur. La réaction de l'intrus fut immédiate – sans plus s'inquiéter, cette fois, de passer inaperçu. Ari Thór devina qu'il se précipitait vers la porte d'entrée pour sortir par le chemin le plus direct.

Je vais le plaquer… il faut que je le plaque.

Il entendit la porte se refermer bruyamment alors qu'il tentait de s'élancer hors du salon à présent plongé dans un noir total. Mais il trébucha, s'écroula sur la table basse en se cognant violemment la tête, tandis qu'une douleur cuisante traversait son épaule. Avant de perdre connaissance, il entendit distinctement un hurlement au-dehors…

20

Siglufjördur, dimanche 11 janvier 2009

Ugla s'assit au piano et joua un vieux morceau, une chanson légère qui datait du milieu du siècle précédent. Elle la connaissait par cœur et Hrólfur adorait l'entendre. Elle jouait presque inconsciemment en attendant Ari Thór, en retard pour son cours.

Admettre la mort de Hrólfur était toujours aussi difficile. Il paraissait tellement en forme pour son âge, en pleine santé. Bon sang ! Il n'aurait pas pu faire attention dans cet escalier ? Ils auraient continué à se voir, à prendre leur café, à entretenir cette amitié naissante... Elle cessa soudain de jouer. Elle venait de se rappeler une dispute entre Hrólfur et Úlfur au théâtre. S'était-elle mal terminée ? Hrólfur aurait-il été poussé ?

Certes, ce soir-là, l'écrivain avait beaucoup bu. Elle était la première à le reconnaître. Elle avait toujours fait en sorte de l'éviter quand il était ivre. L'alcool faisait resurgir sa face obscure. Il avait remarqué qu'elle préférait ne pas le voir dans cet état, et il ne l'invitait chez lui que lorsqu'il était complètement sobre. S'il pouvait parfois se montrer acerbe, il était au fond aussi doux qu'un agneau. Il allait lui manquer. Elle pensa à ce qui l'attendait. Au sein de la Société dramatique, Hrólfur avait toujours été son ange gardien, elle en était bien consciente. Qu'allait-il se passer à présent ? Y aurait-il des changements ? Ils pouvaient difficilement lui retirer le rôle principal dans la pièce, mais la prochaine fois ? Est-ce qu'à l'avenir, les premiers rôles iraient à Anna ?

Úlfur avait envoyé un e-mail à toute la troupe pour confirmer que la première aurait finalement lieu deux semaines plus tard. Son message était concis, direct, et ne s'embarrassait ni de mots superflus, ni d'une quelconque émotion.

Il n'y avait plus rien à faire à part attendre cette nouvelle date. Ugla aurait préféré continuer comme prévu. Elle s'était préparée toute la semaine pour cette représentation, comme s'il s'agissait d'un examen. Elle ne savait pas si elle pourrait patienter encore quinze jours.

Elle regarda la pendule. Elle était impatiente de revoir Ari Thór, et pas seulement parce qu'il était son unique élève. Elle appréciait sa compagnie, il y avait quelque chose d'apaisant en lui. Elle ne pouvait pas nier qu'il était joli garçon, et élégant avec ça, mais elle se sentait attirée par une chose invisible, intangible. Tout son visage semblait sourire. Nourrissait-elle des sentiments pour lui ? L'étrangère avait-elle un coup de cœur pour l'étranger ? Non, sûrement pas... quoique... Jamais jusque-là elle ne s'était autorisée à laisser dériver ses pensées dans cette direction. Elle ne savait même pas s'il existait une petite amie, dans le Sud. Ils n'avaient pas abordé le sujet. Du moins ne portait-il pas d'alliance. Elle se souvint de leur étreinte, devant le théâtre, après la mort de Hrólfur. Forte et tendre à la fois.

Des coups frappés à la porte la firent sursauter. Retour à la réalité. Une demi-heure de retard, mais il était enfin là et elle ne put retenir un sourire. Qui s'effaça aussitôt remplacé par de la stupeur quand elle lui ouvrit.

– Ça alors ! Qu'est-ce qui vous est arrivé ?

Le front du jeune homme était barré d'un large pansement et un autre, sur son sourcil gauche, masquait à peine une grande ecchymose.

Ari Thór lui sourit.

– J'aimerais vous dire que je me suis fait ça en arrêtant un criminel… Je peux entrer ?

– Je vous en prie, dit-elle avec tendresse.

Ils s'assirent. Elle toucha doucement son front et remarqua, avec plaisir, qu'il ne reculait pas.

– Alors, racontez-moi un peu ?

– Je suis tombé.

Elle sentit qu'il ne lui disait pas tout. Elle resta silencieuse et attendit la suite.

– Quelqu'un est entré par effraction chez moi dans la nuit. Enfin, pas vraiment par effraction : ma porte n'était pas fermée à clé.

– Les gens ne le font jamais, ici. C'est pareil à Patreksfjördur. Vous avez réussi à l'arrêter ?

– Non.

Ari Thór montra son pansement.

– Je suis tombé dans le noir, et j'ai percuté la table basse. Ça m'a étourdi. Je me suis mis à saigner, beaucoup, et j'ai dû trouver un moyen de stopper l'hémorragie. Du coup, je n'ai pas pu poursuivre ce salaud… Je croyais qu'il n'y avait jamais de cambriolage dans le coin ?

– Il n'était peut-être pas d'ici ?

– Peut-être.

– Vous avez des points de suture ?

– Non. J'ai juste mis des pansements et ça a l'air de suffire.

– Vous êtes sûr que ce n'est pas grave ?

– J'espère que non. J'ai mal au crâne et mon épaule me lance, mais rien de bien méchant.

– Qui était votre visiteur, vous avez une idée ?

– Aucune. J'en ai parlé à Tómas et, pour être tout à fait franc, il n'a pas eu l'air de prendre cette histoire au sérieux. Il m'a juste dit qu'il y avait un ou deux poivrots en ville et que parfois, après quelques verres de trop, ils se trompaient de maison. Je ne dois pas m'inquiéter. Selon lui, je peux surtout m'estimer heureux que ce type n'ait pas choisi de se mettre au lit et de se blottir contre moi en me prenant pour sa femme !

– Mais qu'est-ce que Tómas pense de…

Elle s'arrêta.

– Qu'est-ce qu'il pense de la mort de Hrólfur ? reprit-elle.

– Hrólfur ?

– Oui. C'était un accident ?

Il hésita avant de répondre. Elle s'aperçut qu'il ne pouvait sans doute pas parler d'une enquête en cours. Il s'en tira par une question :

– On dirait bien, vous ne trouvez pas ?

– J'imagine. Et vous, vous en dites quoi ?

– Tómas en est sûr. À cent pour cent. Il ne veut surtout pas faire trop de bruit autour de cette histoire. Il la trouve suffisamment embarrassante comme ça : un écrivain célèbre qui tombe dans un escalier parce qu'il est saoul…

– Mais vous, qu'est-ce que vous en pensez ? insista-t-elle.

Ari Thór posa la main sur son front, comme pour tenter d'apaiser son mal de crâne.

– Je n'y ai pas vraiment réfléchi.

– Moi, je me demande si ça a un rapport avec cette dispute…

– Quelle dispute ?

– Celle entre Hrólfur et Úlfur.

– Ah oui ? Je n'étais pas au courant. À propos de quoi ?

– À propos de tout et de rien. Du coup, l'ambiance est devenue très tendue et s'est empirée au fil de l'après-midi. Ils étaient tous les deux au balcon, et de très mauvaise humeur. Hrólfur interrompait sans arrêt la répétition – plus que d'habitude – et on voyait bien qu'il avait bu. Úlfur était fou de rage. À la fin, ça s'est transformé en concours de hurlements. Úlfur a lâché quelque chose comme...

Elle marqua une pause.

– *Vous la fermerez quand vous serez mort !* Ça a calmé tout le monde. Úlfur a annoncé une pause quelques minutes plus tard – pour le dîner. Ensuite... eh bien, à notre retour, Hrólfur était mort.

– Vous croyez que... ?

Brusquement, la gravité de ses propos la frappa.

– Non, bien sûr que non ! Sauf si... sauf si c'était involontaire. Par accident...

Elle se tut un moment.

– Úlfur est sorti le dernier, je crois. L'auditorium et le hall étaient déserts quand Karl et moi sommes partis. Nous avons marché ensemble parce qu'il habite assez près, du côté de Thormódsgata. Je me rappelle qu'Anna n'était déjà plus là, et Pálmi non plus. Mais Úlfur et Hrólfur se trouvaient toujours au balcon. Il a dû s'en aller juste après moi.

– Oui, répondit Ari Thór d'une voix douce, en évitant de croiser le regard d'Ugla. Ça s'est sans doute passé comme ça...

21

Siglufjördur, lundi 12 janvier 2009

Il n'était pas encore 7 heures et la neige tombée dans la nuit couvrait déjà d'une épaisse couche la place de la mairie.

Perdu dans ses pensées, Úlfur Steinsson s'engagea sur le parvis au moment où Pálmi arrivait par l'autre côté. Pálmi était le plus grand des deux. Mince, fatigué et légèrement voûté, il donnait l'impression de porter un éternel fardeau sur ses épaules.

Úlfur leva les yeux avant Pálmi. Ils se saluèrent d'un lent hochement de tête, en silence et presque simultanément, comme si le moindre mot, à cette heure matinale, risquait d'arracher la ville à son sommeil. Úlfur faillit s'arrêter mais il n'était vraiment pas d'humeur à bavarder. Heureusement, Pálmi semblait dans les mêmes dispositions et les deux hommes repartirent, chacun de son côté.

Il connaissait Pálmi depuis longtemps – il se le rappelait jeune homme. À présent, il avait dans les soixante-dix ans et faisait tout à fait son âge.

Encore un an... songea Úlfur. *Un an et, moi aussi, j'aurai soixante-dix ans.* Et il devait accepter que cet âge commençait à se faire sentir. Il s'en apercevait tous

127

les jours en se regardant dans la glace, et le sentait dans son cœur : même l'effort le plus minime lui coupait le souffle.

L'air était parfaitement immobile et il avait cessé de neiger. Úlfur arborait son feutre noir habituel cachant son crâne chauve. Lorsqu'il s'aventurait par temps neigeux, ce qui était rare, il laissait le feutre chez lui et sortait avec un bonnet de laine et un épais cache-oreilles.

Comment avait-il pu atterrir dans ce trou, à Sigluffjördur ?

Il connaissait la réponse mieux que quiconque. Lui, et lui seul, avait pris la décision de venir vivre ici à sa retraite. Mais les jours où il regrettait le plus cette décision, il préférait tenir son ex-femme pour responsable.

Sonja avait douze ans de moins que lui et c'était une femme remarquablement belle. Si belle qu'il n'avait jamais compris ce qu'elle avait vu en lui, un simple quadragénaire en poste à l'ambassade d'Islande en Suède. Au moment de leur rencontre, il y travaillait depuis quatre ans et s'était déjà fait une réputation. Les week-ends, on le trouvait en night-clubs et il passait pour un hôte généreux – un diplomate islandais en vogue, à l'avenir prometteur.

Elle le séduisit immédiatement. Originaire de Stockholm, elle venait de rompre avec le père de son fils de six ans, dont elle avait la garde partagée. Elle avait vingt-huit ans, et pas vraiment la fibre maternelle. Elle esquivait la question quand Úlfur parlait d'avoir un enfant ensemble.

Úlfur, l'étrange Islandais qui mit si longtemps à se familiariser avec le suédois, ne fut jamais capable d'endosser le rôle de père pour le fils de Sonja, ni de nouer une véritable relation avec lui. Il se demandait parfois s'il n'aurait pas dû aborder ce projet d'enfant de façon plus persuasive. Mais sa carrière l'avait tellement monopolisé à mesure qu'il se rapprochait du sommet…

Aujourd'hui, il se retrouvait seul, arpentant les rues désertes de Siglufjördur en respirant à pleins poumons l'air frais du matin pour se redonner courage. Après les fortes intempéries, le paysage était époustouflant. Úlfur savait combien la neige pouvait être dangereuse dans les régions du Nord : bourrasques aveuglantes, habitants obligés de s'extirper de leur maison à coups de pelle, menaces d'avalanche… Pour le moment, tout était tranquille. Le calme avant la tempête, peut-être ?

Il vivait sur Sudurgata, à quelques minutes à pied du théâtre, dans ce qui avait été la maison de ses parents. Son père était mort depuis longtemps ; il avait vingt-six ans et Úlfur seulement quatre. Il ne gardait de lui que des souvenirs flous, tous en rapport avec la mer. La mer sereine d'une journée tranquille. Mais la mer n'était pas aussi calme le jour du dernier voyage de son père. Il était parti en compagnie d'anciens camarades, à bord d'un grand voilier qui, depuis bien des années, essuyait nombre de coups de vent en rentrant toujours à bon port. Jusqu'à ce jour d'hiver aux conditions météo épouvantables. Quand le navire revint enfin à quai, mis à mal par la furie d'une tempête de nord-est, deux des membres d'équipage manquaient à l'appel. Toute la ville porta le deuil des marins, et un petit garçon pleura la mort de son père.

L'idée de suivre son exemple ne traversa jamais l'esprit d'Úlfur. Il évitait autant que possible les voyages en bateau et la perspective de n'importe quel travail en rapport avec la pêche ou le poisson le rebutait. Siglufjördur n'était pas un endroit pour un jeune homme incapable d'apprécier « l'argent de la mer », comme on appelait alors le hareng. Dès qu'il le put, il partit vivre à Akureyri, la grande ville la plus proche, termina ses études puis déménagea à Reykjavik. Mais le fjord qui l'avait vu grandir gardait sa force d'attraction, malgré la souffrance qui y restait associée – le fjord, et le quai, dernier fragment de terre foulé par son père.

Sa mère, elle, resta à Siglufjördur jusqu'à son dernier souffle, seule dans la grande maison après le départ d'Úlfur. Il se sentait coupable de l'avoir abandonnée. Assis dans le noir, révisant ses leçons à la lueur de sa lampe de bureau, il laissait parfois ses pensées dériver vers cette femme, seule face à ce fjord écrasant, face aux forces si cruelles de la nature. Elle ne s'était jamais plainte. Elle l'encourageait au contraire à aller de l'avant, à trouver sa propre voie, à exploiter au mieux ses talents.

Ses talents ? Les avait-il vraiment utilisés de la meilleure façon ? Il méditait sur cette question lors de ses longues promenades en ville, remâchant chaque fois le passé. Il avait atteint l'âge où l'on peut écrire ses mémoires, mais qui aurait pu éprouver la moindre envie de lire le récit de sa vie ? Pas lui, en tout cas. Il préférait mettre ses promenades à profit pour se souvenir. Ses mémoires, il les écrivait en pensée.

Depuis qu'il était revenu vivre dans le Nord, il ne s'était pas accordé le luxe de l'oisiveté. Il avait écrit quelques pièces qu'il estimait réussies. Il considérait le théâtre comme une activité stimulante. Il conçut plusieurs spectacles pour la Société dramatique, dont il était désormais le metteur en scène attitré – un titre de gloire, même s'il s'agissait d'une troupe amateur et d'un travail bénévole. Les arts l'avaient toujours fasciné, mais au fond de lui, ce qu'il appréciait par-dessus tout dans cette fonction, c'était d'être seul maître à bord. De donner des ordres, d'être respecté. Il avait incarné l'autorité pendant tant d'années, en tant que diplomate, qu'il vécut comme un choc d'en être privé du jour au lendemain, devenu le retraité banal d'une petite ville d'Islande.

La Société dramatique lui offrit une nouvelle tribune. Mais ses ambitions allaient plus loin encore.

Soir après soir, il remettait sur le métier sa nouvelle pièce. Il la polissait, il l'affinait. Il rêvait de la voir produite l'année suivante, pour marquer le cap de ses soixante-dix ans. Avec la double casquette d'auteur et de metteur en scène. Jusqu'alors, le principal obstacle avait été Hrólfur. Úlfur lui avait montré une première version dont il était assez fier, mais Hrólfur avait refermé le tapuscrit après en avoir parcouru seulement quelques pages. « C'est très faible, Úlfur, avait-il décrété. Vous étiez peut-être un bon diplomate, mais vous ne serez jamais un écrivain. Contentez-vous de rester dans votre domaine de prédilection. »

Ça n'avait pas été plus loin. Et à présent, c'était la pièce de Pálmi qu'ils montaient.

Mais tout allait changer avec la mort de Hrólfur.

Et d'abord, qui était Hrólfur pour le juger ? Il avait écrit un bon livre, certes. Très bon même, Úlfur le reconnaissait volontiers. Mais il s'était ensuite endormi sur ses lauriers pendant des décennies. Il n'écrivait plus depuis des années mais profitait pleinement de sa gloire passée : son livre se vendait encore dans le monde entier et ses nombreuses conférences le conduisaient à travers toute la planète. Hrólfur vivait à Reykjavik après la guerre et, dès que l'éclat de son étoile commença à pâlir, il s'installa à Siglufjördur. Il prit, pour ainsi dire, une retraite anticipée – décision avisée de sa part. Revenir vivre dans sa ville natale, où tout le monde le connaissait, le respectait et avait lu son livre, lui permit de jouir d'un regain de célébrité. Il continua à participer à des conférences et à des festivals littéraires, se faisant parfois grassement rémunérer. Il était évident que le vieil homme avait mené sa carrière avec habileté, et certainement accumulé une petite fortune.

Úlfur devait l'avouer : par bien des aspects, Hról-fur allait lui manquer. Il lui arrivait d'inviter Úlfur et Pálmi à boire un verre chez lui, et les trois hommes pouvaient passer toute la nuit à discuter, d'égal à égal, oubliant toute querelle. Hrólfur était un personnage haut en couleur, un esprit vraiment cosmopolite. Lors de soirées mémorables, ils demeuraient assis dans une semi-pénombre, à savourer un verre de vin rouge en discutant d'art, de culture ou des affaires courantes, sur fond d'opéra. D'autres fois, ils goûtaient simplement le silence et la musique. Quand Jussi Björling entonnait « Una furtiva lagrima[1] », ils observaient tous les trois un silence religieux ; continuer de parler devant tant de talent artistique relevait quasiment du blasphème. En général, la musique des grands maîtres provenait de vieux vinyles et ce fut une surprise quand Hrólfur – qui n'avait jamais été en très bons termes avec la technologie – fit l'acquisition d'un lecteur de CD. Il resta dans un coin, à prendre la poussière. Sa prove-nance était une énigme. Úlfur avait entendu dire que c'était la mystérieuse jeune femme de Patreksfjördur, Ugla, qui lui avait suggéré d'investir dans cet appareil et dans quelques CD. Il avait suivi son conseil. Úlfur ne pouvait s'empêcher de se demander quel sort elle

1. Jussi Björling (1911-1960), célèbre ténor suédois. « Una furtiva lagrima » (Une larme furtive), tiré de L'Élixir d'amour (1832) de Gaetano Donizetti, est l'un des airs les plus célèbres de l'histoire de l'opéra. (N.d.T.)

avait pu jeter sur le vieillard. Hrólfur s'était pris d'une affection démesurée pour elle. Elle louait à une époque son appartement en sous-sol et il continua par la suite à la voir régulièrement pour prendre le café. Tout le monde à Siglufjördur connaissait cette histoire et épiait avec intérêt ce couple improbable.

Úlfur était certain que jamais Hrólfur n'aurait accepté l'une des pièces qu'il avait écrites pour la Société dramatique. Le vieil homme s'était montré autrement plus encourageant avec Pálmi. Malgré les premières tentatives grossières et peu prometteuses de l'ancien instituteur, Hrólfur le soutint et lui offrit sa chance. Cela paya : l'écriture de Pálmi s'affirma, Úlfur lui-même le reconnaissait. Il ne faisait aucun doute que ce foutu instit avait du talent...

Mais ça n'était plus un problème.

Úlfur allait discrètement proposer de financer lui-même la mise en scène de sa pièce. Ce serait sûrement suffisant pour convaincre la Société dramatique. Il ne manquait pas d'argent : sa longue carrière diplomatique l'avait bien pourvu. Même s'il aimait mener grand train, il avait investi prudemment. Et si son divorce lui avait coûté cher, il lui restait de confortables économies.

Le divorce. Sonja venait de fêter son cinquantième anniversaire quand il sentit que ses soupçons étaient fondés : quelque chose ne tournait pas rond dans son couple. Jusqu'alors, la différence d'âge n'avait pas posé problème. Mais avec la soixantaine, cet attaché d'ambassade à Oslo – une fonction importante et respectée – prit quelques kilos et ses cheveux ne furent plus qu'un souvenir. Tandis que Sonja, elle, conservait son apparence juvénile. Quand elle lui annonça, d'une voix douce, dénuée de remords, qu'ils devaient avoir une discussion, il comprit. Elle avait rencontré un autre homme, ingénieur à Oslo. Il était plus jeune. Beaucoup plus jeune, même : quarante-cinq ans.

Úlfur avait beau s'attendre à la nouvelle, l'entendre énoncée de façon si définitive fut rude. Il ne dormit pas pendant plusieurs nuits et, pour la première fois depuis des années, se fit porter pâle. Allongé chez lui, dans l'obscurité, il essayait de comprendre ce qui n'avait pas fonctionné.

Il avait passé vingt années heureuses en sa compagnie, mais il en voulait davantage. Il savait pourtant que ça ne durerait pas mais, d'année en année, il s'était raccroché à un espoir de plus en plus mince.

Sonja finit par obtenir le divorce et s'installa avec son ingénieur norvégien. Úlfur resta seul, devenu brusquement un vieil homme, accomplissant son devoir par la force de l'habitude au lieu de saisir de nouvelles opportunités, attendant mollement que sonne l'heure de la retraite.

Deux années passèrent, sa mère mourut. Elle avait toujours vécu dans la vieille demeure de sa famille. Úlfur prit trois semaines de congé et le premier vol vers l'Islande pour s'occuper de l'enterrement. Il était fils unique, dernier de sa génération dans la famille ; il y avait peu de chances désormais pour qu'un héritier perpétue la lignée.

La cérémonie se déroula dans l'église de Siglufjördur, par une douce journée d'été. Sa mère était très appréciée et beaucoup d'amis firent le déplacement. Le chagrin d'Úlfur était immense, mais elle avait attendu si patiemment – plus de soixante ans – pour rejoindre son père de l'autre côté. Les funérailles furent très émouvantes. Une amie de la paroisse chanta et Hrólfur proposa de lire un très beau poème tiré du célèbre *Au nord des collines*.

Un ancien camarade d'école, devenu agent immobilier à mi-temps, proposa à Úlfur de s'occuper de la vente de la maison. Il avait même rédigé un projet d'annonce : « Demeure élégante dans le quartier le plus recherché de la ville ; idéal résidence secondaire. »

Úlfur lui demanda un peu de temps pour réfléchir à tout ça et décida de rester à Siglufjördur jusqu'à la fin de son congé. Cela faisait des années qu'il n'avait pas séjourné aussi longtemps dans sa ville natale. Auparavant, il essayait de revenir voir sa mère au moins une fois par an, en général à Noël, à Pâques ou durant l'été, et avec Sonja. Il y a quelques années de cela, sa mère leur avait même rendu visite, mais quand sa santé déclina, elle cessa de répondre aux invitations de son fils.

Les deux semaines qu'il passa à Siglufjördur furent curieuses. Quand il se trouvait à la maison, il éprouvait une sensation intense de perte : sa mère lui manquait, et il pleurait son père. Il sentit que sa place était ici. De Siglufjördur émanait une puissante force d'attraction. La mer, les montagnes imposantes, les vieilles bâtisses. Même la neige lui avait manqué.

Il descendait sur les quais au moins une fois par jour et son regard se perdait au loin, vers le fjord. Il pensait à ce père que la mer lui avait arraché.

Puis ce fut la révélation : il s'aperçut qu'il était en paix avec le fjord et avec la mer.

Il était temps de rentrer chez lui.

*

La nouvelle faisait la une du journal du dimanche, posé sur la table du poste de police. La presse n'avait été distribuée à Siglufjördur que le lundi, et confirmait par écrit ce que tout le monde savait déjà : Hrólfur était mort.

Pas de gros titre, juste un pavé encadré de noir en bas de la page.

Disparition de Hrólfur Kristjánsson.

L'écrivain Hrólfur Kristjánsson est mort vendredi soir à Siglufjördur. Il était âgé de 91 ans. C'est en 1941 qu'il devint une personnalité d'envergure nationale, avec la publication de son roman Au nord des collines, *écrit à 24 ans. Aujourd'hui encore, ce livre est considéré comme l'un des chefs-d'œuvre de la littérature islandaise du* XXe *siècle. Son style unique a donné naissance à une nouvelle école offrant une relecture moderne et révolutionnaire de la fiction islandaise du siècle précédent. Les poèmes d'amour contenus dans le roman, notamment le tragique* Strophes pour Linda, *dédié à l'héroïne du livre, occupèrent longtemps une place à part dans la psyché nationale. Né à Siglufjördur le 10 août 1917, Hrólfur Kristjánsson fit ses études à Reykjavik puis à l'université de Copenhague, où il reçut son diplôme d'histoire puis de lettres.*

Il rentra en Islande en 1940, peu après le début de la Seconde Guerre mondiale, embarquant à Petsamo, en Finlande, à bord du navire Esja, *avec deux cent cinquante-huit compatriotes. Plus tard, il s'installa dans sa ville natale où il resta jusqu'à la fin de ses jours. Tout au long de sa vie, Hrólfur Kristjánsson vit son œuvre acclamée dans le monde entier. Après les États-Unis,* Au nord des collines *fut publié à travers toute l'Europe et salué par la critique. Des tournées internationales achevèrent d'en faire un best-seller. Hrólfur Kristjánsson publia également des recueils de poèmes et de nouvelles avant de mettre un terme à sa carrière en 1974. Décoré de l'ordre du Faucon, remis par le président d'Islande en 1990, il était aussi docteur* Honoris Causa *de plusieurs facultés de lettres en Islande et à Copenhague. Il n'était pas marié et n'avait pas d'enfant.*

Hrólfur Kristjánsson est mort dans un accident ce vendredi, lors des répétitions de la Société dramatique de Siglufjördur, dont il était le président depuis plusieurs années.

– Il m'a passé un coup de fil, dit Tómas.

Ari Thór leva la tête.

– Qui ?

– Le journaliste. Il m'a appelé. Ils n'ont pas été longs à tirer les conclusions. Il m'a demandé si le vieux était saoul.

Tómas se gratta la tête et haussa un épais sourcil tout en maintenant l'autre pratiquement immobile, donnant à son visage une expression étrangement dramatique.

– Et tu lui as répondu quoi ?

– Il le savait déjà. Quelqu'un a dû vendre la mèche. J'ai dit que je n'avais aucun commentaire à faire. Laissons notre homme reposer en paix.

– Tu es toujours certain qu'il s'agit d'un accident ?

– Toujours. On ne va pas transformer une motte de terre en montagne.

Tómas avait parlé d'un ton ferme.

– J'ai entendu dire qu'il y avait eu une dispute au théâtre, vendredi.

– Qu'est-ce que tu racontes ?

Le policier décocha un regard soupçonneux à la jeune recrue.

– Tu ne savais pas ? Il paraît qu'entre Úlfur et Hrólfur, c'était la guerre.

Tómas parut surpris.

– Non. Úlfur ne m'a rien dit.

Puis, pensif :

– Juste avant une première, ce n'est sûrement pas inhabituel. Tu sais comme sont les artistes – des hypersensibles, toujours à fleur de peau ! Et puis d'abord, d'où tu sors un truc pareil ?

– J'ai entendu ça hier…

Ari Thór espérait qu'il pourrait s'en tirer sans explication. Il n'avait pas envie que Tómas apprenne qu'il avait parlé d'une enquête en cours avec Ugla.

– On devrait quand même mener des interrogatoires, non ?

– Pour demander quoi ? C'était un accident. Je ne vais pas aller taper dans la fourmilière ! s'exclama Tómas en frappant du poing sur la table.

À l'évidence, l'affaire n'irait pas plus loin.

– Je passerai à la piscine à l'heure du déjeuner, si ça te va.

Il constata que Tómas paraissait soulagé de le voir changer de sujet.

– Très bien. Fais ça.

*

ATTENTION. INTERDICTION DE COURIR
PETIT BASSIN – GRAND BASSIN

Ari Thór relut l'inscription sur le mur pour la centième fois en descendant l'escalier menant des vestiaires à la piscine. Il avait envie de plonger pour voir comment son épaule se remettait de sa blessure, mais il longea le bassin et sortit dans la cour entourée d'une haute barrière de bois où se trouvait le spa. L'air était glacé, immobile, comme s'il retenait lui-même son souffle. Il ne neigeait toujours pas et la clarté du soleil, avec ses reflets sur le paysage gelé, était presque insoutenable. Ari Thór frissonna et plissa les yeux en avançant vers un des jacuzzis.

Comme il l'avait prévu, Úlfur était déjà là.

Ari Thór était déjà venu, en général au moment de sa pause déjeuner, quand le travail au poste était plutôt tranquille. Le bain bouillonnant délassait ses muscles et, dès qu'il se laissait glisser doucement dans l'eau, il se perdait dans ses pensées. Il avait plusieurs fois croisé Úlfur dans le spa vers midi, mais les deux hommes ne s'étaient jamais parlé – un silence qui respectait leur intimité. Plus pour longtemps. Tómas avait tout à fait le droit de décider d'ouvrir ou non une enquête après l'incident à la Société dramatique, mais il ne pouvait pas interdire à Ari Thór d'en parler.

Le policier et l'ancien diplomate étaient seuls dans le jacuzzi.

– Je n'ai jamais compris pourquoi, dans un endroit aussi magnifique, ils n'ont pas construit de piscine en plein air avec vue sur le fjord. C'est vraiment dommage que la piscine ait un toit.

– Quoi ? demanda Úlfur en sursautant.

– Bonjour. Je m'appelle Ari Thór. Nous nous sommes rencontrés vendredi.

Úlfur renifla.

– Ah, oui. Sans doute.

Et d'ajouter d'une voix sourde :

– Le Révérend, c'est bien ça ?

– Exact.

Il n'allait pas s'embêter à relever le surnom.

– Vous n'êtes pas d'accord ?

– À propos de quoi ? La piscine ?

Ari Thór hocha la tête.

– À vrai dire, non. Je me rappelle très bien quand

c'était encore une piscine en plein air, cela remonte à longtemps…

À en juger par son expression et ses yeux fatigués, Úlfur voulait dire : le bon vieux temps.

– Ça n'était pas une partie de plaisir par temps neigeux, croyez-moi ! Quand ils ont enfin construit le toit, ç'a été un soulagement pour tous.

La glace était brisée. Ari Thór poussa son avantage.

– J'ai appris que la première de la pièce avait été reportée ?

– Oui. On n'a pas le choix. On jouera après les funérailles.

– Vous connaissiez bien Hrólfur ?

– Assez bien, oui. Il était d'une autre génération, mais avec l'âge, les différences s'estompent.

Il eut un sourire.

– Nous appartenions tous les deux au club des retraités !

– Pauvre homme… Tomber dans les escaliers, quelle fin…

Úlfur acquiesça et leva les yeux vers le ciel.

– On dirait qu'il va neiger.

– Vous devez être une des dernières personnes à lui avoir parlé, glissa Ari Thór en essayant de donner à sa remarque un air désinvolte.

Úlfur sembla la prendre de cette façon.

– C'est plus que probable, oui. Nous avions procédé à quelques modifications mineures dans le texte de la pièce – c'est indispensable parfois, même si c'est agaçant de faire des changements à la dernière minute – et nous sommes restés pour en discuter pendant que les autres allaient dîner. Comme d'habitude, il m'a fait des observations très judicieuses… Il était très animé, plein de vie et…

Il s'interrompit brusquement.

– Pardon. Ma remarque est maladroite.

– Vous aviez de bons rapports de travail, n'est-ce pas ?

– Pas mauvais, en effet.

Son regard se tourna de nouveau vers le ciel, comme s'il guettait les premiers flocons.

Une jeune femme arriva et les rejoignit dans le jacuzzi sans leur dire le moindre mot.

Ari Thór aurait voulu interroger Úlfur à propos de la consommation d'alcool de Hrólfur, lui demander si le vieil homme était saoul, mais c'était exactement le genre de questions qui pouvait lui attirer des ennuis. Il n'y a rien de plus appétissant qu'une petite rumeur dans une communauté où rien de remarquable ne se produit jamais. La femme qui s'était jointe à eux était plus sûrement une habitante de Siglufjördur qu'une touriste – à cette période de l'année où la ville était engloutie sous la neige et où, la nuit, les routes dangereuses devenaient mortelles, il y avait très peu de voyageurs dans la région. Et les nouvelles de la météo n'étaient pas bonnes, avait entendu dire Ari Thór qui, de toute façon, avait cessé de suivre les bulletins depuis qu'il s'était installé dans le Nord : le temps annoncé était systématiquement mauvais.

– Ce n'était pas un caractère facile, pourtant, insista-t-il.

– Oui, parfois. Parfois…

Ari Thór ne put résister à la tentation.

– J'ai appris qu'une dispute avait éclaté entre vous, vendredi.

Úlfur n'était plus dupe du ton faussement léger.

– Mais qu'est-ce que vous racontez ?

Il se leva, prêt à partir. Les premiers flocons de neige entamaient leur spirale descendante.

– C'est un foutu interrogatoire, ma parole !

Ari Thór ne répondit pas, sourit et regarda la jeune femme pour éviter les yeux d'Úlfur. Elle affichait une expression impavide : manifestement, elle n'était pas venue dans ce spa pour prendre part à une dispute entre deux inconnus.

Quand il se retourna, Ari Thór constata qu'Úlfur était parti. La neige tombait plus dru, en une épaisse nappe d'obscurité laiteuse. Il respira profondément pour chasser la sensation de claustrophobie menaçante.

22

Siglufjördur, lundi 12 janvier 2009

Pálmi Pálsson était soulagé qu'Úlfur l'ait seulement salué de la tête quand ils s'étaient croisés de bonne heure sur la place de la Mairie. Pálmi poursuivit son chemin jusqu'au quai, comme à chacune de ses promenades matinales. Elles étaient devenues un rituel depuis qu'il avait pris sa retraite d'instituteur, trois ans plus tôt. Pour son dernier jour d'école, ses collègues et ses élèves avaient organisé une petite réception d'adieu. C'était un vendredi, la fin du trimestre, et le printemps régnait partout en Islande – sauf à Siglufjördur, dont les montagnes affichaient la même sempiternelle blancheur. Leurs versants enneigés signifiaient que l'été allait se faire désirer, sans pour autant permettre de descentes à ski. Pálmi était un skieur invétéré, même à soixante-treize ans.

Soixante-treize. Il avait du mal à y croire. Sa santé était robuste, ses amis et ses connaissances le trouvaient plus jeune que son âge. *On ne te donne pas plus de soixante ans, Pálmi. Quel est ton secret ?* Ils mentaient, bien sûr. Ses cheveux grisonnants semblaient n'être là que pour lui conférer un air plus distingué. Un regard dans le miroir suffisait pourtant à lui confirmer qu'il n'était plus de première jeunesse : son visage émacié et ses joues creusées étaient parcourus de veinules. Sa mère avait été foudroyée par un accident vasculaire cérébral à seulement soixante-sept ans. Pálmi avait souvent craint de mourir de la même façon, mais il surmontait désormais cette angoisse. Sa mère était morte en 1983, alors qu'il enseignait à l'école primaire locale depuis plusieurs années. Elle habitait un vieil appartement près de la place, refusant fermement d'emménager chez lui, dans la maison avec vue sur le fjord qu'il venait d'acheter sur Hvanneyrarbraut. Il y vivait toujours. C'était une rue proche du théâtre et de la place, mais le paysage était agréable : presque sur la rive, donnant sur la mer infinie.

Il devait tenir cette robuste constitution de son père, même s'il avait été fauché par la tuberculose à l'âge de vingt-quatre ans. Pálmi avait toujours ressenti un lien très fort avec ce père dont il ne gardait pourtant aucun souvenir. De rares photos prises en 1936 et 1937 les montraient ensemble, peu avant que son père quitte sa famille pour partir chercher fortune au Danemark. Pálmi avait juste un an. Sa mère resta avec lui à Siglufjördur mais elle sembla n'en tirer aucune amertume. *Il avait besoin de liberté*, l'avait-il entendue dire un jour. Son affection pour un père depuis longtemps disparu prenait inconsciemment racine dans l'attitude positive de sa mère. Car elle avait aimé son père – au moins pendant quelque temps.

La vie ne fut pas tendre, seule avec un enfant, dans cette ville isolée de la côte nord, pendant ces rudes années. Comme tant d'autres, son père attrapa la tuberculose au Danemark où il mourut bien trop jeune, un an seulement après avoir quitté l'Islande.

Pálmi fut un instituteur consciencieux et très apprécié. Il passait tous ses étés à randonner dans les collines et les montagnes. Il n'était parti que trois fois à l'étranger, et toujours lors de voyages scolaires. Il ne fut jamais pris par la pulsion d'explorer le vaste monde, un trait de caractère sûrement hérité de sa mère. Elle vécut toujours prudemment, dans la mesure de ses moyens, comptant minutieusement chaque sou. À sa mort, Pálmi découvrit avec surprise que ses économies couvraient à peine le coût des funérailles.

Toute sa vie, il resta un éternel solitaire. Comme professeur, il était apprécié et respecté, mais il avait du mal à nouer des amitiés en dehors du travail. Il ne connut jamais la moindre ébauche de romance et il était sûrement trop tard. Sauf si... Tout ça était sans doute de sa faute. Il avait trop hésité, trop retardé le moment de sauter le pas quand les occasions se présentaient. Dans sa jeunesse, il avait été amoureux mais, trop timide pour se risquer, avait laissé passer sa chance. Repensant à ces moments-là, il éprouvait des regrets. Pour autant, son naturel pragmatique lui évitait de trop s'attarder sur le passé – l'exercice était généralement douloureux.

Une fois à la retraite, il se plongea dans l'écriture. Il se levait chaque matin à l'aube, bien avant que le reste des habitants de la ville aient ouvert leurs volets, et s'installait dans son bureau pour travailler toute la journée face au fjord. Après dîner, il retournait à son ordinateur pendant une ou deux heures. En hiver, la nuit tombait très tôt, alors il allumait des bougies qu'il disposait dans de vieux pots de confitures alignés devant la fenêtre. Quand il levait les yeux de son écran, il scrutait la pénombre et distinguait, par-delà les ondes de chaleur des flammes, la mer et la pointe de terre à l'extrémité du fjord.

Son livre avançait bien et, outre son *opus magnum*, il avait déjà écrit trois pièces. Elles lui venaient facilement et offraient un contrepoids divertissant à son travail de romancier. La première était presque burlesque, la deuxième un peu plus dramatique et la troisième, qu'il considérait comme la meilleure, un véritable drame dans lequel il avait réussi à glisser quelques moments plus légers. Voilà ce que les gens voulaient : des occasions de rire et de pleurer. C'était cette nouvelle pièce que la Société dramatique devait présenter le samedi précédent.

Depuis le quai, son regard remonta vers le fjord.

Ses visiteurs danois étaient encore endormis – la vieille femme et son fils. Pourquoi diable était-elle venue ? Quatre-vingt-dix ans, en pèlerinage en Islande avec son fils. Elle avait demandé à Pálmi de les héberger simplement parce qu'elle avait connu son père quand il vivait au Danemark. Il les avait installés dans son sous-sol.

– Je veux profiter de cette occasion pour visiter Siglufjördur. Votre père en parlait avec tellement d'affection, lui avait-elle expliqué en danois au téléphone.

Après des décennies passées à enseigner cette langue, Pálmi la parlait couramment. Il l'avait mise en garde contre la météo, imprévisible à cette période de l'année, qui pouvait aussi bien l'empêcher d'atteindre Siglufjördur que d'en repartir.

– Ce n'est pas grave ! Je dois essayer. Je veux tellement voir ce fjord de mes yeux avant de mourir… Au Nouvel An, je descendrai à Reykjavik pour admirer les feux d'artifice.

Sa voix était teintée d'une excitation presque enfantine.

– Pouvons-nous passer vous voir quelques jours après, si le temps le permet ?

Comment aurait-il pu refuser ?

Encore toute une semaine à attendre. Ils avaient

prévu de rentrer dans le Sud le lundi suivant. Toute une semaine…

Il n'y avait aucun souffle de vent pour le moment. Mais dans cette région, les tempêtes étaient inévitables.

23

Siglufjördur, mardi 13 janvier 2009

La nouvelle s'était répandue comme la première gelée de l'hiver.

Tout le monde avait entendu parler de l'interrogatoire d'Úlfur dans le spa de la piscine, et la rumeur s'amplifiait. Revenue à Ari Thór par le biais de Tómas, elle était méconnaissable, même si le point de départ s'avérait exact : il avait bien demandé à Úlfur des précisions sur l'enchaînement des événements à la Société dramatique.

Tómas ne cacha pas sa colère, et même Hlynur ne prit pas le risque de plaisanter, conscient qu'il n'y avait rien de très drôle dans l'échange entre les deux hommes.

– L'affaire est terminée ! asséna Tómas. C'était un accident, pas la peine d'aller chercher plus loin ! Je croyais que j'avais été clair, l'autre jour.

Ari Thór acquiesça.

– Tu fais encore une connerie et c'en est fini pour toi, ici !

L'atmosphère dans le poste de police était presque visqueuse. Et pas moyen d'imaginer ouvrir une fenêtre, avec le vent qui faisait claquer les bardeaux, une neige de plus en plus épaisse et des températures bien en dessous de zéro. Ari Thór avait mal dormi ces dernières nuits. La visite de l'intrus le hantait encore, et plus encore, la peur panique à l'idée de se réveiller en pleine nuit, incapable de respirer.

– Les gens ont peur, déclara brusquement Hlynur. C'est comme ça que je le ressens.

– Qu'est-ce que tu veux dire ? demanda Tómas, se retournant vers lui.

– Eh bien, les gens ont l'air de croire qu'on enquête sur… sur… l'accident à la Société dramatique… comme s'il s'agissait d'un meurtre.

Tu aggraves la situation, pensa Ari Thór.

Il fusilla son collègue du regard, sans grand résultat. Même s'ils obéissaient tous les deux aux ordres de Tómas, ils n'étaient pas dans le même camp. Ari Thór restait le petit nouveau, une recrue qui ne risquait pas de s'éterniser par ici.

– Tu crois que les gens ont peur ? répéta Tómas en posant sur Hlynur des yeux perçants.

– J'ai l'impression, oui. Une ou deux personnes me l'ont même avoué. Un meurtre, dans une petite communauté comme la nôtre, c'est un événement très perturbant. Surtout à cette période de l'année, au beau milieu de l'hiver…

Hlynur se composa une expression pénétrée.

– Il suffit d'un peu d'imagination pour perdre complètement les pédales.

– Bordel de merde, marmonna Tómas.

Ari Thór hocha la tête.

Bordel de merde…

Il était sur le point de foutre en l'air la chance de sa vie. Sa première affectation, et la situation dégénérait…

Bordel de merde.

Il avait quitté l'école depuis cinq minutes, les joues encore roses, et voilà qu'il payait le prix fort pour avoir suivi son instinct sans le filtre de l'expérience. Il avait laissé cette femme, Ugla, éveiller ses soupçons à propos d'Úlfur et de la mort de Hrólfur.

Plus tard dans la journée, le temps s'éclaircit et, se frayant un chemin parmi les congères, Ari Thór s'arrêta à la petite poissonnerie de la place de la Mairie.

Dans la rue, les passants étaient plus nombreux qu'à l'accoutumée. Ils étaient vite sortis pour respirer l'air pur et faire leurs courses avant que la neige ne rende les rues impraticables.

— Deux filets de haddock, demanda le client devant lui.

Ari Thór le reconnut immédiatement : il l'avait rencontré devant le théâtre le soir de l'accident qui avait coûté la vie à Hrólfur. Karl, membre de la Société dramatique, paraissait un homme tout à fait convenable.

L'homme derrière le comptoir lui tendit un sachet contenant le haddock. Karl sortit un billet de sa poche et fit tomber de la monnaie sans s'en rendre compte.

Ari Thór ramassa les pièces et tapota l'épaule de l'homme.

— Vous avez perdu votre fortune !

— Ah, merci. C'est vous, Ari Thór, n'est-ce pas ?

— En effet. Bonjour.

Il aurait voulu l'interroger sur la soirée de vendredi, même si ce n'était pas la meilleure des idées. La conversation la plus anodine risquait de se transformer à toute vitesse en ragots juteux – il en avait fait l'amère expérience.

— Vous vous plaisez à Siglufjördur ? demanda Karl.

— Oui, merci.

Sa réponse n'était pas totalement sincère mais l'heure n'était pas aux aveux.

— Vous habitez ici depuis longtemps ?

– J'y suis né, j'y ai grandi… Et j'y suis revenu depuis peu. Il n'y a pas de plus bel endroit au monde.

Ari Thór trouva la formule qu'il cherchait : un homme *sur qui on peut compter*. Qui respirait la sympathie.

– J'ai appris que la police a requalifié la mort de Hrólfur en meurtre, souffla Karl d'un ton rauque. Il a vraiment été assassiné ?

– Qu'est-ce que je vous sers ? lança le poissonnier à Ari Thór, avec un coup d'œil amusé.

– Non. C'était juste un accident.

Juste un accident.

*

Karl n'avait jamais eu l'intention de retourner à Siglufjördur, et n'éprouvait aucune affection particulière pour cet endroit. Mais quand Linda et lui furent obligés de vendre l'appartement de Kópavogur et que les créanciers continuaient malgré tout de frapper à leur porte, la décision s'imposa d'elle-même. Les agents de recouvrement chargés de lui faire rembourser ses dettes de jeu étaient des brutes sans pitié, et ils repartaient rarement les mains vides. Les fois où Karl n'avait rien à leur donner, les visites se terminaient en général par des coups.

Karl n'était pas impressionnable, mais son seuil de tolérance à la douleur était assez bas ; si bas, en réalité, qu'il était presque inexistant. La décision de partir vers le Nord fut prise un soir, après une rencontre inattendue avec un créancier qui s'était mal terminée. Il ne pouvait compter ni sur sa chance, ni sur sa force. La prochaine fois, ils viendraient à deux – et seraient lourdement armés. Ils ne le traqueraient certainement pas jusqu'à Siglufjördur mais, par prudence, il n'avait pas pris la peine d'officialiser son nouveau lieu de résidence. La dette n'était pas si importante, environ un demi-million de couronnes. Elle avait été souvent bien pire.

Il avait promis à Linda de renoncer au jeu. Aussi, quand elle apprit qu'il continuait à jouer au poker tous les mercredis soirs, il ne fut pas surpris qu'elle devienne complètement hystérique. Elle se calma, à contrecœur, quand il lui expliqua qu'il ne jouait que des bières et des billets de Monopoly. Les bières – l'alcool en général – ne posaient pas de problème. Son talon d'Achille, c'était les jeux d'argent.

Revoir d'anciens camarades de classe, les rares de son année à être restés en ville, se révéla plutôt plaisant. Ils se retrouvaient un après-midi par semaine chez l'un d'eux, resté célibataire, pour quelques parties de poker. C'était une activité agréable, relaxante, rien de plus.

Linda ignorait tout de *l'autre* groupe de joueurs de poker qui se réunissaient de temps en temps pour jouer de l'argent – en général, des sommes importantes. Karl les rejoignait dès qu'il avait de quoi participer. Il lui arrivait aussi de débarquer les mains vides en espérant qu'une table l'accepte. D'autres fois encore, quelqu'un lui prêtait de quoi jouer – ou pas. Il ne pouvait pas résister à cette force d'attraction… qui avait toujours causé sa chute.

Il avait rencontré Linda quinze ans plus tôt au Danemark. Ils y vécurent dix ans ensemble avant de partir pour l'Islande. Elle avait un père danois et une mère islandaise. Linda elle-même avait grandi en Islande jusqu'à l'âge de douze ans, quand sa famille déménagea pour le Danemark. Karl resta plus longtemps dans son pays natal : il avait dix-sept ans quand ses parents décidèrent de quitter Siglufjördur pour le Danemark, à l'été 1983. Ils s'installèrent dans un appartement délabré de la banlieue de Copenhague, jusqu'à ce que Karl parte vivre à Århus, où il fit la connaissance de Linda.

Karl et ses parents n'avaient pas grand-chose en commun. Ils étaient si conventionnels, si conservateurs, si admiratifs. Karl détestait leur affection suffocante, leurs effusions de tendresse. Éperdu de reconnaissance à la première proposition de travail au noir à Århus qu'il reçut, il décampa, laissant ses parents dans leur petit appartement de Copenhague.

Linda fut son vrai coup de chance. Elle tomba dans les bras de Karl alors que ses parents divorçaient dans le bruit et la fureur – au beau milieu du psychodrame. Contrairement à lui, elle avait mené ses études à leur terme – une formation d'infirmière. Grâce à elle, leur couple se maintint à flot : elle exerça dans des hôpitaux au Danemark, à Reykjavik et désormais à Siglufjördur. Karl, lui, n'avait pas retrouvé de travail depuis leur installation dans le Nord. Il eut tout le temps, durant l'été puis l'automne, de retaper un petit bateau de pêche destiné à l'école primaire. Quand une vieille connaissance lui avait expliqué que l'établissement scolaire cherchait un bénévole habile de ses mains pour s'occuper de ce chantier, Karl n'avait pas hésité. Au Danemark, il avait souvent travaillé comme bénévole. Il s'était toujours efforcé aussi, quelle que soit sa situation, d'aider les enfants ou de faire des choses avec eux. Il ne savait pas vraiment pourquoi, peut-être l'envie de prolonger leur innocence aussi longtemps que possible. Curieusement, il n'avait jamais envisagé d'être père un jour.

À côté du chantier du bateau, il lui arrivait d'accepter divers travaux manuels. Chaque couronne gagnée ainsi finissait sur le tapis vert.

Loin des tables de jeu, il était comme une voiture

en sous-régime. C'est avec des cartes en main qu'il se sentait pleinement vivant – une F1 prête à s'élancer. Son sang bouillonnait dans ses veines, rien d'autre n'avait plus d'importance. Ni Linda, ni même gagner ou perdre. Seul le vertige et cette audace grisante le poussaient à y retourner, encore et encore, même si, chaque fois qu'il perdait, il se réveillait avec une gueule de bois lourde de culpabilité. Le pire : quitter la partie avec une dette. Ces dérives lui collaient tellement à la peau, à son style de vie, qu'il ne faisait même plus d'insomnies. Les dettes représentaient juste un problème pratique qu'il fallait résoudre pour revenir s'asseoir à la table de jeu.

Il se demandait parfois ce que l'avenir lui réservait. Linda rêvait de passer à l'étape suivante quand lui se satisfaisait de rester dans la ville où il avait grandi, avec ses amis et ses connaissances. Il était même devenu la vedette du théâtre local, bon sang !

Il ouvrit la porte de leur appartement sur Thormóds-gata : l'endroit semblait vide. Il jeta un coup d'œil dans le salon : personne.

C'était une pièce colorée, dont le mobilier commençait à montrer des signes de fatigue. Un canapé jaune miteux orné de coussins brodés faisait face à une petite table basse et à une vieille bibliothèque. Sur un mur était accrochée une collection d'assiettes décoratives, de toutes les couleurs de l'arc-en-ciel, et sur un autre, au-dessus du canapé, un tableau représentant un paysage danois. Devant une télévision minuscule, un vieux fauteuil exhibait son cuir fatigué. Juste à côté, un vase ancien datant des années 1960 et hérité de la mère de Linda reposait sur une table en bois.

Dans la chambre, Karl alluma la lumière. Linda dormait dans le lit aux draps élimés qui devait remonter aux années 1970. Il était inclus dans l'appartement lors de la location, avec ce poster de Jésus qui semblait contempler la tête de lit. Les deux lampes de chevet étaient probablement aussi vieilles que le mobilier. La lumière réveilla Linda. Elle remua, se frotta les yeux.

– On se lève, la marmotte ! J'ai acheté du haddock pour le dîner.

24

Siglufjördur, mercredi 14 janvier 2009

Le garçon eut le droit de sortir après le dîner pour jouer. La chute de neige toute récente avait transformé le paysage en un décor magique et charmant où tout pouvait survenir. Les flocons avaient cessé de tomber au moment du repas et sa mère l'avait finalement autorisé à aller s'amuser dehors.

Une petite chatte, au collier orné d'un grelot, surgit dans le calme de la soirée. Il la suivit dans le jardin voisin en longeant une haie couverte de gel. Le chat ronronnait et faisait le dos rond. Il savait à quel endroit il pouvait se faufiler entre les arbres pour regagner sa maison.

Il adorait jouer dans la neige. C'était son sang. Dans l'obscurité, il était chez lui, comme dans un cocon.

La vision d'un ange, un bel ange de neige, ne l'effraya pas.

Il connaissait cette femme. Il avait joué si souvent dans son jardin qu'il se rappelait même son nom. Ce qu'il n'arrivait pas à comprendre, c'est pour quelle raison elle restait immobile. Et pourquoi elle ne portait pas de pull. Le halo de neige rouge autour d'elle était magnifique, comme un ornement éclatant dans ce jardin blanc nacré.

Il ne voulut pas la déranger et, après un dernier regard pour cette vision merveilleuse, il rentra chez lui, s'arrêtant juste en chemin pour faire une boule de neige.

*

Karl posa sa pinte de bière. Il plaqua ses cartes contre son torse. Une vieille habitude. L'expérience. Il ne fallait faire confiance à personne. En main : un 6 de pique, un 7 de trèfle, auxquels s'ajoutaient un 4, un 8 et un valet prouvaient que, ce soir, la chance était avec lui. La table ronde était recouverte d'un tapis de velours vert et un saladier rempli de chips était posé près du bord. La tension était palpable.

Ses anciens camarades de classe l'observaient attentivement, attendant son prochain coup. Ce n'était pas un coup crucial : ils jouaient avec des billets de Monopoly. Tandis qu'il nourrissait en secret des envies de *vrai* jeu, leur partie n'était qu'un amusement puéril. Le week-end prochain, peut-être ? Le problème étant qu'il n'avait plus d'argent et devait encore quelques milliers de couronnes à un ami.

Son téléphone sonna au moment où il venait de décider de rester dans la partie. Il ne reconnut pas le numéro sur l'écran mais décrocha tout de même, car l'appel provenait d'une ligne fixe. Normalement, il évitait les numéros inconnus pour ne pas risquer de tomber sur un de ses créanciers du Sud.

– Karl ?

Une voix de jeune femme, qu'il n'arrivait pas à remettre.

– C'est moi, oui.

Elle se présenta. C'était une amie de longue date, qui n'habitait pas loin de chez lui.

– Écoute, mon fils Gunni s'est permis d'aller jouer dans ton jardin tout à l'heure.

Elle hésita, cherchant ses mots.

– J'ai essayé d'appeler chez toi mais ça ne répondait pas. Gunni m'a dit que Linda était dans le jardin… nue.

Elle eut un rire gêné.

– Les gosses… Ça dit de ces trucs, parfois… Mais ça m'a paru bizarre. Je voulais juste m'assurer que tout allait bien.

– Je crois, oui. Je vais vérifier. Merci d'avoir appelé.

Il raccrocha, se leva et posa ses cartes.

– Désolé, les gars. Je dois rentrer, mais je reviens.

Il prit son blouson sur le dossier de sa chaise et sortit dans le froid. Il avait recommencé à neiger, si violemment qu'on y voyait à peine.

*

L'ambulance arriva sur place quelques minutes avant la jeep de la police. Ari Thór et Tómas étaient déjà sur le pont, leur querelle à propos de Hrólfur oubliée à la minute où ils avaient reçu l'appel de Karl sur le numéro d'urgence. Karl se tenait sur le seuil de la porte de derrière, en jean noir et pull bleu marine. Son blouson reposait dans la neige, non loin de là où les infirmiers, accroupis devant le corps inerte, tentaient de trouver un pouls. Vu la chute de neige récente, il n'y avait aucune chance de relever des empreintes de pas ou d'autres traces exploitables. D'autant que les ambulanciers et Karl avaient amplement piétiné la scène de crime.

Linda Christensen était allongée, livide, les lèvres bleues et les paupières closes. Ari Thór n'avait jamais vu l'épouse de Karl auparavant. Il se dégageait d'elle une sérénité perturbante. Karl se tenait à l'écart et Ari Thór éprouva un élan de compassion pour cet homme sympathique avec qui il avait si facilement discuté la veille, dans la poissonnerie.

Les bras de Linda étaient étendus et une large flaque de sang souillait la neige. Beaucoup trop de sang. La colère submergeait Ari Thór. Il s'efforça de contrôler sa respiration. Il valait mieux ne pas prendre les choses trop à cœur et garder le contrôle, afin que son désarroi, sa fureur ne viennent pas obscurcir son jugement.

Qui peut commettre ce genre de crime ? Qui peut laisser quelqu'un se vider de son sang dans la neige ?

Elle portait un jean – rien d'autre. Pieds nus. Torse nu.

Elle était forcément morte. Une plaie barrait sa poitrine – superficielle, mais l'effet sur sa peau si pâle était saisissant. Une autre sur le bras, plus profonde, paraissait plus grave, sans doute à l'origine de la tache écarlate qui s'élargissait sur la neige.

Blessures défensives ?

Une arme ?

Un couteau ?

Ari Thór regarda autour de lui et vit que Tómas semblait lui aussi chercher une arme mais, dans la confusion d'empreintes de pas et à cause de la neige qui tombait toujours, difficile de discerner quoi que ce soit.

– On pourrait appeler une équipe scientifique de Reykjavik ?

Ari Thór n'avait reçu qu'une formation rudimentaire sur les procédures liées aux scènes de crime, juste assez pour savoir quelles erreurs éviter, notamment pour conserver au mieux d'éventuels indices. Mais ce n'était pas une scène de crime ordinaire ; à commencer par la jeune femme qu'il fallait d'abord tenter de sauver – si elle était encore en vie – et le blizzard, qui allait tout compliquer.

– Ça ne servira à rien, dit Tómas, le visage creusé par l'anxiété, mais il faut appeler Hlynur immédiatement. Il doit tout passer au peigne fin, ici et dans l'appartement, si c'est là que l'agression a eu lieu. Prends le plus de photos possible, tant qu'on peut encore voir quelque chose à travers cette tempête.

Ari Thór hocha la tête. Hlynur ne mettrait pas long-temps à arriver ; il était peu probable qu'il ait quitté la ville par ce temps. Pratiquement impossible, à vrai dire.

En attendant de nouvelles informations, ils obser-vèrent les ambulanciers s'activer. Ari Thór sortit son appareil photo de sa poche et se mit au travail.

Tómas se rapprocha de lui et, le plus discrètement possible, sa voix assourdie par les épaisses chutes de neige et les conditions météo de plus en plus mauvaises, murmura :

– On doit demander à Karl de venir avec nous.

– Lui demander ?

Ou l'arrêter ?

– Lui demander poliment. Pour sa déposition. J'ai cru comprendre qu'ils n'étaient pas toujours…

Il hésita.

– … Ils n'étaient pas toujours d'accord sur tout.

– On a un pouls !

Surpris, Ari Thór s'avança.

– On a un pouls ! répéta l'ambulancier.

Les infirmiers placèrent Linda sur un brancard et l'enveloppèrent dans une couverture, dérobant aux regards la coupure étroite sur sa poitrine et la plaie plus profonde sur son bras. Ari Thór avait tout d'abord trouvé artistique le corps immobile dans la neige, presque beau, mais à présent, la réalité reprenait le dessus et il se

161

rappela qu'il s'agissait d'une pauvre femme luttant pour survivre.

    – Elle est vivante ? demanda-t-il, incrédule.

    – Son pouls est très faible, mais oui, elle vit encore.

25

Siglufjördur, mercredi 14 janvier 2009

– Nous allons vous demander de nous suivre pour prendre votre déposition.

Tómas parla d'un ton mesuré, essayant d'évacuer toute brusquerie de sa voix. Figé, Karl regardait sa femme qu'on transportait dans l'ambulance.

– Bien sûr. J'arrive.

– Vous pouvez nous donner la clé de votre appartement ? On doit procéder à une fouille.

Il hocha la tête.

– Il n'est pas fermé à clé. Vous ne trouverez rien. Je suis allé jeter un coup d'œil tout à l'heure, pour voir s'il y avait quelqu'un…

– Asseyez-vous dans la voiture…

Ari Thór l'accompagna jusqu'à la banquette arrière.

L'ambulance partit. À travers le rideau dense de neige, ses lumières formaient un halo macabre. Le jardin derrière la maison de Thormódsgata ne ressemblait plus à une scène de crime : comme lavé par les tourbillons neigeux, il était recouvert d'un drap glacé et scintillant. Linda n'était plus là, Karl attendait dans la voiture. Seules quelques traces rouges étaient encore visibles. Sous les yeux d'Ari Thór, le jardin se métamorphosait peu à peu, pour ressembler à n'importe quelle arrière-cour d'une rue paisible d'une petite ville du Nord.

Hlynur arriva quelques minutes plus tard.

– Je retourne au poste avec Ari Thór, annonça Tómas.

Sa voix se perdit presque dans le vent.

– Karl est avec nous. Toi, tu fais de ton mieux pour passer les lieux au peigne fin. Il faut qu'on trouve l'arme. On n'a pas de détail sur le type de blessures de la victime – les ambulanciers étaient trop occupés à la maintenir en vie – mais je dirais que c'est un couteau. Sois vigilant. Et occupe-toi aussi de l'appartement. Essaie de repérer d'éventuelles traces de lutte…

La tempête faisait rage. Ari Thór luttait pour garder les yeux ouverts. Les épais flocons ne voletaient plus en douceur mais fouettaient quiconque était assez imprudent pour s'aventurer dehors. Il s'assit à côté de Karl. Au volant, Tómas conduisait en silence.

Le poste de police leur offrit un refuge bienvenu, à l'abri du blizzard. C'est seulement en entrant dans ce décor familier, rassurant, qu'Ari Thór constata combien son cœur s'était emballé. À présent, son corps se détendait – et la douleur dans son épaule revint.

Ils emmenèrent Karl dans le bureau qu'ils utilisaient – plus que rarement – comme salle d'interrogatoire. Ari Thór avait du mal à déchiffrer l'attitude de l'homme. Compte tenu des circonstances, il paraissait étrangement placide.

– Ça va être long ? demanda-t-il. J'aimerais pouvoir me rendre à l'hôpital le plus vite possible.

Il montrait peu d'émotion.

– On va faire de notre mieux. Ce sera plus rapide si vous nous parlez clairement, distinctement.

Tómas poursuivit en expliquant à Karl qu'il était

interrogé à titre de témoin, puis mit en marche le magnétophone.

Ari Thór lui passa un papier sur lequel il avait griffonné quelques mots.

– Vous pouvez me donner votre blouson ? demanda Tómas.

La question sembla prendre Karl par surprise. Il écarquilla les yeux.

– Votre blouson, vous pouvez le retirer ? Et me le donner ?

Karl obéit. Il aperçut alors la petite tache qu'Ari Thór avait remarquée, et, sans un mot, tendit le vêtement à Tómas.

– Nous l'enverrons pour analyse.

Ari Thór acquiesça et alla chercher un sac pour pièces à conviction.

– C'est du sang ? demanda Tómas.

Karl ne parut pas déstabilisé par la question.

– Sans doute.

Tómas restait assis en silence. Karl faisait de même. Tous deux se jaugeaient du regard, comme pour se mettre au défi de prendre la parole en premier. À ce petit jeu, Karl l'emporta : Tómas baissa les yeux, remua sur sa chaise et commença l'interrogatoire.

– Vous savez comment cette tache de sang s'est retrouvée là ?

– Dès que j'ai vu ma femme, j'ai retiré mon blouson pour la recouvrir et lui tenir chaud. Il y avait du sang partout. Quand les ambulanciers sont arrivés, ils l'ont enlevé pour essayer de la réanimer.

– Quand avez-vous vu Linda pour la dernière fois ?

– Ce matin.

– Elle est partie travailler ?

– Oui. Elle avait une garde jusqu'à 18 heures.

– Vous savez si elle est rentrée plus tôt ?

– Aucune idée.

– Vous avez eu de ses nouvelles dans la journée ?

– Non, pas un mot. Vous permettez que j'appelle l'hôpital ?

Il paraissait calme, l'attitude de quelqu'un qui n'a rien à cacher. L'instinct d'Ari Thór lui soufflait qu'ils perdaient leur temps avec lui.

– Je parlerai bientôt au médecin. Vous n'étiez pas chez vous à 18 heures ?

– Non.

Et il sombra de nouveau dans le silence.

– Vous étiez où ?

– Je jouais au poker avec des amis. Comme tous les mercredis. On se retrouve vers 17 heures, 17 h 30, quand ils ont tous terminé leur journée de travail. Et on joue jusque dans la soirée. Pas trop tard non plus. Quelques bières, quelques parties…

– Ils confirmeront votre présence avant 18 heures ?

– Oui.

Puis, hésitant :

– Vous voulez leur nom ?

– S'il vous plaît, oui…

Tómas lui glissa un papier et un stylo.

Karl rédigea la liste et rendit le papier à Tómas, qui y jeta un coup d'œil.

– Je les appellerai. Je les connais, dit-il à Ari Thór. *Je les connais et pas toi. Ici, tu n'es qu'un étranger.* Tómas se leva.

– Vous pouvez appeler le médecin ? demanda Karl.

Tómas hocha la tête et quitta le bureau. Ari Thór ne savait pas s'il devait rester silencieux ou prendre la suite de l'interrogatoire. Ou bien juste discuter d'autre chose ? Le silence s'installa, embarrassé.

– Un café ?

Karl secoua la tête.

– Vous êtes bon. Le blouson avec la tache de sang…
je n'avais rien remarqué.

Ari Thór se demanda comment il devait prendre la
remarque, et pourquoi ce compliment. Karl tentait-il
un rapprochement ?

Fallait-il qu'il le remercie ?

Le silence retomba un moment puis Ari Thór
demanda :

– Vous êtes sûr que vous ne voulez pas de café ?

– Tout à fait. Vous vous êtes fait une vilaine coupure au front.

Nouveau silence.

– Qu'est-ce qui vous est arrivé ?

– Rien de grave, répondit sèchement Ari Thór.

Et le silence gênant revint.

– Saleté de temps. Vous ne devez pas être habitué, hein ?

Ari Thór essayait de ne pas se laisser distraire, mais
ce n'était pas facile de cacher les effets que la neige
impitoyable, les rafales de vent et le froid qui glaçait
les os avaient sur lui. Il aurait aimé être ailleurs en ce
moment. À Reykjavik.

Karl sembla lire dans ses pensées et comprit qu'il
avait touché un point sensible.

– Ça peut être terrible, reprit-il avec un sourire
distrait. Même pour moi, et pourtant, j'ai grandi à
Siglufjördur. Quand le temps se déchaîne comme ce
soir, on a l'impression que des murs se referment tout
autour de vous.

Bon sang… Il se dépêche, Tómas ?

Ari Thór restait silencieux et s'efforçait de penser à
autre chose. Les minutes passaient. Et si Tómas retardait

volontairement son retour pour laisser gamberger Karl ? Si c'était son plan, il ne marchait pas.

La sonnerie du téléphone d'Ari Thór brisa le silence.

Il regarda l'écran.

Kristín.

Il activa le mode « veille ». Ce n'était ni l'endroit ni le moment pour répondre.

Kristín. Cela faisait plusieurs jours qu'elle n'avait pas donné de nouvelles. Pourquoi ce coup de fil soudain ? Il avait envie de l'entendre et la maudissait pour ce mauvais timing.

L'éloignement commençait à faire son œuvre. Leurs e-mails étaient plus rares, ils se téléphonaient moins souvent. Elle lui manquait, et quand son moral était au plus bas, aggravé par cette sensation d'isolement, il rêvait d'être allongé près d'elle, le soir venu. Mais il ne lui pardonnait toujours pas sa réaction pour Siglufjördur, et de ne pas l'avoir accompagné le premier week-end, ou appelé le soir du réveillon. Elle avait bien essayé de le faire le jour de Noël…

Conneries ! Une petite amie doit téléphoner le soir du réveillon. Ce sont les vieilles tantes qui appellent le jour de Noël !

Soudain, la porte s'ouvrit.

— Ari Thór, tu peux venir cinq minutes ?

La voix de Tómas était ferme.

— Je viens de leur parler à tous, dit-il quand Ari Thór eut fermé la porte derrière lui. Toute la bande du poker.

La pause dramatique laissait deviner des talents d'acteur chez Tómas.

— Ils disent tous la même chose : il est resté tout le temps avec eux. Il est arrivé à 17 heures et il était dans un bon jour. C'est le coup de fil de la voisine qui l'a fait partir.

– Quand Linda a-t-elle quitté l'hôpital ?

– Vers 18 h 30. J'ai parlé à une infirmière qui était de garde en même temps qu'elle. Dès la fin de son travail, elle est descendue manger un bout dans la cafétéria de l'hôpital. Bref, la situation est plutôt claire : ce n'est pas lui le coupable.

– Des nouvelles de Hlynur ?

– Non. On va le laisser bosser encore un peu.

Tómas se pencha vers la fenêtre. La visibilité était presque nulle. Ari Thór était soulagé de n'avoir pas eu à s'occuper de la scène de crime.

– Je vais essayer de contacter le médecin. Attends-moi. On retournera ensemble en salle d'interrogatoire.

Ari Thór sentit son téléphone vibrer dans sa poche. Encore Kristín, sans doute. Y avait-il un problème ? Il profita de ce que Tómas était occupé à appeler l'hôpital pour décrocher. Pendant une fraction de seconde, il songea au beau visage d'Ugla, mais il chassa rapidement cette image.

– Qu'est-ce qui se passe ? demanda immédiatement Kristín d'une voix froide et directe.

Elle paraissait curieuse, peut-être même excitée.

– Comment ça ?

Il ne s'était pas attendu à cette entrée en matière. Pas de « *mon chéri* ». Aucune tendresse.

– Cette femme, tu sais bien. La femme dans la neige.

Putain de merde !

Manifestement, les nouvelles allaient vite.

– Comment tu l'as appris ?

– J'ai vu l'info sur Internet.

Elle lui donna le nom du site.

– Tu participes à l'enquête ?

Il s'assit devant son ordinateur.

« *Une femme découverte nue et inconsciente à Siglufjördur.* »

– Je ne peux rien te dire…

Mon amour. Les mots s'étaient dissous avant qu'il ait eu le temps de les prononcer. Quelques semaines plus tôt, ils lui seraient venus naturellement. Cette fois, ils semblaient terriblement lointains. Ari Thór voulait tout de même glisser à Kristín quelque chose d'agréable, d'affectueux, mais il était évident qu'elle appelait juste pour l'interroger sur cette affaire. Son agacement se renforça.

– Je ne peux pas te parler. Je dois retourner bosser.

Il raccrocha en même temps que Tómas.

– J'ai eu le médecin, déclara-t-il en s'approchant d'Ari Thór. Il rappellera plus tard. Linda est toujours inconsciente. Elle a dû rester dans le jardin entre trois quarts d'heure et une heure. C'est incroyable mais, Dieu merci, elle est toujours en vie.

Il souriait, apparemment soulagé de ne pas se retrouver avec un meurtre sur les bras. Pas encore, en tout cas. Il aperçut soudain l'écran de l'ordinateur et son expression changea du tout au tout.

– Bordel, qu'est-ce que c'est que ça ?

– Aucune idée. Mon amie vient de m'appeler pour me prévenir.

– Quelle honte ! D'abord Hrólfur et maintenant ça ! Les journalistes sont au courant de tout ! On ne peut pas travailler tranquillement…

– Tu ne penses quand même pas que cette affaire est liée à l'accident à la Société dramatique ? demanda Ari Thór à voix basse.

– Quoi ? Non, loin de là ! Mais merde, ça me fout en rogne. C'est inacceptable d'avoir à traiter coup sur coup deux affaires pareilles…

Encore plus « inacceptable » pour Hrólfur et Linda...
Ari Thór ne répondit rien. Le téléphone de Tómas sonna.

– Allô ?

Silence.

– Bon Dieu, non ! Vous ne pouvez pas me laisser bosser ?

Silence plus court.

– Non. Je n'ai pas le temps. Pas de commentaires. C'est bien compris ?

Il raccrocha, furieux.

– Quels fouille-merdes ! Allez, viens, on boucle l'interrogatoire. Ça vire au cauchemar, cette histoire. Il faut qu'on tire ça au clair tout de suite, sinon les gens vont commencer à avoir la trouille...

Ari Thór jeta un bref coup d'œil par la fenêtre avant de retourner dans le bureau. Cette petite ville paisible étouffait sous la neige. L'étreinte familière de l'hiver devenait plus étouffante que jamais. Le blanc n'était plus virginal mais souillé de sang.

Une chose était certaine : ce soir, les habitants de Siglufjördur fermeraient leur porte à clé.

26

Siglufjördur, mercredi 14 janvier 2009

– Je parlerai au garçon et à sa mère dans la matinée, dit Tómas. Il nous faut une déposition des témoins mais Karl n'est pas suspect, je ne crois pas une seconde à sa culpabilité. Je le revois tout gosse, quand ses parents ont décidé de partir vivre au Danemark. Ces deux-là se disputaient tout le temps, toujours à court de fric si je m'en souviens bien... Il n'y avait pas beaucoup de travail dans le coin. Je crois qu'ils se sont plutôt bien débrouillés à l'étranger.

– Et Linda ? Elle est danoise ?

– Moitié danoise, moitié islandaise. Ils se sont rencontrés là-bas.

Tómas paraissait préoccupé par autre chose que son travail.

– Écoute... Tu as parlé de Hrólfur, tout à l'heure...

– Oui, et alors ?

– Fais bien attention. On ne peut pas se permettre de se planter. Compris ?

Ari Thór acquiesça.

– Tu penses qu'il peut y avoir un rapport ?

– C'est peu probable, mais on ne peut éliminer aucune hypothèse. Deux morts dans des circonstances suspectes...

La voix de Tómas faiblit tandis qu'une expression embarrassée se peignait sur ses traits.

– Pardon. Elle est toujours en vie, bien sûr. Ce qui me tracasse, c'est le peu de temps écoulé entre les deux événements, et le fait que Karl et Leifur aient été présents le soir de la répétition, quand Hrólfur est mort.

– Leifur ? Quel rapport avec Linda ?

– Il habite l'appartement juste au-dessus de chez Karl et Linda. Tu peux aller lui parler ?

– Je m'en occupe.

– À propos de l'accident au théâtre, j'ai pensé à un autre truc : il y a une webcam installée sur la place de la Mairie, qui diffuse en direct sur Internet. Pour les anciens habitants de Siglufjördur qui auraient le mal du pays, tu piges ? Quelque chose a peut-être été filmé le soir du drame, des allées et venues… Vérifie en passant, d'accord ? Je t'ai noté l'adresse du site…

Il tendit un papier à Ari Thór. Son portable sonna à nouveau.

La conversation fut brève : tout juste un « Oui, d'accord ».

Tómas rangea le téléphone dans sa poche. Son visage en disait plus qu'un long discours.

– Elle est toujours inconsciente. Un transfert par avion vers le Sud a été décidé en urgence. Avec un peu de chance, la météo sera suffisamment clémente pour permettre un décollage demain matin. Et le médecin m'a révélé autre chose. Il faut qu'on revoie Karl.

*

Les congères compactes se dressaient plus haut que tout ce qu'Ari Thór avait pu connaître à Reykjavik, et il ne faisait aucun doute qu'elles allaient gagner en volume dans les jours à venir.

Karl avait décroché au second appel. Il était encore à l'hôpital.

La visibilité était mauvaise. Le petit 4 × 4 de la police bringuebalait dans les rues menant à l'hôpital et les essuie-glaces s'activaient furieusement pour dégager le pare-brise. La neige éclairait la nuit en reflétant les lumières des maisons. La majorité des habitants étaient restés chez eux ce soir, ruminant leurs doutes.

Assis dans la salle d'attente, Karl, a priori très calme, feuilletait un magazine. Il salua les deux policiers d'un signe de tête et reprit sa lecture.

– Il faut qu'on parle.

Il tourna la page comme s'il n'avait pas entendu.

Tómas insista, d'une voix un peu plus forte :

– On a encore des questions à vous poser.

Karl leva la tête et les regarda, les yeux mi-clos.

– Pourquoi ? Qu'est-ce qui se passe ?

– Suivez-nous.

– On n'en avait pas terminé, tout à l'heure ?

Dans son interrogation, une tension nouvelle.

– Je préfère rester ici, près d'elle…

– Allons, venez.

Karl se leva, hésitant, et donna une tape sur l'épaule d'Ari Thór.

– Entendu…

La douleur devint insupportable.

Saleté d'épaule...

Ils rallièrent tous trois la voiture en serrant leur manteau contre les rafales tourbillonnantes. Le 4 × 4 démarra dans une tempête aveuglante.

– J'ai parlé au médecin, expliqua Tómas une fois revenus dans le bureau du poste de police.

Il attendait une réaction de la part de Karl, qui ne laissait rien transparaître.

– Est-ce que vous l'avez frappée ?

La question le foudroya.

– Si j'ai quoi ?

Karl lança un regard noir à Tómas, puis à Ari Thór. L'effet de surprise laissait place au choc et à la colère.

– Est-ce que vous battez votre femme ? lâcha Tómas d'une voix rude.

Ari Thór l'observait du coin de l'œil.

– Vous êtes dingue ? Bien sûr que non !

Karl sentit venir la question suivante et y coupa court avant que Tómas ne la pose :

– Elle est tombée hier ! Elle faisait le ménage dans le salon et elle a glissé – en tout cas, c'est ce qu'elle m'a dit. C'est ça que vous voulez savoir ?

Tómas ne répondit pas directement.

– Il y a des ecchymoses très nettes sur son dos, comme après un coup violent ou une chute.

– Précisément, rétorqua froidement Karl.

– C'était la première fois que vous la frappiez ?

Karl se releva et planta ses yeux dans ceux de Tómas.

– Je n'ai jamais levé la main sur elle, compris ?

Tómas ne bougeait pas.

– Asseyez-vous, je vous prie. Vous prétendez que vous n'avez rien à cacher ?

– Rien du tout.

Il se rassit et sa colère retomba. Il était livide.

– Attendez ici un moment.

Tómas se leva lentement et, d'un regard, fit comprendre à Ari Thór qu'il voulait lui parler en privé.

– Il la bat, dit-il quand ils furent sortis. Il l'a frappée, ou poussée, mais on ne peut pas en être certains tant qu'on n'aura pas interrogé Linda. Tu vas rejoindre

Hlynur pour voir où il en est dans ses recherches. Il a peut-être trouvé un indice capital. Karl nous a donné l'autorisation de fouiller son appartement.

– Justement. S'il nous a autorisés à fouiller chez lui, il y a peu de chances qu'on trouve quoi que ce soit.

– Tu as sans doute raison, malheureusement.

*

Ari Thór se tenait sous les rafales de neige, devant la maison de Thormódsgata. Il était tard mais les appartements du rez-de-chaussée et de l'étage étaient allumés. Il se rendit directement dans le jardin, à l'arrière, et découvrit Hlynur plié en deux, toujours à la recherche d'une arme ou d'un indice. Impossible de l'appeler par ce temps ; Ari Thór s'approcha et lui tapota le dos.

Hlynur se releva.

– Rien ! cria-t-il dans le blizzard. Rien pour le moment !

Ari Thór fit un signe de tête en direction de la maison. Hlynur se pencha vers lui.

– J'y suis allé. J'ai fouillé tout l'appartement et pris des photos. Je n'ai rien trouvé à part le tee-shirt de la femme. Un tee-shirt rouge qui traînait par terre. Il est dans la voiture, dans un sachet.

Le tee-shirt qu'elle portait au moment de l'agression ?

Ari Thór ouvrit la porte de derrière et pénétra dans la chaleur de l'appartement. Il se retrouva plongé une vingtaine d'années en arrière : les tissus et le mobilier colorés et pittoresques n'étaient pas du tout assortis et pourtant, curieusement, l'ensemble parvenait à donner une impression de cohérence. Linda avait-elle été agressée à l'intérieur ou à l'extérieur ? Par quelqu'un qu'elle connaissait ou qu'elle avait laissé entrer ?

Il ne remarqua aucune trace de lutte, rien de particulier dans le salon ou la petite cuisine. La peinture jaune vif sur les murs et les placards faisait mal aux yeux, tout droit sortie d'un magazine de décoration criard de 1975. À côté de la gazinière, de vieux couteaux émoussés étaient fichés dans un bloc de bois, avec cinq fentes – trois petites, deux plus grandes – pour seulement quatre couteaux. Coïncidence ? Peut-être que oui, peut-être que non.

Ari Thór alla inspecter la chambre et s'arrêta devant l'affiche représentant Jésus, au-dessus du lit double. Son esprit le ramena à l'époque de ses études de théologie. *Le Révérend Ari Thór*. Il était certainement plus à sa place dans la police. Qu'est-ce que Dieu avait fait pour lui, à part lui retirer ses parents avant qu'il n'ait eu le temps de vraiment les connaître ?

Il regarda par la fenêtre.

La neige ne tombait plus.

Puis il vit le téléphone, un petit portable rouge près de l'oreiller, sur le lit non défait. Appartenait-il à Linda ? Probablement. Une brusque gêne l'étreignit, comme un coup de poignard à l'estomac, et son cœur battit plus vite. Il plaça le téléphone dans un sachet qu'il glissa dans sa poche.

Et si c'était ce qu'il croyait ?

Non, impossible. Et merde...

Il sortit de l'appartement par la porte de devant, monta quelques marches et sonna chez Leifur.

Ce dernier lui ouvrit. Il paraissait fatigué mais pas vraiment surpris de voir un policier lui rendre visite si tard dans la soirée.

– Désolé de débarquer à cette heure, je ne vous embêterai pas longtemps. J'imagine que vous travaillez tôt demain.

Ari Thór sourit, faisant un effort pour être aimable. Nul doute que le Révérend aurait été dans les meilleurs termes avec ses paroissiens.

D'une voix grave et sombre, Leifur répondit :

– Ça ne fait rien. Je suis en congé demain.

Un labrador aboya avant de venir accueillir Ari Thór. *Un chien sympathique et affectueux*, pensa-t-il.

Dans le couloir et le salon flottait une odeur de bois fraîchement scié. Ari Thór pensa aux cours de menuiserie qu'il avait suivis à l'école et aux cadeaux qu'il bricolait pour ses parents. La pièce, meublée de façon spartiate, dégageait une atmosphère froide. Un espace vide et sans âme, à l'opposé de l'appartement du dessous et de son explosion de couleurs. Rien n'était accroché aux murs. La photo encadrée d'un jeune garçon en tenue de communiant était posée sur la télévision.

– Du café ? proposa Leifur.

– Du thé, si vous en avez.

Ari Thór n'éprouvait pas le besoin de se montrer exagérément courtois. Ce lieu brut, banal, n'appelait aucune espèce de cérémonial.

– C'est vous qui avez fabriqué cette table ?

Tómas lui avait expliqué le métier de Leifur.

– Ouaip.

Le thé fut bientôt prêt et Leifur semblait préoccupé. Il s'assit sur le canapé gris. Le chien se blottit aussitôt à ses pieds.

– Vous avez passé toute la soirée chez vous ?

– Je suis rentré vers 18 heures. Je travaille à la station-service.

– Et vous n'avez pas bougé d'ici ?

– Non, comme presque tous les soirs. J'ai mon atelier ici. Je fais des petits boulots de temps en temps pour arrondir les fins de mois.

– Ça ne gêne pas vos voisins ?

– Peut-être, mais je m'arrange toujours pour finir avant 22 heures, comme ça la télé couvre les bruits.

Il but une gorgée du thé qu'il s'était servi pour accompagner Ari Thór.

– Nous avons un accord tacite : je fais semblant de ne pas entendre leurs disputes et ils me laissent travailler tranquillement.

– Des disputes ?

– Ouaip. Un sacré bordel, et ça arrive tout le temps. C'est toujours Karl, si vous voyez ce que je veux dire. Il hurle et Linda ne répond presque jamais.

– Ils se sont disputés hier ?

– Ah ça, hier, ils s'en sont donné à cœur joie, oui ! Et ça n'est pas la première fois… J'ai l'impression qu'il y a eu des dégâts, aussi…

Enfin ! Un premier pas dans la bonne direction, même si le récit d'une querelle risquait d'être un peu maigre. Le scénario de la chute paraissait de moins en moins crédible, mais… cela ne suffisait pas.

– Vous pensez qu'il l'a frappée ?

– Je ne sais pas. Possible. Je ne fais plus vraiment attention. Je remarque juste à chaque fois qu'ils se disputent encore. Pour parler franchement, Karl ne me paraît pas être le genre de type à cogner sa femme.

Il se replia dans le silence, avant de reprendre :

– Bon, qu'est-ce qui s'est passé ce soir ?

– Vous n'avez rien vu ?

– Non, rien. J'étais dans mon atelier et ma fenêtre ne donne pas sur le jardin. Quand je travaille, je suis dans ma bulle. Bien sûr, quand ça s'est agité et que la police est arrivée, je suis allé regarder par la fenêtre de la cuisine. Après, j'ai vu des infos sur Internet… Vous pensez que c'est Karl ?

– Non. Rien ne le laisse supposer.

– Linda va s'en sortir ?

– Impossible à dire. En parlant de dispute…

Autant saisir la perche. Après tout, Tómas lui avait pratiquement donné carte blanche.

– … j'ai entendu dire que l'ambiance était électrique pendant la répétition, le jour de la mort de Hrólfur. Vous l'avez remarqué ?

La question sur la Société dramatique n'eut pas l'air de surprendre Leifur.

– Si je l'ai remarqué ? Ça n'aurait échappé à personne ! Hrólfur et Úlfur n'ont pas arrêté de se chercher… Le vieux était un peu saoul, et le metteur en scène coupait les cheveux en quatre… Mais rien qui sorte de l'ordinaire…

– Disons que la chute mortelle de Hrólfur sort de l'ordinaire, non ?

– Évidemment. Mais de là à dire que quelqu'un l'a poussé…

– Vous êtes sorti dîner ?

– Oui.

Une lueur d'angoisse passa dans les yeux de Leifur quand il comprit qu'il pouvait jouer le rôle du suspect dans deux enquêtes de police.

– Je fais toujours ça : je sors me promener puis je rentre chez moi. Je suis passé par la porte de derrière et j'ai discuté avec Nína avant de partir. Elle m'a dit qu'elle allait profiter de la pause pour faire du rangement dans le sous-sol.

Ari Thór se leva. Il sentait que cette entrevue ne donnerait rien de plus et préférait quitter Leifur en termes cordiaux – comme le Révérend l'aurait fait.

– Merci pour le thé.

Il montra du doigt la photo de communiant.

– Vous n'avez pas changé.

Leifur eut l'air troublé.

– C'est mon frère. Il est…

Il marqua une pause.

– … il est mort. Dans un accident de voiture.

– Il y a longtemps ? demanda Ari Thór, avec le ton plein de compassion d'un ecclésiastique.

– Vingt-trois ans.

Leifur n'avait même pas eu besoin de calculer.

– Vingt-trois ans demain. C'est pour ça que j'ai pris ma journée. Je prends toujours un congé le 15 janvier.

Il se tut un instant puis ajouta :

– Vous ne l'avez jamais arrêté.

Moi ? Nous ? Ari Thór était-il censé endosser la responsabilité des péchés des autres ?

– Qui ça ?

– Le conducteur. Un ami de mon frère était dans la voiture. Il a survécu de justesse et il a raconté les détails de l'accident. Il a dit qu'une autre voiture arrivait en sens inverse, au milieu de la chaussée, et que c'est pour ça qu'ils sont partis en tonneau. Ce n'était pas la faute de mon frère. Le temps était mauvais et cet…

Il se contrôlait pour faire taire sa rage.

– … cet homme les a forcés à s'écarter brusquement. La voiture a fait un tonneau.

Silence.

– La police ne l'a jamais retrouvé. L'ami de mon frère n'a pas réussi à identifier la voiture. Elle était foncée, rouge peut-être, difficile d'être sûr. Personne ne s'est dénoncé et l'affaire a été classée. Le dossier doit traîner au fond d'un tiroir au poste de police…

Ari Thór se tut. Que pouvait-il dire ?

Il tendit la main. Leifur la serra de sa main calleuse de menuisier.

Dehors, un tapis neigeux tendu sur la ville lui conférait un air paisible. Un petit chat déguerpit de sous une voiture, courut vers un abri chaud. Quelques flocons tombaient encore, légers, presque invisibles. Ari Thór leva la tête et respira profondément.

Peut-être que tout allait s'arranger.

Il entendit Hlynur l'appeler au moment où il grimpait dans le 4 × 4.

– Ari Thór !

Il se retourna.

– Le couteau ! Je l'ai.

Il était dans un buisson, dans le jardin de la maison voisine. Il ne faisait aucun doute qu'il s'agissait du couteau de cuisine manquant.

– Il a dû le balancer en s'enfuyant, suggéra Ari Thór.

Il avait donc vu juste.

Bien joué.

Il espérait se tromper à propos du téléphone.

*

Quand trouverait-il enfin l'occasion de dormir ? Tómas était sûr d'une chose : ce ne serait pas cette nuit. Il voulait au moins se reposer un peu au poste – cela lui donnait l'occasion de montrer à sa femme comment les choses se passeraient quand elle aurait déménagé dans le Sud. Elle devrait dormir seule – du moins l'espérait-il.

– Je suppose qu'on ne trouvera aucune empreinte sur le couteau, soupira-t-il. Envoie-le quand même à Reykjavik, on ne sait jamais.

Il remplit son mug d'un café bien chaud et bien fort.

– On va devoir relâcher Karl, pas vrai ? demanda Hlynur en bâillant.

– L'avion sanitaire est en route. C'est une chance que la tempête se soit calmée, ils vont pouvoir atterrir. Linda n'a pas encore repris conscience et je ne suis pas certain qu'elle sera capable de nous dire quoi que ce soit. Que pensez-vous de tout ça, messieurs ?

Tómas regarda Hlynur, qui paraissait trop épuisé pour répondre.

– Ça ne sent pas bon, dit Ari Thór.

– Rentrez chez vous et reposez-vous. On se retrouve demain matin et on fera le point. Ari Thór, au cas où, tu te concentres sur l'affaire de la Société dramatique. Tu devrais peut-être interroger Pálmi demain, si tu peux. Il connaissait bien Hrólfur et nous donnera peut-être des pistes pour l'enquête.

Ari Thór hocha la tête et sortit le téléphone rouge.

– J'ai trouvé le portable de Linda, dit-il. Je ne connais pas son numéro. Je peux appeler le mien avec ?

Avec l'accord de Tómas, Ari Thór enfila des gants et composa son propre numéro. Il attrapa son portable dès la première sonnerie et vérifia l'écran.

– Je crois que je reconnais ce numéro. C'est elle qui m'a appelé…

Tómas fronça les sourcils. Il ne comprenait pas le rapport.

– Elle t'a appelé ?

– Oui. Le soir du réveillon.

– Le canular ?

Tómas sentit son estomac se nouer quand il comprit ce que cette découverte impliquait.

– Ce n'était peut-être pas un canular…

– Vérifie ! ordonna Tómas.

– Tout de suite.

Ari Thór s'installa devant son ordinateur et revint quelques instants plus tard.

– C'est le même numéro.

Tómas inspira profondément. Avait-il commis une erreur ? Il avait assuré à Ari Thór qu'il n'y avait pas de raison de s'inquiéter, un simple plaisantin qui voulait s'amuser avec la police…

– Il faut qu'on garde Karl avec nous cette nuit, lança Tómas, catégorique. L'énigme s'épaissit de minute en minute. Il voudra certainement partir à Reykjavik avec l'avion sanitaire, mais au vu de ce que tu as découvert, je pense qu'on ne doit pas le laisser filer. D'abord les violences contre Linda et maintenant ce foutu coup de fil… Attendons de voir s'il passera à table demain matin.

Tómas tentait de paraître sûr de lui. Mais, en son for intérieur, il savait que Karl n'en ferait rien.

*

C'était un baiser tout simple : doux, tendre, bref et agréable. Ari Thór resta assis pendant quelques secondes, hébété, le goût de ses lèvres sur sa bouche, savourant cet instant. Il pensa à Kristín. Que venait-il de faire ?

Avait-il vraiment fait quelque chose, d'ailleurs ? Fatigué par cette longue journée, il souffrait encore de son épaule. Il voulait simplement boire un thé, manger un gâteau pour se détendre.

Ce n'était pas de sa faute. C'est elle qui l'avait embrassé. *Elle* l'avait embrassé, *lui*, sans lui laisser le temps d'émettre un avis sur la question.

Si elle l'apprenait, Kristín risquait de péter un plomb.

Il rentrait chez lui quand il avait reçu un texto d'Ugla. Elle venait aux nouvelles pour Linda. Il rappela et elle l'invita à venir prendre un café chez elle. « Pardon, je voulais dire un thé », rectifia-t-elle avec un rire bon enfant. Comme il se plaignait de son épaule, elle proposa de lui faire un massage. Il accepta – il n'aurait pas dû, évidemment. Il aurait même dû décliner son invitation.

Puis elle l'embrassa. Il ne lui rendit pas son baiser. Il resta là, maladroit, puis se leva. Sans même évoquer Kristín, il lui annonça qu'il devait partir. Surprise et déçue, Ugla le dévisagea sans répondre.

Il se sentit coupable pendant tout le chemin du retour. Coupable d'avoir reçu ce baiser mais aussi d'avoir discuté de Linda et de Hrólfur avec Ugla. Cruellement conscient que, *stricto sensu*, Ugla était un témoin potentiel et même, en cas d'enquête en bonne et due forme, une suspecte. Mais y avait-il enquête ? Pas sûr. D'un autre côté, elle lui avait fourni une aide précieuse en racontant la dispute entre Hrólfur et Úlfur. Ce soir, elle lui avait aussi donné le nom d'une certaine Sandra, pensionnaire de la maison de retraite, qu'il pourrait avoir envie d'interroger. Une nonagénaire robuste comme un cheval, toutes proportions gardées, qui avait connu Hrólfur plus longtemps que quiconque à Siglufjördur. À en croire Ugla, il lui rendait visite une fois par semaine.

Ari Thór essaya de se convaincre que les informations fournies contrebalançaient le fait qu'il ait parlé avec elle des affaires en cours.

Mais il ne se cacha pas derrière ce raisonnement pour justifier le baiser.

Il se mit au lit sans savoir qui, d'Ugla ou de Kristín, lui apparaîtrait en rêve.

27

Siglufjördur, jeudi 15 janvier 2009

Il était dans la piscine, au fond du bassin, enveloppé par l'onde chaude, avec juste assez de souffle pour quelques mètres supplémentaires. Deux, un… Il lui fallait respirer, remplir ses poumons d'air. Il nagea vers la surface, jusqu'à ce que son visage et ses yeux émergent, et il vit la neige partout – de lourds flocons qui se posaient sur lui et remplissaient tout, lui volaient son oxygène, l'empêchaient de trouver refuge, de reprendre sa respiration. Il était obligé de plonger de nouveau, tout au fond de la piscine, les poumons vidés, étouffé par l'eau. Il remonta – la neige, toujours, et pas un souffle d'air. Il se redressa subitement dans son lit en hoquetant, sans rien distinguer d'autre que le Velux tapissé de neige. Il se calma peu à peu. Son rythme cardiaque ralentit, sa respiration redevint régulière à mesure que ce cauchemar de plus en plus familier s'évanouissait.

Il avait neigé toute la nuit. 9 h 30, Ari Thór était en retard. Il sauta le petit-déjeuner et se précipita au poste de police.

Tómas et Hlynur s'y trouvaient déjà.

– Eh bien, ce n'est pas trop tôt : voilà le Révérend ! s'exclama Hlynur en souriant. Tómas a passé la nuit ici avec notre invité…

Tómas n'était apparemment pas d'humeur à plaisanter, même aux dépens de la nouvelle recrue. D'un ton grave, il expliqua :

– On va devoir le relâcher. Maintenant que Linda a été transportée à Reykjavik, il ne peut plus lui faire de mal. L'avion a fini par repartir. Elle est dans un état stationnaire. Cette histoire est inexplicable. Tout prouve qu'elle a fait l'objet de menaces et de violences de la part de Karl, mais il a des témoins qui confirment son alibi. Il n'a pas pu l'agresser, sauf s'il est capable de se trouver à deux endroits en même temps.

Tómas se pencha dangereusement en arrière sur sa chaise.

– Il faut qu'on le relâche, répéta-t-il, et il était évident que cette perspective ne le réjouissait pas. Je lui ai demandé de ne pas quitter la ville, sans quoi je le plaçais en détention. Il a accepté mais si l'état de Linda empire, il veut qu'on le laisse partir à Reykjavik. À vrai dire, s'il le pouvait, il la rejoindrait dès maintenant, malgré les routes quasiment impraticables.

Il marqua une pause, s'épongea le front. Sa frustration était évidente.

– Ce matin, je suis allé voir le petit garçon qui a trouvé Linda. Rien de ce côté-là. J'ai déjà vu des témoins plus intéressants. Ce n'est qu'un gosse, après tout…

– On y va, chef ? demanda Hlynur.

Tómas se leva et, s'adressant à Ari Thór :

– Je repars à l'appartement avec Hlynur. On doit faire une deuxième inspection… et envisager que la mort de Hrólfur n'était pas accidentelle. On va ouvrir une enquête officielle, mais tout ça doit rester discret. Tu peux t'en occuper ?

Hlynur se rengorgea. Il travaillait sur l'affaire la plus prestigieuse.

Et on m'envoie jouer dans le bac à sable pendant que les grandes personnes s'occupent des choses sérieuses, se dit Ari Thór. Même s'il pensait toujours que la mort de Hrólfur n'était pas forcément un accident, l'affaire de Linda était à n'en pas douter la plus importante pour le moment.

– Pas de problème.

Tómas posa une main sur son épaule.

Bon sang... toujours aussi douloureuse.

À voix basse pour ne pas être entendu par Hlynur, il lui demanda :

– À propos de cet appel, là... le soir du réveillon. On a pris la bonne décision, tu ne crois pas ? On était d'accord, n'est-ce pas ?

Ari Thór se rappelait très bien à quel point ce coup de téléphone l'avait perturbé. Cette voix qui murmurait... Quand il avait rappelé, la personne – Linda sans doute – lui avait répondu qu'il n'y avait pas de problème. Et pourtant...

– Oui, bien sûr.

Vraiment ?

– On ne pouvait rien faire, ajouta Ari Thór.

Qu'auraient-ils pu faire ? Le numéro n'étant pas répertorié, ils n'avaient aucun moyen de connaître l'identité de la personne.

On ne pouvait rien faire.

Une fois Tómas et Hlynur partis, Ari Thór se connecta sur le site de la webcam qui filmait un passant traversant la place de la mairie couverte de neige. Difficile d'identifier qui que ce soit sur le petit écran de l'ordinateur... Si le film du vendredi soir était archivé, il ne serait sans doute pas d'une grande aide. Ari Thór trouva tout de même le numéro du propriétaire de la caméra.

– Désolé de vous déranger, mon nom est Ari Thór, j'appelle du poste de police.

Il essayait d'être courtois et un peu solennel.

– Ah oui, vous êtes le nouveau ?

Ari Thór avait déjà entendu parler, sans l'avoir rencontré, du propriétaire de la webcam, un habitant de Siglufjördur.

– J'appelle à propos de votre caméra, sur la place de la Mairie. Je me demandais…

– Oui, quoi ?

L'homme semblait de mauvaise humeur.

– Est-ce que vous archivez les séquences filmées ?

Il éclata de rire.

– Vous croyez peut-être que c'est une caméra de surveillance ? Rien n'est enregistré. C'est juste une retransmission en direct de la place. Pourquoi cette question ? C'est à cause de Linda, de son agression ?

– Désolé, pas de commentaire. Merci pour votre aide.

Une impasse. Ari Thór se sentait frustré. Il aurait vraiment voulu montrer à Tómas que l'enquête progressait. Si seulement il pouvait appeler Ugla et obtenir de nouvelles informations sur la troupe de théâtre… Mais à ce stade, c'était difficile. Depuis leur baiser, elle n'avait plus donné signe de vie. Rien de surprenant, compte tenu de sa fuite précipitée dans la nuit – comme si elle l'avait mordu plutôt qu'embrassé. La prochaine leçon de piano était prévue pour le dimanche. Devait-il s'y rendre comme si rien ne s'était passé ? Comment cette relation pouvait-elle bien évoluer ? Kristín était à Reykjavik, il ne devait pas l'oublier ni laisser l'éloignement brouiller son jugement. Presque une semaine s'était écoulée depuis leur dernière conversation. Il espérait toujours qu'elle allait le rappeler, après tout elle n'était pas aussi occupée que lui. Mais maintenant, après ce baiser, comment oserait-il lui adresser la parole ? Il avait franchi une ligne. Ce baiser n'était pas un baiser venu de nulle part, il avait flirté avec Ugla, oui, et caché sa relation avec Kristín. Et, pire que tout, il commençait à éprouver des sentiments pour elle. Non, il n'était vraiment pas prêt à appeler Ugla ou Kristín pour le moment.

Il devrait s'attaquer à d'autres membres de la Société dramatique. À commencer par l'auteur de la pièce, Pálmi.

*

Pálmi habitait une élégante maison individuelle sur Hvanneyrarbraut. Trop grande pour un homme vivant seul, et pas assez pour une famille. Pálmi était élégamment apprêté : chemise à carreaux et pantalon en flanelle grise. Il parut surpris en ouvrant à Ari Thór.

– Bonjour Pálmi. Je peux entrer, si ça ne vous dérange pas ?

– Quoi ? Oui, mais pourquoi ? J'ai des invités. Ça ne peut pas attendre ?

Ari Thór ignora la question et, d'un mouvement de tête, indiqua l'intérieur de la maison. Il avait reçu une mission et il la mènerait à bien, consciencieusement.

– Ça ne sera pas long, répondit-il avec un sourire en bloquant la porte du pied. Nous devons interroger toutes les personnes présentes à la répétition de vendredi soir.

Pálmi semblait de plus en plus étonné.

– Ah oui ? Et pourquoi donc ?

– Rien de sérieux. Juste quelques détails à clarifier avant de classer l'affaire.

Un petit mensonge.

– Eh bien, entrez alors.

– Désolé de m'imposer ainsi.

Ari Thór regarda autour de lui.

– Vous me disiez que vous aviez des invités ?

– Oui, mais ils sont dans l'appartement du sous-sol.

– Je vois. Ils ne sont pas d'ici ?

Il avait posé la question comme s'il n'était pas lui-même un nouveau venu. Sans être persuadé d'être tout à fait convaincant.

– Non, répondit Pálmi, hésitant.

Il se demanda quelles informations il pouvait se permettre de communiquer au jeune policier.

– Une vieille amie de mon père, arrivée du Danemark. Elle fait un peu de tourisme avec son fils. Un pèlerinage en Islande.

– Votre père a vécu au Danemark ?

Un brin de causette ne pouvait pas faire de mal – la méthode s'était révélée fructueuse avec Leifur. Pálmi n'avait pas l'air spécialement à l'aise, mieux valait avancer pas à pas si Ari Thór voulait lui soutirer des secrets à propos de Hrólfur et de cette soirée funeste.

– En effet. Il y a emménagé quand j'étais encore tout petit. Je ne me souviens pas de lui.

Se détendant un peu, Pálmi alla s'asseoir dans le canapé du salon et invita Ari Thór à prendre place sur le fauteuil. Les deux meubles étaient tapissés d'un cuir brun glacé, typique des années 1970 et remarquablement peu usé, compte tenu de leur âge. Aucune trace du goût personnel des habitants, sinon peut-être quelques tableaux. Dans l'appartement qu'Ari Thór partageait avec Kristín sur Öldugata – cela semblait désormais si lointain –, il n'y avait qu'un seul tableau, hérité de sa grand-mère. C'était une magnifique œuvre originale du maître islandais Kjarval. Il reconnut la patte de l'artiste dans quatre des tableaux qui ornaient le salon de Pálmi.

– Vous avez une collection superbe.

– Merci. Collection, c'est un bien grand mot. Ce ne sont que quelques œuvres…

– Très belles tout de même. Moi aussi, j'ai un Kjarval. Ils viennent de votre famille ?

– Non, je les collectionne moi-même. J'ai consacré toutes mes économies à la maison et aux œuvres d'art au fil des ans. Je ne suis pas du genre à faire confiance aux banques.

– Vous faites bien, vu les circonstances actuelles.

– Eh bien, oui, il y a ça, mais je ne leur ai jamais fait confiance. C'est à ma mère que je le dois. Elle préférait planquer son argent sous son lit même si, à sa mort, le résultat n'était pas vraiment convaincant. Ce n'est peut-être pas la manière idéale de conserver sa fortune, au fond…

Il sourit. L'atmosphère devint plus légère.

– Je suis venu vous parler de Hrólfur. Vous le connaissiez bien, n'est-ce pas ?

– Oui, assez bien. Mais il gardait toujours une certaine distance avec les gens.

Ari Thór choisit d'attaquer bille en tête.

– Pensez-vous que quelqu'un aurait pu avoir une raison de… disons, de le pousser dans l'escalier ?

Pálmi sursauta. La question l'avait cueilli à froid.

– Quoi ? Vous ne croyez quand même pas que Hrólfur a été volontairement poussé ?

– En réalité, non. Mais, avec la récente agression de Linda, ça fait tout de même une drôle de coïncidence. Nous essayons donc d'examiner plus en détail l'incident qui a endeuillé la Société dramatique. J'ai cru comprendre qu'Úlfur et lui étaient à couteaux tirés…

– Je n'irais pas jusque-là, non. Disons qu'ils n'étaient pas tout le temps d'accord l'un avec l'autre.

Pálmi se mordit la lèvre.

– Ce sont deux tempéraments d'artiste, vous comprenez ? Mais en général, ils se séparaient en bons termes.

– Vous étiez installé au balcon ce soir-là ?

– Je suis monté à plusieurs reprises. La plupart du temps, j'étais assis dans l'auditorium.

– Et à la pause, vous êtes rentré manger chez vous ?

– Oui. J'avais besoin de retoucher le texte, alors je suis revenu ici.

– Quelqu'un vous a vu ?

– Comment ça ?

– Quelqu'un peut-il le confirmer ?

– Ah, ça… non.

– Vos visiteurs, peut-être ?

– Non. Comme je vous l'ai dit, je les loge au sous-sol. Je ne les ai pas vus pendant ma pause.

– Vous vous croisiez souvent, avec Hrólfur ?

– Pas souvent. De temps en temps, il m'invitait, avec Úlfur, à venir boire le café, ou un verre de vin. Il avait une cave extraordinaire.

– Des vins plutôt chers ?

Ari Thór avait l'impression de se raccrocher aux branches pour trouver un mobile, mais il valait mieux ne négliger aucune piste.

– Plutôt.

– Vous savez ce que cette cave va devenir, maintenant ?

– La cave ?

– Qui va en hériter ?

– Alors là, aucune idée. Pour être sincère, je ne connais personne de sa famille. Je ne sais même pas s'il en avait.

– Il avait préparé un testament ?

– Il ne l'a jamais mentionné devant moi.

Pálmi semblait sincère.

– À part Úlfur et vous, qui voyait-il ou à qui parlait-il régulièrement dans cette ville ?

Pálmi se perdit un moment dans ses pensées.

– Hum… Il avait l'habitude d'aller voir toutes les semaines une vieille dame nommée Sandra.

Sandra. Ari Thór se rappela qu'Ugla lui avait conseillé d'aller l'interroger.

– Elle réside dans la maison de retraite de la ville depuis plusieurs années. Elle n'est plus aussi solide qu'avant, mais elle a toujours l'esprit aiguisé. Elle doit avoir dans les quatre-vingt-quinze ans, je pense.

Pálmi marqua une pause.

– Et puis il y a cette fille.

– Cette fille ?

– Oui. Ugla.

Ari Thór sentit son pouls battre plus fort. Il s'efforça de ne pas croiser le regard de Pálmi par crainte de se trahir.

– Ugla. Oui, bien sûr.

Il savait qu'il valait mieux poursuivre l'interrogatoire dans cette direction afin que son interlocuteur ne le soupçonne pas de connaître Ugla plus qu'il n'aurait convenu.

– Ils se voyaient souvent ?

– C'est ce que j'ai compris, en tout cas. Elle louait son sous-sol mais après avoir déménagé, elle a continué à le fréquenter. À présent elle habite…

Il réfléchit.

– … oui, sur Nordurgata je crois.

– Exact, répondit Ari Thór sans réfléchir.

Bon sang…

Mais Pálmi ne parut rien remarquer ; il était évident qu'il voulait se débarrasser du policier le plus vite possible.

On frappa de petits coups à la porte. Une très vieille dame apparut, accompagnée d'un grand barbu. Ari Thór lui donna la soixantaine.

Ce devaient être les visiteurs du Danemark. Pálmi fit les présentations.

– Voici Rosa et son fils, Mads.

Puis, passant au danois :

– Monsieur Ari Thór est de la police.

Ari Thór se leva, serra la main aux nouveaux venus et leur parla en anglais – n'osant se reposer sur ses rudiments de danois. Il l'avait étudié à l'école pendant plusieurs années mais peinait à le pratiquer, le lisant pourtant sans trop d'effort. La vieille dame répondit dans un anglais excellent, quoique lesté d'un fort accent. Mads restait auprès d'elle sans dire un mot.

– Qu'est-ce que Pálmi a fait ? demanda-t-elle, curieuse, en plongeant son regard dans celui d'Ari Thór, un sourire chaleureux aux lèvres.

Ari Thór sourit à son tour.

– Rien. Rien du tout. Nous enquêtons sur la mort de l'écrivain Hrólfur Kristjánsson. Un accident lui a coûté la vie pendant une répétition de la Société dramatique de Siglufjördur.

– J'ai appris ça, oui. Pálmi nous a annoncé la nouvelle. Nous voulions aller au théâtre ce week-end… J'ai moi-même rencontré Hrólfur à Copenhague, il y a bien des années de ça. Votre père et Hrólfur étaient amis, n'est-ce pas, Pálmi ?

– Ils se connaissaient, rectifia son hôte. Ils se sont retrouvés au Danemark à peu près à la même période.

Cette fois, la vieille dame s'adressa directement à Ari Thór.

– C'était un bien beau jeune homme, ce Hrólfur, si ma mémoire ne me fait pas défaut. Il a passé beaucoup de temps auprès de Páll, le père de Pálmi, sur son lit de mort. Je ne crois pas que Páll connaissait beaucoup de gens au Danemark et on peut se sentir très seul dans ce pays étrange.

Elle regarda Pálmi.

– J'espère que j'ai réussi à rendre la vie de votre père plus facile, pendant les quelques mois où nous nous sommes fréquentés.

Elle sourit.

– J'ai rencontré Hrólfur à l'hôpital. Je n'avais pas vu Páll depuis plusieurs mois, car j'étais dans ma famille, à la campagne. Dès que j'ai appris qu'il était tombé malade, je me suis dépêchée de rentrer. Le temps d'arriver, sa santé ne laissait plus aucun espoir. Je n'ai même pas eu le cœur de lui dire adieu. Ç'aurait été trop pénible pour tous les deux.

Une larme coula sur sa joue ridée.

– Vous allez requalifier l'affaire et mener une… enquête criminelle ? s'enquit Pálmi en islandais.

– En effet.

Ari Thór était sous la responsabilité de Tómas et obéissait à la mission qu'il lui avait assignée : la réponse la plus directe s'imposait donc.

Pálmi s'abîma dans ses réflexions, se demandant s'il devait ou non ajouter quelque chose. Puis, un fugace éclair de culpabilité passant dans ses yeux, et il dit :

– Il y a peut-être autre chose que vous devriez savoir…

Le silence qui suivit était lourd d'espoirs. Même Rosa sembla s'en apercevoir, malgré la barrière de la langue.

Mads restait toujours immobile, le visage sans expression, tandis qu'il examinait un des tableaux de Kjarval.

– J'ai entendu dire que Hrólfur avait eu un enfant – hors mariage, naturellement, puisqu'il n'a jamais convolé. Mais il y avait un enfant. À son retour du Danemark. Né sans doute pendant la guerre ou plus tard. C'est une piste que vous devriez explorer.

28

Siglufjördur, vendredi 16 janvier 2009

« Ô doux Jésus » résonna dans la salle commune de la maison de retraite, où les résidents les plus robustes s'étaient réunis pour une petite célébration matinale. Certains entonnaient ce refrain de bon cœur, d'autres se contentaient d'observer tranquillement. Ari Thór reconnut la jeune femme qui dirigeait les chants : elle venait comme lui de la faculté de théologie de l'université de Reykjavik. Il la connaissait de vue, sans plus ; difficile par conséquent d'aller lui parler. Ils seraient ainsi tous les deux venus s'installer dans le Nord, à Siglufjördur ? À l'époque où il avait renoncé, elle suivait une formation pour devenir prêtre.

La journée précédente avait été calme. On avait envoyé le couteau de cuisine provenant de l'appartement de Karl et Linda pour examen à Reykjavik et Ari Thór continuait à glaner des informations susceptibles de jeter une lumière nouvelle sur la mort de Hrólfur. La révélation de sa paternité stupéfia Tómas.

Appuyé contre le chambranle de la porte, Ari Thór observa le groupe de chanteurs. L'infirmière ne vit aucun inconvénient à ce qu'il discute avec Sandra, du moment qu'il n'interrompait pas la célébration du matin.

Elle lui désigna une vieille femme dans un fauteuil roulant, une couverture au crochet posée sur les genoux, qui chantait avec enthousiasme.

Ari Thór n'avait pas suivi des études de théologie au nom d'une foi vibrante mais peut-être, au fond, pour la raison opposée : dans l'espoir de la découvrir ou bien de donner un sens à sa vie. Il éprouvait le besoin de trouver des réponses aux questions que la philosophie – qu'il venait d'abandonner – ne parvenait pas à cerner. Il est possible aussi qu'il ait choisi la voie la plus éloignée de celle de son défunt père, qui était comptable. Platon ou Dieu – tout plutôt que Mammon, la divinité de la cupidité et de l'avarice. Quand il s'était rendu compte que cela ne lui apportait aucune réponse véritable, il avait tout de même persévéré, essayant par tous les moyens de se convaincre qu'il pourrait aller au bout de sa formation sans croire.

Il se souvenait précisément de l'instant où il avait perdu le peu de foi qu'il avait peut-être : à l'âge de treize ans, le jour de la disparition de son père. Cela se confirma un an plus tard avec la mort de sa mère dans un accident de voiture.

Ses études ne l'avaient pas rapproché du Tout-Puissant. Les disputes théologiques, l'histoire souvent sanglante de l'Église et des religions en général renforcèrent sa conviction que personne, là-haut, ne le surveillait ni ne le protégeait. Ari Thór se sentit très seul, et ce fut le cas tout au long de sa vie.

Le chant se poursuivait. Cette fois, c'était un chœur qu'Ari Thór reconnut de ses années de catéchisme. Serait-il condamné, lui aussi, à entonner des hymnes sacrés quand, le grand âge arrivant, on l'enverrait en maison de retraite ? À chanter sans croire une seconde à ces paroles ?

Son ancienne camarade conclut par une brève prière et proposa d'une voix suave un café pour ceux qui le désiraient.

Sandra tenait sa tasse à deux mains. Ari Thór se présenta à elle, en articulant et en forçant la voix.

– Pas la peine de crier, jeune homme ! J'entends parfaitement. Ce sont mes pieds qui ne marchent plus très bien.

Elle sourit à Ari Thór.

Son visage était finement dessiné et elle parlait d'une voix douce et claire. Elle but une gorgée de café avec une infinie délicatesse.

Ari Thór regarda autour de lui, cherchant une chaise.

– On n'est pas obligés de s'asseoir ici, vous savez. Ma chambre est dans le couloir, juste à côté. Vous me poussez ?

Il attrapa les poignées du fauteuil et manœuvra lentement.

– Quel âge avez-vous, mon garçon ?

– Vingt-cinq ans. Dans quelques mois.

Il sentait que mentir à cette femme – même de façon dérisoire – aurait été lui manquer de respect.

Sa chambre était meublée d'un lit triste, d'une vieille commode et d'un tabouret.

– Mon défunt époux, dit-elle en tendant l'index vers une photo en noir et blanc. Les autres clichés, ce sont mes enfants et mes petits-enfants. J'ai eu beaucoup de chance, pendant toutes ces années…

Elle lui adressa un petit sourire entendu.

Ari Thór s'installa sur le tabouret près du lit.

– Vous voulez que j'appelle quelqu'un pour vous aider à vous allonger ?

– Seigneur, non ! Je vais rester assise aussi longtemps que possible pour faire honneur à mon charmant visiteur.

Ari Thór lui adressa un sourire poli. Il était impatient de passer aux choses sérieuses.

– Dans quel état sont les routes ? demanda-t-elle. Vous n'avez pas eu du mal à venir à pied jusqu'ici ?

– Je suis venu en voiture. Dans la jeep de la police.

Elle planta ses yeux dans ceux d'Ari Thór et, d'un air grave, lui demanda :

– Dites-moi quelque chose… Pourquoi est-ce que tout le monde en ville se déplace à bord d'une grosse jeep ? Ça me dépasse. Dans le temps, les gens n'avaient pas ces voitures énormes. Rares étaient ceux qui avaient une voiture d'ailleurs, et on se débrouillait parfaitement !

– Eh bien… j'imagine que les gens veulent être capables de sortir de la ville même quand les routes sont enneigées.

– Pourquoi ?

– Comment ça ?

– Pourquoi ont-ils besoin de quitter la ville ?

Il n'avait pas de réponse valable à cette question.

– Vous êtes venu me poser des questions sur Hrólfur, n'est-ce pas ?

Ari Thór acquiesça.

– C'est bien ce que je pensais, mon garçon. Pauvre homme. Il n'avait pas beaucoup d'amis. Ces dernières années, c'était peut-être moi, son amie la plus proche.

– Il venait souvent vous voir ?

– Toutes les semaines, à la même heure. Il ne vivait pas loin d'ici, sur Hólavegur. Enfin, une bonne marche tout de même, pour quelqu'un comme lui.

– Quel genre d'homme c'était ?

– Pourquoi me demandez-vous ça ?

Elle lui lança un regard empreint de soupçon.

– Sa mort est bien accidentelle, n'est-ce pas ?

– C'est à ce sujet que nous enquêtons. Je ne vois

pas pourquoi elle ne le serait pas, mais on doit en avoir le cœur net.

– Est-ce qu'il n'était pas… euh… est-ce qu'il n'avait pas bu un petit verre ?

Elle était maligne. Elle avait deviné. Ari Thór se dit qu'il était inutile de lui cacher la vérité.

– Oui. Apparemment, il était un peu ivre.

– *Un peu…* Bien. Hrólfur était un homme complexe, vous pouvez me croire. Je n'ai jamais réussi à le connaître en profondeur. Je me souviens de lui, dans le temps, avant son départ de Siglufjördur. Quand il est devenu un écrivain notoire, ça lui est monté à la tête. Il y avait en lui l'ambition folle de sortir du lot et de découvrir le monde. Et c'est exactement ce qu'il a fait. Après la publication de son livre, il a beaucoup voyagé.

Ses yeux fatigués se fermèrent, le temps de reprendre quelques forces.

– Et puis il est revenu. Les gens reviennent toujours chez eux, n'est-ce pas ? À l'époque, il était beaucoup plus célèbre ici que dans le Sud. Vous avez lu son livre ?

– À vrai dire, non. Mais on m'en a prêté un exemplaire.

– Dans ce cas, lisez-le. Vous ne le regretterez pas. Bref… Mais vous n'êtes pas d'ici. Pourquoi avoir choisi de vous installer parmi nous ? Il n'y a plus de harengs, vous savez ?

– On m'a proposé un travail à Siglufjördur.

– Parler d'écrivains morts à des vieilles femmes dans des maisons de retraite… c'est intéressant, peut-être ? Vous auriez dû vivre ici quand il y avait encore des harengs. C'était une sacrée époque, croyez-moi. J'ai commencé à travailler dans le hareng à l'âge de treize ans. Je m'occupais du salage. Mes enfants ont commencé encore plus tôt ! La plus jeune avait huit ans... Ça ne serait plus autorisé de nos jours, n'est-ce pas ? Quand le poisson arrivait, c'était toute une aventure. Quand il n'y en a plus eu, c'est devenu un cauchemar.

Son regard se perdit au loin, vers le passé. Comme si les notes de la célèbre « Valse du hareng[1] » se faisaient entendre en arrière-fond...

– Quand j'étais en forme, je pouvais saler une pleine barrique en vingt minutes. Vingt minutes ! Plein de gens m'enviaient. À l'époque, c'était un sacré talent...

Elle sourit.

– Vous auriez dû voir les bateaux entrer au port, tellement remplis que l'eau frôlait les plats-bords. C'était une vision magnifique. Vous êtes allé faire un tour dans la montagne, du côté de Hvanneyrarskál ?

Ari Thór secoua la tête, soulagé de la voir de nouveau poser les yeux sur lui après s'être égarée dans ses souvenirs du lointain âge d'or du hareng.

– J'en ai entendu parler dans certaines chansons, admit-il piteusement, regrettant de n'avoir pas trouvé le temps d'y faire une excursion.

– Allez-y au début de l'été. Beaucoup d'histoires d'amour sont nées là-bas...

Il hocha la tête.

– Vous me parliez de Hrólfur...

– Oui, bien sûr. Pardon, jeune homme. Je me suis laissé emporter...

– Je vous en prie.

Il sourit.

– Selon vous, quelqu'un aurait-il pu pousser Hrólfur

---

1. Chanson très populaire, écrite en 1954, qui raconte la vie d'un marin amateur de danse pêchant le hareng au nord de l'Islande et courant les bals quand le hareng vient à manquer.

dans l'escalier ? Est-ce que quelqu'un lui en voulait particulièrement ?

– Oui et non. Je ne peux pas croire que quelqu'un ait eu envie de lui faire du mal, mais il y avait beaucoup de gens avec lesquels il ne s'entendait pas. Il était assez arrogant et parfois maladroit, quand il avait bu. Il fallait toujours que ses exigences soient satisfaites. Ça devait être un président de la Société dramatique très autoritaire.

Elle hésita.

– Veuillez m'excuser si je dis du mal d'un mort. Mais je veux vous être utile, dans le cas où vous découvririez que Hrólfur a été poussé.

– Entendu, dit Ari Thór.

– Réflexion faite... Il y a une chose qui pourrait avoir de l'importance. Avant Noël, il m'a confié qu'il était sur le point de découvrir un secret. Ce sont ses mots, « découvrir un secret ». Certains membres de la Société dramatique lui cachaient des choses. Il m'a dit ça avec le plus grand des sourires. J'ai eu l'impression qu'il se délectait à l'idée de révéler ce secret. Un regard de faucon... Le pauvre homme.

– Un secret ?

– C'est cela, oui, dit-elle, baissant la voix jusqu'à la réduire à un chuchotement.

– Vous avez une idée de ce que ça peut être ?

– Pas exactement. Mais d'après ce que j'ai cru comprendre, c'était... ça pouvait être quelque chose de...

Elle fit un clin d'œil à Ari Thór.

– Vous voyez ce que je veux dire ?

– Quelque chose de sentimental ? Une liaison adultère ?

– C'est l'impression qu'il m'a donnée. Quelque chose dans ce goût-là.

Ari Thór prenait des notes rapides. Il y avait peut-être un début de piste dans ce que disait la vieille dame.

– Vous savez s'il avait rédigé son testament ?

– Il ne m'en a jamais parlé, en tout cas. Mais il a dû en écrire un, oui. Je ne sais pas s'il avait encore des parents en vie, quelques lointains cousins, je crois. En revanche, je sais qu'il laisse derrière lui un certain nombre de biens. Pas comme moi : tout ce qui me reste est rangé dans cette vieille commode.

Avec un petit rire, elle montra un coffre au bois décoloré et poli dont la fabrication remontait sans doute à avant sa naissance.

– Je me suis laissé dire qu'il avait peut-être un enfant.

– Un enfant ?

Elle plissa les yeux et scruta Ari Thór, abasourdie.

– Oui. J'ai cru comprendre qu'après la guerre, Hrólfur avait élevé un enfant.

– Seigneur ! Je n'ai jamais entendu parler de cette histoire ! De qui la tenez-vous ?

– De Pálmi. Pálmi Pálsson.

– Je le connais, bien sûr. Il s'entendait bien avec Hrólfur, peut-être qu'il lui en a parlé. Pour ma part, je dois dire que je l'apprends. C'est la vie ! Elle a toujours une surprise en réserve pour vous ! Ah, le pauvre…

– Hrólfur ?

– Non, Pálmi. Il a perdu son père si jeune… Une vraie tragédie. Son père était un sacré personnage, un artiste qui a passé son existence à chercher un endroit où vivre. Il a quitté femme et enfant pour s'installer à Copenhague et c'est là qu'il a attrapé la tuberculose. Il en est mort. J'ai l'impression qu'avant de mourir, il a fréquenté quelques femmes… Il n'était pas du genre à s'interdire de papillonner.

Nouveau clin d'œil lourd de sous-entendus.

– Une de ses vieilles amies danoises loge chez Pálmi en ce moment, l'informa Ari Thór.

– Allons donc ? Ce cher Pálmi a plutôt bien réussi sa vie. Sa mère est morte bien trop jeune, soixante-cinq ou soixante-six ans. Une attaque foudroyante.

Puis, sans prévenir :

– Vous aimez le hareng ?

– Euh… non.

– Ah, quelle époque !

De nouveau, ce regard lointain.

– Dans le temps, les gens savaient le cuisiner…

Et elle repartit un instant dans ses souvenirs, faisant naître un sourire sur ses lèvres. Ari Thór prenait son mal en patience.

– Oui, une grande époque. Je garde toujours ça à portée de la main, en cas de besoin…

Elle sortit un carnet d'un tiroir de sa commode. Un vieux volume tout plié et fatigué.

– On n'achetait pas de livres de cuisine, en ce temps-là ! On ne gaspillait pas l'argent. J'ai noté toutes mes recettes dans ce calepin…

Elle lui tendit le carnet comme s'il s'agissait d'un incunable, et l'ouvrit au milieu.

– Vous voyez, mon garçon ? Toutes les façons de préparer le hareng ? La nourriture des rois !

Ari Thór parcourut avec difficulté l'écriture minuscule et soignée. Sandra lui reprit le livre et le posa sur ses genoux.

– Dites-moi ce qui est arrivé à Linda… Comment va-t-elle ?

– Parce que vous…

Il bredouilla. Se reprit.

– Vous la connaissez aussi ?

– Je sais qui c'est. Elle travaille à l'hôpital. Une

fille adorable, même si j'ai toujours lu de la tristesse dans ses yeux.

– Elle est en soins intensifs dans un hôpital de Reykjavik. Toujours inconsciente.

– Il paraît que vous avez arrêté Karl ?

– Non, pas du tout. Nous avions besoin de l'interroger, car c'est lui qui a trouvé le corps de sa femme après son agression.

– Il est innocent. J'en suis certaine.

– Vraiment ?

– Un si gentil garçon.

– Vous le connaissez bien ?

– Dans le temps, oui. Avant que ses parents ne décident d'aller vivre au Danemark. Je le croisais souvent au Co-Op où j'étais caissière. Il avait fière allure – je suis sûre que ça n'a pas changé. À l'époque, il travaillait pour la mère de Pálmi, elle lui donnait de l'argent de poche en échange d'un peu d'aide aux tâches ménagères. Il faisait tout ce qu'elle lui demandait : ses commissions, réparer ce qui ne marchait pas dans la maison, parfois même chasser les rats quand c'était nécessaire. Tout et n'importe quoi. Un garçon adorable.

Ça, nous verrons.

Ari Thór se contentait de sourire. Il n'avait pas l'intention de parler de l'appel de Linda à la police, terrifiée, le soir du réveillon, ni des disputes conjugales ou des bleus dans le dos…

– Hrólfur avait-il d'autres amis ? Des amis intimes, je veux dire ?

– Il disait toujours le plus grand bien d'Úlfur, et n'aimait rien tant que se disputer avec lui. Il lui trouvait un caractère bien trempé. Mais il disait aussi qu'il aurait dû se contenter de mettre en scène les pièces et de déchirer, une bonne fois pour toutes, son manuscrit.

– Son manuscrit ?

– Oui. Une pièce qu'il était censé écrire.

Cette fois, son sourire s'étira en un bâillement.

– Bien, cher ami, je commence à me sentir fatiguée.

Elle but son café, désormais froid.

– Ça suffira pour le moment, d'accord ? Revenez donc me voir un autre jour.

Ari Thór regarda une dernière fois la vieille dame. Ses paupières se fermaient et sa tête basculait en arrière sur le dossier de son fauteuil.

Son cœur s'accélérait de nouveau. L'histoire de Hrólfur réservait, elle aussi, bien des surprises.

29

Siglufjördur, samedi 17 janvier 2009

Nouvelle journée sous une neige ininterrompue. Elle formait des bosses glacées dans les jardins et, en ville, empêchait tout déplacement sans patauger jusqu'aux genoux et se cogner dans les congères.

Dans les semaines qui avaient précédé Noël, la neige conférait à la ville une apparence douillette, une atmosphère de vacances quand, à Reykjavik, décembre était traditionnellement pluvieux. À présent, Ari Thór trouvait cela oppressant. La neige apportait, certes, un surcroît de lumière dans la période la plus sombre de l'année, mais elle rendait tout plus difficile. Même le 4 × 4 de la police avait parfois du mal à manœuvrer. Quant à la marche à pied, elle garantissait des chaussures trempées, des chaussettes trempées et un pantalon trempé.

Ari Thór se tenait devant l'imposante église de Siglufjördur en compagnie de Tómas et Hlynur, de garde pour le week-end. Ils avaient passé au crible les informations révélées par Sandra et multiplié les hypothèses au sujet du secret de Hrólfur, sans aboutir à une conclusion satisfaisante. Ari Thór ne portait pas son uniforme mais, par respect pour le défunt qu'il n'avait pas connu, était en costume. Sandra avait touché juste en décrivant Hrólfur comme un homme complexe. Sa carrière lui avait valu d'atteindre des hauteurs dont il avait refusé de redescendre lorsque sa renommée avait faibli. Il s'était fait des amis, des relations, mais avait aussi suscité des jalousies. Il pouvait se montrer aimable, comme insupportable à la moindre saute d'humeur. Sa relation avec Ugla était à cet égard révélatrice.

Ugla.

Ari Thór repensa au livre qu'elle lui avait prêté. Il faudrait qu'il y jette un coup d'œil. Sa lecture pouvait se révéler instructive quant à la personnalité de l'auteur.

Ils prirent place sur un banc vide au centre de l'église. De l'intérieur, l'édifice paraissait petit compte tenu de sa hauteur vertigineuse. L'endroit respirait la sérénité, baigné par la lueur qui filtrait des vitraux. Un refuge dans la neige. Ari Thór tomba nez à nez avec Ugla en entrant. Ils échangèrent un regard mais pas un mot. Depuis leur baiser, ils ne s'étaient pas parlé. Cela continuait de le tracasser.

Ses nuits étaient agitées, il luttait pour trouver le sommeil. Il verrouillait chaque soir sa porte d'entrée. Personne n'avait avoué l'intrusion et Tómas avait mis de côté cet incident pour concentrer ses efforts sur Linda et Karl. Mais dès qu'il fermait les paupières, Ari Thór était assailli par l'angoisse. Découvrir la présence de quelqu'un sous son toit, en pleine nuit, est une expérience horrible. Il ne se sentait pas en sécurité chez lui. Depuis cet événement, ses cauchemars et ses attaques de panique nocturnes étaient plus sombres, leurs effets se prolongeaient. Le manque de sommeil avait un impact sur la qualité de son travail, même s'il y consacrait toute son énergie. Pour couronner le tout, il voyait non sans tristesse s'éteindre peu à peu sa relation avec Kristín. Ils n'étaient pas restés en couple si longtemps que ça, mais il avait vraiment cru trouver la femme de sa vie. D'une certaine façon, il continuait d'y croire, perturbé toutefois par son attirance pour Ugla.

L'église se remplissait peu à peu. Dans l'assemblée, plusieurs visages désormais familiers. Úlfur et Pálmi prirent place au premier rang, avec les autres porteurs du cercueil. Leifur n'était pas loin, tout seul, l'esprit ailleurs, comme s'il mourait d'envie de se trouver autre part. Dans son atelier peut-être. En tout cas, pas à un enterrement.

Karl s'était assis deux rangs devant Ari Thór, à côté d'Anna. Ari Thór essaierait peut-être de parler à la jeune femme lors de la réception qui suivrait la cérémonie. Il voulait interroger tous ceux qui avaient assisté aux répétitions, mais cela prenait beaucoup de temps.

Jalouse. C'était le terme utilisé par Ugla pour décrire Anna. Jalouse de ne pas avoir décroché le rôle principal de la pièce. Ari Thór avait tendance à croire tout ce que lui racontait la jeune femme. Devait-il mettre en doute ses propos ou s'estimer simplement heureux d'approcher une des figures clés de la Société dramatique, quelqu'un en qui il pouvait avoir confiance ?

L'église était pratiquement pleine quand le service débuta. Toutes les personnes présentes n'avaient pas forcément connu l'auteur mais sa mort inattendue avait redonné du lustre à sa réputation, rappelé sa gloire passée. Deux anciens ministres du gouvernement avaient même eu l'intention de venir rendre hommage à Hról-fur, pour finalement se désister. Le voyage était encore périlleux et la route menant à Siglufjördur pour ainsi dire impraticable avec le blizzard qui balayait la ville.

La cérémonie était solennelle. Des chants islandais alternaient avec des hymnes religieux et une lecture de *Strophes pour Linda*. Le superbe retable de Gunnlaugur

Blöndal représentant Jésus apparaissant aux pêcheurs menacés par les flots déchaînés constituait un arrière-plan poignant. Il rappelait autant les enfants de Siglufjör-dur disparus au fil des ans que la proximité de la mer, implacable. Un requiem très théâtral. Pourtant, peu de larmes. Hrólfur était respecté de tous, mais ne man-querait pas trop. La vraie question était : quelqu'un le haïssait-il au point de le tuer ?

*

La vie n'avait pas été tendre avec Nína Arnardóttir. Pour des raisons qu'elle n'avait jamais vraiment com-prises, elle ne réussissait pas à suivre le rythme de ses contemporains – ou peut-être à s'accorder à leur mélo-die. Elle avait en quelque sorte raté le coche. Les années avaient filé devant elle, la laissant seule, dans son petit appartement maussade. Elle se demandait souvent ce qui l'avait empêchée d'aller de l'avant et d'empoigner la vie par la peau du cou – nouer des amitiés, fonder une famille, vivre comme les autres, parmi les autres. Elle tomba amoureuse une seule fois. D'un pur amour. L'homme, plus âgé qu'elle, la repoussa, lui dit très gen-timent, tendrement même, qu'ils n'étaient pas faits l'un pour l'autre mais qu'il éprouvait de l'affection pour elle. Elle ne l'en aima que plus, sans rien en montrer désor-mais. Et elle ferma son cœur aux autres hommes. Pour ne pas tomber amoureuse une seconde fois. Aujourd'hui, elle passait ses journées chez elle, à lire à la lueur de la lampe ou à regarder simplement la télévision. Les années se succédaient, dans la tiède routine de l'existence – et voilà qu'elle avait soixante ans.

Elle ne travaillait pas vraiment. Elle vivait de ses seules allocations, dans un logement social, œuvrant comme bénévole pour la Société dramatique. C'était facile et pratique : elle s'occupait de la caisse et donnait un coup de main pour des tâches ponctuelles. Elle ne se sentait pas à l'aise au milieu des gens, mais prenait sur elle pour continuer à faire partie de la Société dramatique.

Nína était une femme solide, corpulente, aux traits épais. Et les années – elle en était consciente – ne lui avaient rien enlevé de sa robustesse. Dans sa jeunesse, son physique faisait d'elle la cible privilégiée des plaisanteries de ses camarades d'école. Quand son beau-père levait la main sur elle, elle ne ripostait pas, se contentant de protéger sa tête et d'encaisser la pluie de coups. Le pire, c'était quand il cessait de la frapper. Alors, elle prenait vraiment peur. Parfois il sortait, ou s'écroulait dans le canapé et perdait conscience, assommé par l'alcool. D'autres fois, il se calmait et les coups se transformaient en caresses. Alors, elle fermait les yeux et plongeait dans ses propres ténèbres. Durant ces années, elle ne se sentit jamais aussi bien que dans le noir – sous son lit ou cachée dans le placard, enfin en paix. Elle s'y précipitait dès qu'elle l'entendait. Elle avait appris à reconnaître l'odeur de l'alcool et le cliquètement de la bouteille contre le verre. C'était devenu instinctif : elle savait en quelques secondes si elle devait fuir, se cacher. À l'école, les enfants jouaient aussi à cache-cache, mais les enjeux n'étaient pas les mêmes. Devenue adulte, elle ne comprenait pas pourquoi personne ne lui était jamais venu en aide. Pourquoi sa mère, victime elle-même, avait ignoré toute cette violence ? La seule fois où Nína essaya de se plaindre, sa mère détourna la tête en lui disant que c'était mal de raconter des mensonges sur les gens. Après cela, elle n'en parla plus jamais.

Autre sujet d'étonnement : le silence des professeurs

quand elle arrivait à l'école couverte de bleus. Croyaient-ils vraiment qu'elle était encore « tombée en courant » ? Pourquoi personne ne lui avait-il tendu la main, ni remarqué qu'elle n'adressait plus la parole aux autres enfants, qu'elle se repliait de plus en plus dans les profondeurs de son petit monde obscur et solitaire ?

Au lieu de ça, les professeurs se plaignaient sans cesse de ses problèmes de concentration et laissaient entendre qu'elle était incapable d'apprendre quoi que ce soit. Elle rapportait de mauvaises notes à la maison. Pendant longtemps, conditionnée par les remarques des enseignants, elle s'était convaincue qu'elle n'était pas assez intelligente pour étudier. Sa peur des livres grandit et il devint bientôt évident qu'elle ne pourrait pas entrer au lycée – sans parler de l'université… Son adolescence fut le moment le plus pénible de sa vie. Condamnée à rester à Siglufjördur, elle voyait les autres jeunes partir, certains pour Akureyri, d'autres pour Reykjavik. Tous, vers des perspectives d'avenir excitantes. Elle passait de longues heures seule dans sa chambre, plongée dans la pénombre, même après que l'alcool eut définitivement raison de *l'autre*.

Accablée de voir sa fille mutique enfermée toute la journée dans le noir, sa mère finit par craquer. Nína fut placée dans une institution à Reykjavik. Ces deux années de séquestration restaient pour elle comme une tache floue. Les journées, toutes identiques, se confondaient en une seule. Et pas la moindre visite de sa mère. Quand elle retourna à Siglufjördur, Nína ne lui en demanda pas la raison. Sa mère avait expliqué son absence en racontant qu'elle était partie vivre chez des parents. Nína ne sut jamais si quelqu'un dans la ville avait découvert la vérité, mais elle s'en moquait.

Après avoir été élevée dans des conditions aussi

atroces, elle pensait qu'elle ne trouverait jamais le grand amour. Quand il s'était présenté à elle, elle s'y était accrochée. Même quand il avait délicatement repoussé ses avances. Elle avait continué à l'aimer en pensée, à rester tout près de lui. Oui, elle n'avait pas cessé de l'aimer.

*

– Il y a pas mal d'histoires qui courent au sujet de Nína, dit Tómas à Ari Thór avant l'enterrement. Essaie de lui parler pendant la réception. Elle a été envoyée à Reykjavik quand elle était encore jeune, on ne l'a plus revue pendant deux ans. Ma mère et ses amies en parlaient à l'époque, je me rappelle. Son père était un alcoolo de première et elle a toujours été très introvertie.

Ari Thór se demanda quelles histoires courraient sur le Révérend, une fois qu'il aurait quitté Siglufjördur. Peut-être y en avait-il déjà ? Des rumeurs sur lui et sur Ugla ? Il serait de toute façon le dernier à l'apprendre.

Nína était assise à une table dans la salle de réception, à l'étage de l'église. Elle dégustait un *kleinur*[1], accompagné d'un verre de jus d'orange. Elle observait Pálmi et Úlfur, en grande conversation à l'autre bout de la salle. Elle sursauta quand Ari Thór s'approcha et prit place à côté d'elle.

– On dirait que vous avez glissé, remarqua-t-il en indiquant le pied droit plâtré de Nína.

Elle le regarda avec solennité.

– C'est à cause du verglas.

– Il faut faire attention où on pose le pied, en ce moment, renchérit-il, faussement jovial.

---

1. Beignet torsadé, pâtisserie traditionnelle islandaise.

Il préférait éviter d'attaquer directement avec ses questions sur Hrólfur. Il balaya du regard l'assistance. Les tables ployaient sous le poids des gâteaux, des beignets et des crêpes. Personne ne risquait de rentrer chez soi affamé.

Elle ne relança pas la conversation, se contentant de regarder à son tour les gens rassemblés.

– Vous parliez souvent avec Hrólfur ?

– Quoi ? Non. Il aboyait ses ordres de temps en temps, c'était à peu près tout.

Elle eut l'air gênée de décrire ainsi le défunt, juste après ses funérailles.

– Il aimait ça, donner des ordres ?

– Oui. Il pouvait être désagréable avec certains. Pas tout le monde. Ou il vous aimait, ou il vous détestait.

Ari Thór prit sa réponse comme un constat lucide, dénué de tout regret et de toute amertume.

– Vous pensez qu'il vous aimait bien ?

– Je pense qu'il n'avait aucun avis sur moi. C'est sans importance, pas vrai ?

Elle n'attendait pas de réponse.

– J'ai cru comprendre que Hrólfur était curieux de nature. Aurait-il pu découvrir quelque chose dont il n'aurait pas dû entendre parler ? Peut-être en rapport avec quelqu'un de la Société dramatique ?

– Quelqu'un qui, du coup, aurait pu le pousser dans l'escalier ?

Sa franchise prit de court Ari Thór, mais le laissa agréablement déconcerté. Pour la première fois depuis qu'il enquêtait sur la mort de Hrólfur, une personne semblait ne rien vouloir dissimuler. Elle, et Ugla, bien sûr. Ugla ne lui aurait rien caché, bien que lui n'ait pas été si sincère avec elle.

Il ne lui avait pas parlé de Kristín.

Ugla était assise à la table d'à côté, près de Leifur. Il lui jeta un regard oblique, prenant garde à ce qu'elle ne le voie pas en train de l'observer. Ses yeux paraissaient gonflés, comme si elle avait pleuré. L'écrivain avait peut-être bien suscité quelques larmes finalement.

– Oui. Par exemple, répondit-il en s'obligeant à revenir à Nína et à l'enquête.

– Eh bien non. Pour être tout à fait honnête, non. Il lui arrivait de taper sur les nerfs des gens avec qui il travaillait, mais je ne vois personne capable de lui faire du mal.

Elle n'avait toujours pas répondu à la question d'Ari Thór sur les secrets que Hrólfur aurait pu surprendre à la Société dramatique. Il tenta de nouveau sa chance.

Elle réfléchit un moment, comme pour peser le pour et le contre.

– Non.

Elle détourna aussitôt le regard en direction de Pálmi et Úlfur, comme si elle préférait discuter avec eux. Son regard était vide, son visage inexpressif.

Ari Thór se leva et la remercia pour la conversation.

Tómas et Hlynur parlaient à des gens qu'il n'avait jamais vus. Tout le monde ici connaissait tout le monde, et il avait l'impression de jouer les pique-assiettes. Peut-être n'était-ce pas si loin de la vérité. Il n'avait même jamais rencontré le défunt !

Il continua son tour, guettant une occasion de poser quelques questions à Anna, mais elle manquait à l'appel. Elle, et Karl.

30

Siglufjördur, samedi 17 janvier 2009

Comme la veste noire ne lui allait pas, elle l'avait enlevée, de même que le tee-shirt. Elle jeta un coup d'œil vers la fenêtre de l'appartement en sous-sol pour s'assurer que les rideaux étaient bien tirés – encore qu'avec ce blizzard, ça n'avait pas vraiment d'importance – puis elle enleva son pantalon. Le noir n'était décidément pas sa couleur.

Comme d'habitude, ils étaient allés chez elle. La neige tombait tellement qu'elle les protégeait des curieux. Siglufjördur n'était pas le meilleur endroit pour un adultère et il convenait d'agir avec précaution. D'un autre côté, elle n'avait jamais eu de liaison dans une ville plus grande, mais elle imaginait que ce serait bien plus simple. Ici, tout devait se dérouler dans l'obscurité, et même dans ces conditions, personne n'était à l'abri du regard des voisins, épiant derrière leurs rideaux entrouverts. Impossible de descendre dans un hôtel sous un nom d'emprunt. Le directeur de l'unique hôtel de Siglufjördur était un vieil ami de ses parents et le réceptionniste, un ancien camarade d'école.

La vérité, c'était que toute cette histoire était pure folie. Cela ne la rendait-elle pas excitante ? Les retrouvailles clandestines, les étreintes fiévreuses dans la pénombre ? Le fait que tous les deux participent aux répétitions leur facilitait la tâche : ils pouvaient toujours trouver une explication innocente si on les apercevait ensemble dans les rues. Mais chez elle, ils devaient se montrer extrêmement prudents : ils n'arrivaient jamais en même temps, n'allumaient aucune lumière. Par chance, la porte de son appartement ne donnait pas sur la rue mais sur le côté de la maison, en retrait. En général, ses parents la laissaient tranquille et n'avaient pas pour habitude de débarquer à l'improviste. En respectant ainsi sa vie privée, ils espéraient qu'elle reconsidérerait son projet de retourner vivre dans le Sud – même si elle habitait leur sous-sol. Ils n'imaginaient sans doute pas qu'elle puisse avoir un amoureux, *a fortiori* un homme marié. Sa situation était, quel que soit l'angle sous lequel on l'envisageait, inexcusable. Aucun mot n'était assez fort pour décrire le dégoût que lui inspiraient ses actes. Mais c'était plus fort qu'elle. Il y avait toujours une dernière fois et, quand il la serrait de toutes ses forces dans ses bras, elle semblait oublier jusqu'à la signification du mot « conscience ».

Même là, juste après l'enterrement, elle n'avait pu résister. Après la cérémonie, il l'avait prise au piège d'un regard pénétrant, avant de glisser quelques mots doux à son oreille.

– Pas en pleine journée… pas maintenant. On va se faire remarquer, protesta-t-elle sans conviction.

Elle aurait aussi bien pu lui demander ce qu'ils attendaient pour y aller. Peu importe qu'ils fassent ça en plein jour, juste après l'enterrement d'un homme qu'aucun d'eux n'avait aimé. Le pire dans tout ça, c'était qu'elle se sentait incapable de refuser, même en sachant ce qui était arrivé à sa compagne.

– Tu comptes rester ici longtemps ? demanda-t-il.

Sa voix était douce mais sous-tendue par une telle autorité qu'elle se liquéfiait chaque fois qu'elle l'entendait.

– Et Linda ? C'est vraiment… mal. Seigneur, Karl ! Elle est en soins intensifs à Reykjavik !

– Allons, que dis-tu. Tu sais très bien qu'entre moi et Linda, c'est fini depuis longtemps.

– Mais c'est ta femme ! Elle est dans un état critique.

– Et je n'y peux rien du tout. De toute façon, la police m'interdit de la rejoindre.

Et d'ajouter, d'un air de défi :

– Ce n'est pas moi qui l'ai agressée.

Non. J'espère bien. Elle ne pouvait se raccrocher qu'à sa parole.

– Je n'ai pas agressé Linda. Tu le sais, pas vrai ?

Anna dévisagea Karl. Elle voulait le croire, mais n'était pas complètement convaincue. Il fallait lui cacher ses doutes.

– Bien sûr, mon chéri. Bien sûr que je le sais.

Elle voulut lui demander de partir, mais c'était trop excitant. Tout était si extraordinairement déplacé qu'elle ne résista pas à la tentation. Elle se glissa dans le lit à côté de lui.

Si quelqu'un entrait maintenant, pensa-t-elle, ce serait pire que catastrophique. Quel genre de personne était-elle devenue ? Qu'est-ce que ses parents diraient d'elle ? L'histoire se répandrait dans toute la ville comme un virus. Pour Karl, ce ne serait pas si grave : il pouvait partir, pourquoi pas retourner au Danemark. Mais elle n'avait nulle part où aller en dehors de Siglufjördur, et elle pensait à ses chances de décrocher un travail stable à l'école. Et tout cela, elle le mettait en péril ; elle le soumettait aux caprices du hasard pour quelques minutes de passion dans les bras de Karl… Elle ne pouvait compter que sur une chose : la discrétion de son amant.

À plusieurs reprises, elle s'était posé la question, en toute franchise : que savait-elle vraiment de lui ? Il était beaucoup trop vieux pour elle. Quand viendrait l'été, il fêterait ses quarante-trois ans – elle en avait vingt-quatre. Vingt-quatre ans : elle avait été frappée, pendant la cérémonie, d'entendre le prêtre rappeler que Hrólfur avait cet âge quand il avait publié son chef-d'œuvre. À l'âge d'Anna, sa plus grande réussite était déjà derrière lui ! Et elle, qu'avait-elle réussi jusqu'à présent ? À terminer ses études et à coucher avec le mari d'une autre femme.

Oui, Karl était bien trop âgé pour elle, même si certaines de ses amies dans le Sud sortaient avec des quadragénaires – parfois même plus vieux. Mais l'adultère… c'était une autre histoire.

Bon sang, elle s'était fichue dans de beaux draps !

Un téléphone sonna. Le portable de Karl. Il ne leva même pas la tête.

– C'est peut-être des nouvelles de Linda… tu ne décroches pas ?

– Pas maintenant, ma jolie. On est occupés.

Comment pouvait-elle être à ce point charmée par un homme indifférent à la santé de sa propre femme ?

Son téléphone sonna à son tour. Elle tendit la main vers la table de chevet.

– Ne réponds pas.

Mais elle avait déjà décroché.

– Allô ? Anna à l'appareil.

C'était Úlfur.

– Anna, je suis en train d'appeler toute la troupe, dit-il d'une voix qui se voulait professionnelle. Tu peux

venir au théâtre cet après-midi ? Disons, vers 15 heures ?
Il faut qu'on reprenne le travail.

– D'accord. J'y serai.

– Parfait. À propos, tu ne sais pas où est passé Karl ?
Je ne vous ai pas vus à la réception tout à l'heure.

Anna marqua un temps.

– Non. Je ne l'ai pas vu.

Elle raccrocha.

– Úlfur, dit-elle.

Elle eut un faible sourire. Au fond d'elle, l'angoisse
la tiraillait. Elle craignait qu'un jour, quelqu'un fasse
le rapprochement. Une idée sur laquelle elle n'osait
pas s'appesantir.

*

Úlfur poussa la porte du théâtre. Il était seul.

L'auditorium était sans doute l'unique endroit dans
cette ville où il réussissait à bannir entièrement le
tumulte extérieur pour se retirer dans son monde rêvé
– une utopie dans laquelle le mal n'avait pas cours.
Un monde où, une semaine plus tôt, le président de la
Société dramatique n'avait pas fait une chute mortelle,
où l'épouse du rôle principal n'avait pas été retrouvée
dans la neige, baignant dans une mare de sang, entre
la vie et la mort.

Son regard parcourut l'auditorium.

Et soudain, le poids des années s'abattit sur lui. Lui,
ce vieillard qui regrettait sa carrière de diplomate, son
ex-femme et même sa défunte mère. Sans doute allait-on
lui demander de devenir le nouveau président de la
Société dramatique mais cela lui semblait, tout à coup,
bien dérisoire.

– Merde ! Merde ! s'écria Tómas en abattant son mug sur le bureau.

Sur l'écran de l'ordinateur s'affichait le dernier rapport concernant l'enquête sur l'accident fatal à la Société dramatique.

Ari Thór avait accepté de se faire déposer en jeep au poste, encore vêtu de son costume. Il n'était pas en service, mais n'avait aucune envie de rentrer chez lui. C'était le gros temps hivernal typique qui exigeait de la compagnie. Il s'assit avec Hlynur dans un coin, près de la cafetière. Et la colère de Tómas explosa.

– Putain de merde !

Hlynur resta immobile. Ari Thór se leva.

– Qu'est-ce qui se passe ? osa-t-il à peine demander.

– D'où ils sortent ça ? Bordel, comment ils font ? Regarde !

Ari Thór lut le chapeau d'un article.

Meurtre au théâtre de Siglufjördur ?
Selon des sources fiables, la police de Siglufjördur tient désormais pour suspecte la mort de l'écrivain Hrólfur Kristjánsson.

– L'un de vous a-t-il fait des confidences ? hurla Tómas.

Ari Thór secoua la tête. Hlynur bredouilla quelque chose.

– Quoi ?

– Non. Je n'ai parlé à personne.

– J'ai interrogé Nína à ce sujet, intervint Ari Thór. Pas de façon directe, bien sûr. Et je l'imagine mal décrochant son téléphone pour prévenir un journaliste.

– On ne sait jamais. C'est une vraie chieuse, celle-là.

Tómas relut l'article.

– Toujours le même journaliste. Celui qui voulait des nouvelles de Linda. En principe, je devrais l'appeler et lui dire ma façon de penser, mais je préfère qu'on boucle cette foutue enquête le plus vite possible. On va sortir un communiqué officiel pour dire que la mort de Hrólfur était accidentelle et que l'affaire est classée. Ari Thór, tu as interrogé toutes les personnes présentes à la répétition ?

Ari Thór réfléchit rapidement. S'il incluait la conversation avec Úlfur dans le jacuzzi et les échanges privés avec Ugla, il lui restait juste un dernier témoin à voir.

– Toutes, sauf Anna.

– J'étais à l'école avec son père. Un bon gars et un as de la mécanique, comme toi.

Ari Thór se maudit d'avoir avoué, un peu inconsidérément, sa passion pour les voitures. Avec la théologie, c'était devenu une de ses caractéristiques. Le Révérend Ari Thór, prêtre et mécano. Il se demanda s'il réussirait à redevenir simplement « Ari Thór », sans autre étiquette.

– Tu devrais aller le voir pour jeter un œil à sa jeep. Une vraie beauté, avec les plaques d'immatriculation d'origine. On n'en voit plus beaucoup, des comme ça. Il l'a achetée à Karl il y a des années. Karl avait dépensé toutes ses économies pour se l'offrir, mais quand ses parents ont décidé de s'installer au Danemark, il a dû tout laisser en plan. À mon avis, il n'a jamais complètement digéré d'avoir été obligé de la vendre.

Ari Thór observa son collègue avec une sorte de perplexité. Comment espérer découvrir le fin mot de cette affaire dans un endroit où tout le monde se connaissait si intimement ? Vieux camarades de classe, anciens collègues, amis, parents : tous les habitants de Siglufjördur semblaient connectés les uns aux autres par d'innombrables liens.

– Je vais appeler Anna pour lui fixer rendez-vous, déclara Ari Thór afin de couper court à l'histoire de la jeep de Karl.

Tout faire pour me tirer d'ici.

*

– Comme disent les Américains : *the show must go on !*

Anna s'installa au fond de l'auditorium, non loin de Karl et de Pálmi. Nína, arrivée inhabituellement tard, s'assit à côté de l'écrivain. Adossé contre un mur, Leifur paraissait plongé dans ses pensées et ignorait consciencieusement tout ce qui l'entourait. De toute évidence, Úlfur n'avait pas réussi à captiver son auditoire.

Anna avait bien pris soin de ne pas s'asseoir à côté de Karl.

– Nous avons fait nos adieux à Hrólfur aujourd'hui, mais il veille toujours sur nous.

Anna s'était déjà rendu compte qu'Úlfur n'était pas naturellement à l'aise sur scène. Sa nervosité transparaissait dans l'agitation de ses mains et dans les regards qu'il jetait en tous sens – quand ils ne se fixaient pas sur la pointe de ses chaussures.

– Hrólfur aurait tenu à ce que nous reprenions le flambeau. Je propose que la première de notre pièce se déroule samedi prochain. On fera une générale dans la semaine, après quoi nous offrirons aux spectateurs la plus belle représentation théâtrale jamais montée à Siglufjördur. Je viens d'avoir une conversation avec

Karl. Il est d'accord pour continuer à jouer le rôle principal, malgré…

Il cherchait ses mots.

– … l'épreuve que traverse Linda. Son dévouement et son courage sont remarquables. Karl a toute mon admiration.

Il adressa un sourire chaleureux au comédien, qui demeura sans réaction.

Pas un mot dans l'assistance.

– Eh bien… Retrouvons-nous ici jeudi. Ce sera notre dernière répétition. Des questions ?

Après un silence prolongé, Anna se leva et, d'une voix grave mais suffisamment distincte pour que tout le monde l'entende :

– J'ai lu dans un article que Hrólfur avait peut-être été… assassiné.

Úlfur sursauta, inquiet, et secoua la tête énergiquement en marmonnant. Puis il éleva la voix, et elle résonna dans tout l'auditorium :

– Ce sont des conneries ! Des conneries ! Rien que des rumeurs, de pures spéculations ! Dès que quelqu'un de célèbre disparaît dans des circonstances inhabituelles, il y a toujours des gens pour raconter n'importe quoi…

Il sortit un mouchoir et s'essuya le front.

– Allez, finissons-en avec cette réunion ! Et rentrons tous chez nous avant que la neige ne nous bloque !

Le téléphone d'Anna sonna. Elle ne reconnut pas le numéro mais décrocha.

– Oui… Je rentre bientôt. Vous connaissez l'adresse ? C'est ça. Je suis dans l'appartement du sous-sol.

La sueur commençait à tapisser sa peau. Le bout de ses doigts était moite. Un policier.

Sa liaison avait-elle été découverte ?

Dans le cas contraire, peut-être devait-elle saisir cette

occasion pour les interroger à propos de Karl. Il fallait qu'elle en ait le cœur net. Devrait-elle mentionner l'assurance-vie ? Ça risquait de lui attirer des ennuis, mais seulement s'il était coupable.

Oui, il fallait qu'elle sache.

31

Siglufjördur, samedi 17 janvier 2009

La route était presque trop enneigée pour le petit
4 × 4. Sans doute aurait-il été plus raisonnable de rester
chez soi, bien au chaud, à laisser la neige s'accumuler
petit à petit. À travers le blizzard, toutes les maisons se
ressemblaient : des silhouettes d'édifices tamisées par
les tourbillons neigeux que soulevaient les bourrasques
du Nord. Après s'être garé et avoir réalisé qu'il s'était
trompé de maison, Ari Thór finit par s'arrêter devant la
bonne adresse. Le bâtiment paraissait spacieux : deux
niveaux plus un sous-sol et un garage double.

Anna ne réussissait pas à cacher sa nervosité. Lors de
leur poignée de main, Ari Thór remarqua la moiteur
de sa paume. Son regard fuyant et son sourire forcé. Il
l'observait attentivement.

L'appartement était sombre, et tous les rideaux tirés.

– C'est mieux comme ça, tout fermé, dit-il pour
détendre l'atmosphère. À quoi bon regarder toute cette
neige s'entasser ?

Elle eut un petit rire gêné.

– Eh bien… en fait, j'adore la neige. Je pourrais la
regarder tomber toute la journée. J'aimerais tellement

avoir encore huit ans et descendre les pentes avec ma luge.

– Je vous comprends, dit-il, regrettant de ne pas être aussi positif.

Ils s'assirent à la table de la cuisine en bois foncé, au milieu de laquelle trônait une plante en pot.

– Ça ne sera pas long, commença Ari Thór. J'ai juste quelques questions à vous poser à propos de Hrólfur.

Elle ne réagit pas.

– J'ai entendu dire qu'il avait découvert un secret qu'il aurait mieux valu… ne jamais connaître.

Elle le regarda, craintive.

– Vous pensez qu'il y a un fond de vérité derrière ça ? Est-ce que quelqu'un dans la troupe aurait des choses à cacher ?

Ses yeux la trahirent aussitôt. Il vit qu'elle s'efforçait de rester calme.

– Ça, je n'en sais rien du tout, répondit-elle nerveusement.

– Vous êtes sûre ?

Il la fixait à présent. Elle baissa la tête et se tordit les mains.

– Sûre et certaine.

Elle posa une main sur la table, puis la retira. L'empreinte humide de sa paume apparut sur le bois.

– Sûre et certaine, répéta-t-elle.

Elle tenta d'essuyer discrètement son front avec sa manche.

– Selon vous, quelqu'un aurait-il pu le pousser ? Quelqu'un aurait-il pu vouloir se débarrasser de lui ?

Sa voix se fit plus ferme. L'embarras de la jeune fille l'avait presque mis mal à l'aise.

– À cause d'un secret à protéger à tout prix ?

Elle se leva.

– Pardon, mais j'ai besoin de boire un peu.

Elle ouvrit le robinet de l'évier et répondit :

– Je ne vois pas, vraiment.

– Vous vous entendiez bien avec Hrólfur, n'est-ce pas ?

– Oui, évidemment.

Ari Thór soupçonnait le point faible d'Anna. Il l'attaqua directement.

– C'est vous qui jouez le rôle principal de la pièce que vous répétez en ce moment ?

– Non.

Réponse concise, cassante.

– Vraiment ? C'est l'autre fille qui l'a eu ? Celle qui n'est pas d'ici ?

– Vous voulez dire Ugla ?

– Oui, tout à fait. Ugla.

Ari Thór attendit qu'elle se rasseye.

Elle enserra le verre d'eau de ses deux mains.

– C'était le choix de Hrólfur ?

– Oui. Enfin, je veux dire… c'était sûrement un choix commun avec Úlfur.

– Ça n'a pas dû vous faire plaisir.

Les mains d'Anna se crispèrent sur le verre.

– Non.

Silence. Ari Thór attendit.

– Non, répéta-t-elle. C'était très injuste. Elle ne le méritait pas. Mais Hrólfur avait beaucoup d'affection pour elle.

– Quelle sorte d'affection ?

Ari Thór laissa échapper un soupir de soulagement : dans cette petite ville, il y avait encore des choses qui n'étaient pas connues de *tout le monde*. Manifestement, Anna n'était pas au courant de son amitié avec Ugla.

– Elle louait son appartement. J'ai l'impression qu'il la considérait comme sa propre fille.

– Il n'avait pas déjà un enfant ?

Anna lui jeta un regard dubitatif.

– Non. J'aurais cru que vous le saviez.

Ari Thór reprit le fil de son interrogatoire.

Battre le fer tant qu'il est chaud.

– On pourrait presque dire que son absence vous arrange ?

– Comment ça ? Vous croyez que je l'ai poussé ?

Plutôt que de se mettre en colère, elle se montrait de plus en plus vulnérable.

– Pas du tout.

Ari Thór aurait tellement voulu lui poser la question de but en blanc – mais il se retint. Il ne pouvait pas laisser son instinct lui faire commettre une erreur. Et puis, il ne voyait pas cette jeune femme pousser un vieil homme du haut d'un escalier pour décrocher le rôle principal d'une pièce de théâtre amateur montée dans une petite ville. D'un autre côté, il était évident qu'elle cachait quelque chose. La question était de savoir si c'était en rapport avec cette histoire de premier rôle. Était-ce de cela qu'elle ne voulait pas parler ? Ou s'agissait-il d'autre chose, d'un autre secret qu'elle protégeait ?

Elle but enfin sa première gorgée d'eau.

Ari Thór aurait volontiers accepté un verre si elle le lui avait proposé. Avec les fenêtres fermées, l'appartement était une vraie fournaise.

Il remarqua qu'elle s'était changée depuis l'enterrement. Il ne se souvenait pas dans le détail de sa tenue mais elle ne portait sûrement pas ce pull rouge et ce pantalon de survêtement noir. Ari Thór, lui, était toujours engoncé dans son costume noir, comme prisonnier d'un cauchemar.

La phase des questions agressives était terminée. Le moment était venu de faire baisser la tension d'un cran, en espérant qu'Anna laisserait échapper un lapsus révélateur.

– Que faites-vous dans la vie ? Vous travaillez, vous étudiez peut-être ?

– Je travaille. J'ai terminé mes études à Reykjavik.

– Je vous ai déjà vue au Co-Op, non ?

Son ton était cordial.

– Effectivement. Je suis caissière à mi-temps. Je travaille aussi à l'hôpital.

– Alors vous devez connaître Linda ?

– On travaille ensemble. Comment va-t-elle ?

Il perçut de la sincérité dans sa voix.

– Pas d'amélioration, j'en ai peur.

– Vous avez une idée sur l'identité de son agresseur ?

– L'enquête est en cours.

– Est-ce que c'est lui ? Karl ?

– Non. Il est totalement disculpé.

– Vraiment ? Vous êtes sûr de vous ?

Ari Thór se demanda si elle posait la question uniquement par curiosité.

– Oui. Nous avons confirmation qu'il se trouvait ailleurs au moment des faits. Pourquoi ?

– Eh bien, comme ça, sans plus. Je demandais juste… Avec cette histoire d'assurance-vie…

– Cette histoire d'assurance-vie ?

– Oui. Mais tout va bien s'il est innocent.

– De quelle assurance-vie parlez-vous ? répéta-t-il en essayant de ne pas trop montrer son intérêt.

– Cet été, un courtier en assurances est venu à l'hôpital. Tout le monde lui a acheté une assurance-vie.

– Y compris Linda ?

Elle acquiesça.

– Vous savez qui en bénéficiera si… si elle meurt ?

– Oui, bien sûr. Karl, forcément. Linda m'en a parlé quand on a décidé de sauter le pas.

Peut-être n'était-elle pas la meilleure personne à qui poser la question, mais Ari Thór demanda tout de même.

– Et Karl est au courant ?

– Je n'en ai pas la moindre idée, répondit-elle, étrangement agitée.

– Vous connaissez le montant ?

– Quelques millions de couronnes, je crois.

Cette affaire changeait constamment de direction. De nouveau, le projecteur se braquait sur Karl, l'homme à l'alibi inattaquable. *Bon sang…*

Ari Thór se leva.

– Il me reste à vous remercier de m'avoir reçu, Anna.

– Eh bien… je vous en prie.

Elle semblait à nouveau nerveuse.

– À bientôt.

Il luttait pour cacher son excitation.

L'hiver le cueillit sur le pas de la porte. L'hiver dans toute sa majesté, si l'on peut dire.

La nuit glacée l'avala tout entier.

32

Siglufjördur, dimanche 18 janvier 2009

La neige tomba toute la soirée du samedi et une bonne partie de la nuit. Après avoir somnolé par intermittence pendant quelques heures, Ari Thór parvint enfin à s'endormir. La météo l'affectait sérieusement. En temps normal, il s'accordait un peu de lecture avant d'aller se coucher, mais il était désormais incapable de se concentrer. Toutes ses pensées se focalisaient sur l'obscurité qui, peu à peu, l'étouffait. Il avait bien essayé d'écouter de la musique classique pour combattre le silence assourdissant de la tempête, mais c'était comme si la musique amplifiait l'ambiance lugubre de la soirée.

Nuit après nuit, ses rêves l'entraînaient vers ces endroits sombres et dangereux où il luttait pour retrouver son souffle, écrasé par une force inconnue qui ne pouvait venir que de l'intérieur. Il faisait des longueurs de piscine, s'entraînait à plonger avec un masque, touchait le fond du bassin et relevait la tête pour savourer cet instant – mais au moment de donner l'impulsion pour remonter, ses pieds étaient comme paralysés, il se sentait pris au piège, lourd comme le plomb. Il voyait d'autres nageurs sillonner la surface de l'eau alors que lui restait tout au fond, incapable du moindre mouvement. Et le cauchemar se répétait. Quand Ari Thór se réveillait, suffocant, accablé, l'impression de noyade était si réelle qu'il pouvait sentir l'eau dans ses poumons. L'angoisse s'emparait alors de lui et, engourdi de sommeil, il tendait la main vers quelqu'un – Kristín, peut-être –, à la recherche d'un peu de chaleur.

Une fois encore, impossible de se rendormir. Son sommeil était de moins en moins reposant, parasité par ces rêves toujours plus perturbants, comme le blizzard qui frappait à ses fenêtres. Pour ne rien arranger, sa blessure à l'épaule lui causait une douleur intolérable. Malgré son intention de profiter de son dimanche pour rattraper son retard de sommeil, se débarrasser de cet épuisement et décompresser après une rude semaine, il se leva très tôt. Par la fenêtre de la cuisine, il constata que la tempête de neige n'avait pas faibli et menaçait ouvertement d'engloutir la ville de Siglufjördur. Il s'assit à la table, le regard perdu vers le prétendu panorama.

Le printemps n'arrive-t-il jamais jusqu'ici ?

Abattu, il ferma le rideau de la cuisine, puis ceux de toutes les autres fenêtres.

Il attendit la mi-journée pour allumer la radio et écouter les informations. Une avalanche s'était déclenchée juste au-dessus de la route de Siglufjördur, bloquant l'unique axe de circulation vers la ville. La nouvelle le frappa. Physiquement. Par chance, aucun blessé n'était à déplorer, mais cela signifiait qu'on ne pouvait plus ni entrer ni sortir de la ville. Tout déplacement par voie terrestre ou maritime paraissait inenvisageable. Ari Thór se sentait à la fois ébranlé et découragé. Cet événement le vidait du peu d'énergie qu'il lui restait. Il s'imposa quelques respirations lentes, profondes, mais cela ne changea rien : son cœur cognait toujours furieusement contre son thorax. Il entendit un journaliste annoncer qu'aucune tentative de déblayer la route ne serait entreprise dans la journée, ni sans doute lors de la suivante, car les prévisions météorologiques empiraient. Après cela, le flash info se mua en un bruit parasite, un assemblage incompréhensible de mots.

Chamboulé, l'esprit traversé de pensées folles, Ari Thór tenta de se convaincre que tout allait bien se passer. C'était une situation provisoire, la route serait accessible de nouveau d'ici un jour ou deux. Il ouvrit la porte, bien décidé à affronter le temps et à se persuader qu'il n'était pas son ennemi. Le vent avait gagné en puissance et une congère s'était formée juste devant le seuil.

Ça va aller.

Il se ressaisit et – plus par besoin de se distraire qu'autre chose – téléphona au poste pour savoir s'ils avaient besoin de lui.

– J'appelais pour prendre des nouvelles, dit-il d'un ton qui se voulait détaché. Besoin d'un coup de main ?

– On est au taquet, comme toujours, répondit plaisamment Tómas, mais toi, mon gars, tu as besoin de repos. On va s'en sortir !

– OK. Je me demandais, c'est tout. À cause des dernières nouvelles. C'est dingue cette histoire…

– Quelles nouvelles ?

Tómas semblait surpris.

– L'avalanche.

– Ah ! Ça… Rien d'extraordinaire, tu sais. Ça arrive plus ou moins tous les ans. Comme elle s'est déclenchée au milieu de la nuit, il n'y avait personne sur la route, donc aucun blessé, Dieu merci. La bonne nouvelle, pour nous, c'est que Karl ne peut aller nulle part. Il est coincé ici.

La discussion terminée, Ari Thór retourna à l'étage et s'allongea dans sa chambre. Les yeux fermés, le corps immobile, il tenta d'apprivoiser le sommeil pendant plusieurs heures. Le soir était tombé quand il ralluma la radio. La route était toujours bloquée et le resterait jusqu'au mardi – au mieux.

Il n'avait presque rien mangé de la journée. Son réfrigérateur renfermait en tout et pour tout un filet de hareng acheté chez le poissonnier après son entrevue avec Sandra. Malgré son peu d'enthousiasme pour ce poisson, elle avait réussi à le convaincre d'y goûter. Il avait trouvé une recette toute simple : faire frire le hareng à la poêle en le saupoudrant légèrement de sel pour faire ressortir la saveur. Le résultat fut étonnamment bon, différent de tous les autres poissons qu'il connaissait. Il y avait un petit arrière-goût de gras, mais c'était très correct. Il regrettait juste de ne pas pouvoir partager son repas avec quelqu'un.

Il décrocha son téléphone. Il avait besoin d'entendre la voix de Kristín – ou n'importe quelle autre voix.

Il écouta la sonnerie s'égrener, faillit raccrocher, quand une voix répondit.

– Salut.

Le ton était sec, comme si elle n'avait pas le temps de lui parler. C'était pourtant leur premier coup de fil de la semaine.

– Salut. Ça va ?

Ugla.

Le souvenir du baiser le troublait et sa conscience le taraudait. Comment pouvait-il se comporter comme si rien ne s'était passé ? *Ugla.* Le prénom résonna dans sa tête. Un écho de plus en plus assourdissant…

– Écoute… je travaille, là.

Encore le travail. Toujours le travail. Elle n'avait jamais un moment à consacrer à autre chose.

– OK, j'ai compris, soupira Ari Thór, avant de lâcher

d'une seule traite : ici, il neige sans arrêt. Il y a même eu une avalanche cette nuit.

Ça lui faisait du bien de prononcer le mot à haute voix. *Avalanche.*

– Oui, je suis au courant…

Elle semblait distraite.

– … j'ai entendu les nouvelles. Mais la ville n'est pas menacée, si ? Ils parlaient d'un autre endroit dans le coin, sur la route qui mène à Siglufjördur… À vrai dire, je ne m'inquiétais pas vraiment.

Tout ce qu'elle disait était vrai, frappé au coin du bon sens, et présenté comme ça, l'événement semblait anodin. Ari Thór se sentit aussitôt rasséréné.

– Comment ça va, de ton côté ? demanda-t-il.

– Je te rappelle plus tard. Je ne peux pas bavarder pendant que je bosse…

Franche et directe, comme à son habitude.

– Non, bien sûr. On se parle plus tard, alors…

C'était dimanche. Jour de son cours de piano. Ugla. Est-ce qu'elle l'attendait ? Pouvait-il se présenter chez elle après ce baiser – et sa fuite ? Il remit sa décision à plus tard et baissa de nouveau les paupières.

Oh, et puis merde…

Il n'avait rien à perdre. Il se leva, enfila sa parka fourrée, remonta la capuche sur sa tête et noua une écharpe autour de son cou avant de s'aventurer dans le blizzard, à travers les congères et les murs de neige presque infranchissables, les yeux fermés pour se protéger des rafales de vent cinglantes. Il avait pris son portable au cas où Kristín le rappellerait à ce moment-là. *Si* Kristín le rappelait…

Ugla l'accueillit comme si de rien n'était. Elle portait le même jean bleu et le même tee-shirt que d'habitude.

Elle lui adressa un sourire rayonnant et lui fit signe d'entrer.

Ils restèrent dans le salon jusque tard dans la soirée, à bavarder de choses et d'autres, oubliant complètement le piano. L'appartement d'Ugla était accueillant, douillet. Entre les rideaux ouverts, Ari Thór apercevait les tas de neige de plus en plus hauts. La tendresse perceptible dans la voix d'Ugla atténuait sa peur, la douleur qui le brûlait de l'intérieur.

– Un verre de vin ? proposa la jeune femme.

– Avec plaisir. Juste un peu, j'ai du travail demain.

Elle revint avec une bouteille et deux verres. Après les avoir remplis, elle attrapa deux bougies et les alluma. Le décor était posé.

– Quelles nouvelles de l'enquête ? demanda Ugla. Ou devrais-je dire *des* enquêtes ?

– C'est toujours en cours. J'ai l'intuition que quelqu'un cache un secret qui est lié à la mort de Hrólfur.

Ari Thór faisait confiance à Ugla. Il sentait qu'il pouvait lui parler librement de l'affaire, en toute franchise. Le seul sujet impossible à évoquer était leur baiser, mais l'image de leur étreinte flottait en arrière-plan, comme projetée sur les murs du salon.

– Je dois avouer que ces histoires commencent à m'inquiéter, dit-elle. L'agression de Linda, la mort de Hrólfur... Tout ça si proche de chez nous... Je veux dire, comment se sentir en sécurité ?

Elle paraissait sincèrement effrayée.

– Je veillerai sur toi.

– Maintenant, la plupart des gens pensent que Hrólfur a été tué. C'est terrible, n'est-ce pas ? Je sens la peur peser sur la ville, et ça s'est encore aggravé depuis l'agression de Linda.

Ari Thór mourait d'envie de la serrer dans ses bras en lui murmurant qu'elle n'avait rien à craindre.

La bouteille fut bientôt vide. Ugla alla en chercher une autre dans la cuisine et s'assit sur le canapé à côté d'Ari Thór. Elle se pressait contre le jeune homme. Il sentait le parfum de sa chevelure, et l'envie lui vint d'y enfouir son visage.

Ils restèrent assis en silence un moment, dégustant leur vin. Puis Ugla posa négligemment la main sur le genou d'Ari Thór. Ce contact l'émut, et il eut du mal à trouver ses mots quand elle lui demanda si le vin lui plaisait.

Il finit par sourire et se tourna vers elle. Elle embrassa doucement ses lèvres. Il recula légèrement, déchiré par les sentiments qui le tiraillaient.

Un autre baiser, était-ce si grave ? Il glissa les doigts dans ses longs cheveux, clairs et parfumés ; il passa un bras autour de sa taille et lui rendit son baiser, un long baiser passionné.

L'énergie ardente qui se dégageait de la jeune femme lui offrait l'antidote bienvenu à la neige étouffante, mais aussi au vide qui n'avait cessé de grandir dans son cœur.

Elle l'attira dans sa chambre. L'envie était trop forte pour qu'il y résiste.

Après cette soirée, il se demanderait, plus souvent qu'il se plaisait à l'admettre, à partir de quel moment il avait trahi Kristín. Était-ce vraiment si grave qu'il ait fait l'amour avec Ugla ? Quand il lui avait pris la main et qu'il l'avait suivie dans la chambre, refermant la porte derrière eux, le crime n'avait-il pas déjà été commis ?

L'avalanche était-elle un prétexte ? Une avalanche de l'autre côté d'une immense montagne, tellement éloignée qu'il n'en avait pas même entendu le murmure, et pourtant si proche qu'il n'avait pu penser à autre chose de toute la journée ?

Avait-il vraiment une bonne excuse ? Et, surtout : était-ce vraiment important pour lui ?

33

Siglufjördur, lundi 19 janvier 2009

Dans la matinée, profitant d'une brève accalmie, Ari Thór se fraya un chemin entre les tas de poudreuse qui s'étaient formés pendant la nuit pour se rendre au poste de police. Ses pensées tournaient autour d'Ugla et de Kristín. Troublé, il se demandait comment cette dernière réagirait en apprenant ce qui s'était passé...

Comme d'habitude, Tómas était au travail bien avant le début de sa prise de service. Son chef avait-il des problèmes conjugaux ? Il ne semblait vivre que pour son métier et les défis auxquels il le confrontait. Pour l'heure, il lui offrait aussi l'occasion de s'emporter contre l'impertinence des journalistes. Il s'adoucit avec un mug de café.

– Ils n'arrêtent pas d'appeler ! Ces emmerdeurs ne nous lâchent pas ! furent les premières paroles qu'entendit Ari Thór à son arrivée, alors qu'il piétinait dans l'entrée pour délester ses bottes de la neige qui les recouvrait.

– J'ai entendu dire qu'avec tous ces flashs info, les gens sont persuadés que Hrólfur a été assassiné. Tu as vu ça ?

– Un peu. J'ai aussi entendu une théorie selon laquelle le meurtrier de Hrólfur serait aussi celui qui a agressé Linda. Tu en penses quoi ? demanda Tómas.

Les journalistes ne l'irritaient apparemment plus tant que ça. Son chef adorait aussi l'idée d'être au cœur de l'actualité.

– J'en doute. J'aurais eu tendance à soupçonner Karl. Mais on dirait vraiment qu'il est innocent – en tout cas pour ce qui concerne Linda.

– J'ai rarement vu un homme plus coupable, répondit Tómas. La direction, à Akureyri, a décidé de nous envoyer du renfort : un type va débarquer pour nous aider dans l'enquête.

Sa moue révélait tout le bien qu'il pensait de cette initiative.

– Je n'ai pas eu mon mot à dire. Ils nous recontacteront dès que les routes seront dégagées. J'ai essayé de les convaincre qu'on avait la situation sous contrôle, mais…

Ari Thór hocha la tête. Il avait du mal à se concentrer. Toujours la douleur dans son épaule. Il avait avalé quelques antalgiques au réveil, mais sans résultat. Il aurait dû prendre rendez-vous avec un médecin mais il préférait laisser à son épaule le temps de se remettre toute seule.

Tómas se servit un autre café et alla s'asseoir à son bureau.

– Ah ! Pendant que j'y pense, le vieux Thorsteinn m'a appelé hier. Tu pourrais passer le voir dans la journée ?

– Thorsteinn ?

Tómas semblait partir du principe qu'Ari Thór connaissait tous les habitants de Siglufjördur par leur nom.

– Pardon, c'est un notaire. Il avait un cabinet à Akureyri il y a plusieurs années. Il est revenu ici quand il a pris sa retraite. Il a encore une clientèle, mais elle se réduit petit à petit.

– OK. Et pourquoi je dois le voir ?

– C'est lui qui a le testament de Hrólfur. Il attendait que l'enterrement soit passé pour procéder à son ouverture. Selon lui, son contenu pourrait nous intéresser... Au moins autant que l'hypothèse selon laquelle « Hrólfur a été assassiné », m'a-t-il dit. Il avait l'air très content de contribuer à notre petite enquête criminelle.

Tómas sourit pour la première fois de la matinée. Le café semblait faire son effet.

– Un testament ? répéta Ari Thór. Je croyais qu'il n'en avait pas fait.

– La vie est une source inépuisable de surprises, philosopha Tómas, avec un soupir théâtral.

*

Aussi loin que le regard portait, le monde était blanc. Les trottoirs des rues délavées étaient colonisés par des congères aux reflets d'argent. Les montagnes étincelaient, l'étendue nacrée de leurs versants se tachetait par endroits de noir, le ciel pâle annonçait une chute de neige imminente. On aurait dit que la nature avait décrété une trêve, même si chacun savait que, tôt ou tard, le temps se couvrirait de nouveau. Aucune opération de déblayage de la route de Siglufjördur n'était prévue, du moins pour la journée. Les habitants étaient encore pris au piège. Ari Thór essayait de se concentrer sur le testament et son rendez-vous avec Thorsteinn pour ne pas trop penser à la neige – elle l'obnubilait.

La maison du notaire, une bâtisse de couleur pâle qui devait dater des années 1920-1930, était située dans Sudurgata. Elle se dressait au milieu d'un grand jardin, dont les branches d'arbres penchaient sous le poids de la glace et de la neige. Une pittoresque scène hivernale.

Thorsteinn ouvrit dès le premier coup de sonnette, comme s'il guettait la venue d'Ari Thór.

– Bienvenue ! Entrez, je vous prie...

Il avait dans les quatre-vingts ans, avec de fins cheveux gris et d'épaisses lunettes. Son costume austère à gilet à carreaux était tendu sur une silhouette corpulente. Ses efforts vestimentaires paraissaient un peu forcés, même pour un rendez-vous avec la police.

Une vieille femme souriante apparut dans le couloir et tendit la main à Ari Thór.

– Soyez le bienvenu. Je suis Snjólaug, l'épouse de Thorsteinn. Ravie d'avoir un visiteur...

Apparemment, c'était une rareté sous ce toit.

– Nous pouvons vous proposer quelque chose ? Du café ? Des biscuits ? demanda le notaire.

– Merci, ça ira.

Ari Thór était surtout impatient d'entrer dans le vif du sujet.

– Allons nous installer dans mon bureau.

Le vieillard indiqua la direction d'un étroit couloir, décoré de quelques vues encadrées de Siglufjördur. Les photos jaunissaient au même rythme que le papier peint.

La pièce ressemblait à une petite bibliothèque, avec trois de ses murs tapissés de livres. Le bureau du notaire, d'un bois brun et épais aux reflets acajou, était éclairé par une lampe verte qui conférait au décor une lueur presque irréelle. Les rideaux étaient fermés, les autres sources de lumière éteintes. Posé sur la table, un dossier en cuir rouge. Aucune trace d'ordinateur ou même de machine à écrire. Ici, le travail paraissait encore fait à l'ancienne. Thorsteinn s'assit dans un grand fauteuil, ouvrit le dossier puis un tiroir duquel il sortit une enveloppe.

Assis face à lui, Ari Thór s'apprêtait à lui poser une

première question quand Snjólaug fit son entrée avec un plateau qu'elle posa précautionneusement au bord de la table. Deux tasses de café fumant y voisinaient avec une assiette de pancakes tout juste sortis du four et un petit sucrier. Il était manifestement inutile de se soustraire à ces petits rituels d'hospitalité. Ari Thór la remercia, sourit et but une gorgée de café.

– Un peu de lait, peut-être ? suggéra la maîtresse de maison.

– Non, merci. Je le prends noir.

Elle eut un petit mouvement de tête avant de s'esquiver.

Le seul mur de la pièce à ne pas être couvert de volumes du sol au plafond était divisé en deux. La partie supérieure était tapissée d'un papier peint à motifs de fleurs bleu pâle, la partie basse d'un lambris peint en noir. Une applique en cuivre côtoyait l'unique fenêtre dont le châssis crème se laissait deviner derrière les rideaux sombres.

– Votre enquête progresse-t-elle comme vous le voulez ? s'enquit Thorsteinn.

Il avait une voix un peu lasse, mais laissait entendre qu'il pouvait y apporter sa contribution.

– Nous avançons pas à pas, et il semble de plus en plus probable que nous ayons affaire à un accident. Hrólfur a donc rédigé un testament ?

– Tout à fait, tout à fait…

Il tenait l'enveloppe des deux mains, comme s'il attendait le bon moment pour l'ouvrir, et ne surtout pas abattre son atout trop tôt.

– Prenez donc un pancake…

Lui-même posa l'enveloppe et se servit. Il saupoudra sa crêpe d'un peu de sucre, la plia en deux et l'engouffra tout entière.

– À mon âge, c'est un plaisir que je ne peux pas m'autoriser tous les jours, confia-t-il la bouche pleine. Je dois faire attention à ce que je mange…

Ari Thór hocha lentement la tête. Il soupçonnait le vieil homme de se sentir très seul. Il tenta de réorienter la discussion sur le testament.

– Cela fait longtemps que Hrólfur vous l'a remis ?

– Eh bien, non. Pas très longtemps. Ça remonte à deux ans. Je l'ai rencontré par hasard et il m'a expliqué qu'il avait envie de mettre de l'ordre dans ses affaires une bonne fois pour toutes. Je l'entends encore me dire : « Je suis fichtrement vieux, c'est le moment ou jamais ! »

Thorsteinn eut un sourire fatigué.

– Mais j'y pense, vous avez peut-être envie d'un petit remontant dans votre café ?

Il se tourna vers la bibliothèque derrière lui. Elle contenait pour l'essentiel des livres juridiques et des annales reliées de jugements de la Cour suprême. Il extirpa le volume de l'année 1962 et sortit du fond de l'étagère une flasque de whisky.

– Non merci, je conduis.

Et je suis en service.

– Comme vous voulez.

Évitant de croiser le regard du policier, Thorsteinn versa une petite rasade dans sa tasse.

– Bien, revenons à nos moutons… Il m'a demandé de m'occuper de son testament, car je continue à exercer de temps en temps, bien que j'aie fermé mon étude d'Akureyri. Ça ne fait pas de mal de se tenir un peu au courant.

– Personne ne m'a parlé de ce document jusqu'à présent. Vous avez été très discret.

C'était moins une question qu'un constat.

– Effectivement. Demande expresse de Hrólfur. Il m'a clairement expliqué qu'il n'en parlerait à personne, et surtout pas aux bénéficiaires. Nous ne sommes que quatre à connaître son existence.

– Quatre ?

– Oui. Hrólfur, moi, ma femme Snjólaug et Gudrún, une infirmière de l'hôpital. Elles ont fait office de témoins et ont toute ma confiance, ne vous inquiétez pas. Gudrún est une amie de longue date qui nous rend visite régulièrement, depuis des années. Je peux vous assurer que personne d'autre n'est au courant.

Ça, nous verrons...

Si Ari Thór avait appris une chose pendant son bref séjour à Siglufjördur, c'est que le secret le mieux caché était susceptible de se répandre à la vitesse de l'éclair dans cette si petite communauté. Sa patience commençait à s'épuiser. Maintenant, il lui fallait des réponses.

– Hrólfur était riche ? Qui sont ses bénéficiaires ?

– Riche ? Bah, à partir de quand peut-on s'estimer riche ?

Thorsteinn semblait attendre une réponse. Ari Thór resta silencieux. Le notaire reprit :

– Disons qu'il était plutôt à l'aise. Mais d'après ce que j'ai compris, il savait profiter : il a beaucoup voyagé, il a mené une existence trépidante. S'il avait continué à écrire et passé un peu moins de temps à s'amuser, il aurait certainement fini très fortuné. Ce qui m'amène à la question : quel est le meilleur choix de vie ?

Thorsteinn rit.

– Bon, trêve de bavardage, au travail !

Au grand soulagement d'Ari Thór, le notaire ouvrit l'enveloppe.

– Tout est réparti entre les amis et la famille.

Ari Thór sortit son calepin, prêt à prendre des notes.

251

– Voyons, voyons… Il avait plusieurs comptes courants et comptes d'épargne, pour une somme d'environ un million de couronnes chacun. Tout l'argent revient à un parent assez éloigné, le seul avec lequel il gardait un contact : un petit-neveu de Reykjavik, marié, avec un enfant. J'ai cru comprendre qu'ils avaient quelques difficultés. Hrólfur aura voulu les aider.

– Lui-même n'avait pas d'enfant ?

– Non. Aucun.

– Vous en êtes certain ?

– Oui. Enfin, autant que possible. Vous pensez que ça pourrait ne pas être le cas ?

Thorsteinn lui lança un regard acéré, comme s'il jouait le rôle de l'avocat de la défense dans un procès.

– Non, mentit Ari Thór. Pas du tout.

Le notaire fronça les sourcils et reprit son exposé.

– Ensuite, il y a les droits d'auteur sur ses livres. Ou plutôt *son* livre, ses nouvelles et ses recueils de poèmes n'ont jamais été des succès…

– À qui reviennent-ils ?

– Au vieux Pálmi. Enfin, vieux, façon de parler. Il est plus jeune que moi. Vous le connaissez ?

– Oui. Vous savez pourquoi Hrólfur l'a choisi ?

– Aucune idée, non, et Hrólfur ne m'a fourni aucune explication.

– À combien peut-on estimer ces droits d'auteur ?

– Impossible à dire. Avec sa disparition, les ventes vont être un peu relancées, mais la mode est bel et bien passée. Je ne pense pas que cela rapporte beaucoup. De petites sommes de temps à autre, sans doute. Rien à voir avec l'époque où il était sollicité par les lettrés du monde entier…

Ari Thór soupira. Insuffisant en tout cas comme

mobile pour que Pálmi pousse le vieil écrivain dans l'escalier…

– Autre chose ?

– Eh bien, oui : le vin. Hrólfur possédait l'une des plus belles caves de la ville, et même de la région.

Le notaire marqua une pause prolongée, exactement comme il aurait pu le faire dans un tribunal.

– C'est Úlfur qui en hérite.

Thorsteinn semblait sur le point d'ajouter *le vieux salaud*, mais il se ravisa.

– Ces bouteilles valent plusieurs millions, mais quelque chose me dit qu'il ne va pas chercher à les vendre. Ce serait un blasphème.

– Et la maison ? Hrólfur en était propriétaire, j'imagine ?

– Absolument. Sans hypothèque.

– Elle revient aux autres membres de la famille ?

– À vrai dire, non. C'est d'ailleurs ce qui m'a surpris – et, depuis le temps que j'exerce, il en faut beaucoup pour m'étonner.

En entendant le nom de la bénéficiaire, Ari Thór sentit son cœur s'emballer. Thorsteinn reprit :

– Et cette… Ugla n'est qu'une jeune femme.

Ari Thór restait muet. Sous le choc.

– C'est inexplicable, pour ne pas dire plus. Elle hérite de la maison, de tout ce qu'elle contient, ainsi que de la Mercedes. De nos jours, ça ne doit pas valoir tant que ça, mais c'est une demeure absolument splendide.

Le policier suivit à peine le reste du monologue. Il ne pensait plus qu'à Ugla. Savait-elle ? L'avait-elle mené par le bout du nez, guidé sur des fausses pistes dans son enquête ? Car à l'évidence, si quelqu'un dans cette ville allait tirer profit de la mort de Hrólfur, c'était bien elle.

Pourtant, il éprouvait toujours de la tendresse pour

elle. Ils se reverraient, quoi qu'il en soit. Mais comment allait-il régler cette situation qui se transformait à toute vitesse en dilemme déontologique ? L'enquête primait, bien sûr. Ari Thór ne pouvait pas sacrifier son métier pour une passade. Ou était-ce plus sérieux ?

Allait-il devoir informer Tómas de leur relation ? Et avouer, du même coup, qu'il avait communiqué à Ugla plus d'informations qu'il n'aurait dû au sujet des enquêtes ?

Il remercia le notaire pour cette entrevue. À en juger par l'expression sur son visage, Thorsteinn aurait aimé prolonger leur conversation, obtenir des détails sur l'enquête, et pourquoi pas grapiller quelques ragots…

Ari Thór quitta la maison si chaleureuse, si accueillante – un vrai foyer, bien différent de celui d'Eyrargata qu'il essayait de considérer comme son « chez-lui ». De nouveau, il pensa à Ugla.

Dans quoi est-ce que je me suis fourré ?

La même question avait traversé son esprit quand Tómas lui avait annoncé, lors de leur première rencontre, que la vie à Siglufjördur était très calme. La réalité se révélait tout autre. Les problèmes se multipliaient, et voilà qu'il se retrouvait impliqué dans l'enquête d'une façon beaucoup trop intime. Il voulut hurler en direction des montagnes qui l'encerclaient de toutes parts mais le blizzard les avait fait disparaître. Un temps idéal pour se cacher.

Bon sang, dans quoi est-ce que je me suis fourré ?

34

Siglufjördur, lundi 19 janvier 2009

Nína se retrouvait assise, seule dans l'obscurité. Ni pour la première fois, ni pour la dernière.

Il n'y avait pas de répétition aujourd'hui et elle avait préféré rester chez elle plutôt que d'aller au théâtre. À quoi bon, si elle n'y voyait personne ? De toute façon, il y avait peu de chance pour qu'elle le croise avant la prochaine répétition. Et puis, elle ne marchait pas encore très bien avec les béquilles. Quelle malchance, de s'être cassé la jambe aussi bêtement...

Elle se sentait bien dans le noir. Elle ne voyait personne, personne ne pouvait la voir. Elle était tellement bouleversée depuis quelques jours. Elle avait commis une erreur, et elle en portait seule la responsabilité. *Quelle malchance...* Mais rien n'était joué. Elle avait fait de son mieux pour dissimuler son faux pas...

Elle comptait les jours et mêmes les minutes qui la séparaient de leurs retrouvailles. En un sens, elle était soulagée qu'il ne se soit jamais rien passé entre eux. Ni hier ni demain. L'aimer de cette façon lui convenait très bien. Toute espèce d'intimité la terrorisait. Cela aurait été différent si elle avait compté pour sa mère, s'il n'y avait pas eu Reykjavik – cette solution de facilité, cette solution médiocre.

Dorénavant, ils étaient liés pour toujours. Ils partageaient un secret, et pas seulement ça : un meurtre.

*

Ari Thór ne pouvait pas parler à Ugla. Pas encore.

Thorsteinn avait repoussé le moment de prévenir les bénéficiaires du legs. Mais le temps était venu.

La jeune femme était-elle au courant de la part qui lui revenait ? La question taraudait le jeune homme. À qui donc, dans cette ville, pouvait-on faire confiance ?

Tómas lui avait demandé de suivre l'affaire de près, afin de noter la réaction des héritiers et de prendre un peu la température…

Pálmi, les traits tirés, n'eut pas l'air spécialement surpris, quand il ouvrit la porte, de tomber nez à nez avec Ari Thór.

De la cuisine parvenait un murmure. Il imagina la vieille dame du Danemark en conversation avec son fils.

– J'imagine que vous voulez qu'on parle de l'héritage ? dit Pálmi sans préambule. Thorsteinn vient de m'appeler.

– Oui, si vous avez un peu de temps, répondit Ari Thór, endossant aussitôt le personnage de l'ecclésiastique poli et bienveillant.

Un rôle à jouer. Juste un rôle.

Ils s'installèrent dans le salon.

– Vous étiez au courant ? commença Ari Thór.

– De l'héritage ? Non. Ça ne m'a jamais traversé l'esprit.

Son regard était fuyant. Impénétrable. Ari Thór n'allait pas abandonner si vite.

– Il ne vous l'avait pas laissé entendre ?

– Non, pas une seule fois, répondit Pálmi. D'après ce que m'a expliqué Thorsteinn, ça ne représente pas une grosse somme. Ses livres ne rapportent plus beaucoup en droits d'auteur.

– Alors c'est plus symbolique qu'autre chose ?

– Eh bien, oui. Je dirais ça.

Encore le regard fuyant. Ari Thór attendit la suite. Pálmi bâilla.

– Excusez-moi, j'ai peu dormi.

– La première de la pièce est pour bientôt, n'est-ce pas ? Les répétitions doivent se finir tard ?

– Oui, en effet. Mais non, non… C'est juste que j'ai beaucoup à faire en ce moment. Mes invités danois sont encore là, comme vous pouvez l'entendre, et ils me tiennent éveillé très tard.

Il tenta un faible sourire.

– Ils ne peuvent pas quitter la ville à cause de l'avalanche.

– Selon vous, pourquoi Hrólfur vous a-t-il désigné ? Il avait encore de la famille dans le Sud.

– Je n'en sais rien.

Il y avait de la fatigue dans sa voix, et toujours cette expression étrange sur le visage.

– Peut-être voulait-il que les droits de son œuvre reviennent à un natif de Siglufjördur ? Il n'en reste plus beaucoup qui le connaissaient bien.

– Úlfur hérite de la cave.

– Úlfur ? répéta-t-il, ébahi.

– Lui-même.

– Bon. J'imagine que les bouteilles ne quitteront pas la ville. À moins qu'il envisage de les vendre ?

– Je ne l'ai pas encore vu.

Ari Thór se leva pour partir. La vieille dame et son fils surgirent de la cuisine. Il les salua.

– Comment se passe votre enquête ? lui demanda Mats en anglais.

– Ça avance. Vous restez encore longtemps ?

– On avait prévu de partir aujourd'hui, mais à cause de la météo, on va être obligés de prolonger notre séjour.

Son expression de chien battu laissa penser qu'il aurait nettement préféré se trouver sous des latitudes plus chaudes, là où le soleil ne se cache pas toute la journée derrière des montagnes.

*

Ari Thór appela le petit-neveu de Hrólfur à Reykjavik et fit un heureux. La perte de son oncle l'attristait, mais l'héritage tombait à pic car ils étaient sur le point de perdre leur appartement, sa femme et lui. Il n'existait aucun lien entre cet homme et Siglufjördur ou les personnes présentes lors de la répétition. Même si rien ne devait être écarté. Úlfur était le suivant sur la liste des héritiers, Ugla attendrait.

– Je suis désolé pour mon interrogatoire l'autre jour, dans le jacuzzi. Ce n'était ni le moment, ni l'endroit.

Un peu d'humilité pouvait parfois se révéler un bon calcul.

Ari Thór était assis face à Úlfur, dans la cuisine de sa maison de Sudurgata, non loin de la place de la Mairie. Il avait déjà obtenu de Tómas toutes les informations possibles sur cet ancien diplomate originaire de Siglufjördur, dont le père avait disparu en mer quand il n'était encore qu'un enfant. À la mort de sa mère, il était revenu dans le Nord. Il avait peu d'amis en ville.

« C'est un homme divorcé, assez solitaire je crois »,
lui avait dit Tómas, curieusement préoccupé.

– Bah, ne vous inquiétez pas, Révérend ! lança Úlfur
en se penchant vers Ari Thór pour lui donner une bour-
rade dans l'épaule – la mauvaise.

Bordel... Il va tout de même falloir que je consulte.

La tempête tambourinait à la fenêtre, mais les caprices
de la météo ne paraissaient pas déprimer Úlfur. Au
contraire : il semblait de fort bonne humeur.

– Ça va vous prendre du temps pour vider toutes ces
bouteilles, remarqua Ari Thór. J'ai cru comprendre que
la cave était pleine…

– Oui. Et chaque bouteille est meilleure que la
précédente.

– Ça a dû être une bonne surprise pour vous ?

– On peut le dire, oui. Je ne m'attendais vraiment
pas à recevoir quoi que ce soit de ce vieux bougre.
Mais ça résume bien Hrólfur. Il voulait toujours avoir
le dernier mot.

Et d'ajouter, avec un grand sourire :

– Je regrette amèrement de m'être disputé avec lui
ce soir-là. J'avais trop pris l'habitude de m'énerver
contre lui…

– Vous n'étiez pas toujours d'accord ?

– Seigneur, non, alors !

– J'ai appris qu'il n'aimait pas votre pièce ?

– En effet, répondit Úlfur, presque par réflexe.

Puis, prenant la mesure de la question :

– Attendez, qu'est-ce que vous voulez dire ?

– Vous écrivez bien une pièce, non ?

– Oui mais, bon sang, comment vous le savez ?

Il se laissa soudain gagner par la colère.

– Apparemment, elle ne l'a pas impressionné.

– Exact. Il préférait le style de Pálmi, dit Úlfur, plutôt gêné à présent.

– Eh bien, reprit Ari Thór sur un ton plus léger, je suppose que ce ne sera plus un problème, maintenant.

Il se leva.

– Comment ça, un problème ? Comment ça ?

Le metteur en scène s'emportait de nouveau.

– Votre pièce. Hrólfur ne peut plus vous empêcher de la monter.

Úlfur bondit de son tabouret, qui faillit tomber.

– Qu'est-ce que vous voulez dire ? Vous croyez que je l'ai tué, c'est ça ? Que je l'ai tué pour monter ma pièce ?

– N'oublions pas le vin, répliqua Ari Thór avec un clin d'œil.

– Foutez-le camp, tout de suite !

Úlfur sortit en trombe de la cuisine et alla ouvrir la porte d'entrée. Dehors, c'était la tempête.

Qu'est-ce qui m'a pris ?

Ari Thór se dirigea vers la sortie sans dire au revoir.

Il décida de mettre ce fiasco sur le compte de la météo.

35

Siglufjördur, mardi 20 janvier 2009

Ari Thór arriva de bonne heure au poste, après une nouvelle bataille avec le blizzard.

— La route ne sera toujours pas dégagée aujourd'hui, lança Tómas sans attendre sa question.

— Ça ne va pas tarder, j'espère, répondit Ari Thór d'un ton enjoué.

Tómas rit :

— Les prévisions sont mauvaises pour le reste de la semaine. On est coincés ici, que ça nous plaise ou non…

En fin de matinée, une femme de la compagnie d'assurance téléphona à Ari Thór. Sur la demande de Tómas, il s'était penché sur l'histoire de l'assurance-vie et avait contacté l'assureur de Linda la veille. Il attendait cet appel pour vérifier quelques détails.

— Désolée pour le retard, nous sommes débordés en ce moment.

— Pas de problème.

On est juste flics à Siglufjördur, rien de très important.

— L'automne dernier, un de nos vendeurs a fait une tournée dans le Nord. Il a présenté nos produits dans différents lieux de travail de Siglufjördur, notamment l'hôpital.

– Et la femme dont je vous ai parlé hier a bien sous-crit une assurance-vie ?

– Linda Christensen ? Oui. Elle a signé chez nous. Pourquoi, elle est morte ?

– Non, mais nous cherchons un lien avec une autre affaire sur laquelle nous enquêtons.

– Eh, mais c'est la femme qu'on a retrouvée dans la neige, c'est ça ? À Siglufjördur ?

– Je ne peux rien dire pour l'instant, désolé. À combien s'élève l'indemnisation ?

– Dix millions de couronnes.

– Et en cas de décès, c'est son mari qui les touche ?

– Le formulaire indique : Karl Steindór Einarsson. Mais ils ne sont pas mariés. Et je n'ai rien prouvant qu'ils vivent ensemble : son logement principal est situé à Kópavogur.

– C'est pourtant bien lui le bénéficiaire, n'est-ce pas ? Karl ?

– Oui. Ça ne fait aucun doute.

– Et si l'assurée meurt de blessures volontaires ou dans des circonstances suspectes, ça ne change rien, n'est-ce pas ?

– Effectivement. Ça ne fait aucune différence.

– Pouvez-vous m'envoyer une copie de vos conditions générales ?

– Je peux, oui. Je vous les scanne et vous les envoie par e-mail un peu plus tard. J'espère qu'elle va s'en sortir, la femme dans la neige.

– Merci pour votre aide, dit Ari Thór avant de raccrocher.

Il se tourna vers Tómas.

– Dix millions.

Tómas leva la tête.

– Il touche dix millions si elle meurt.

– Donc tu penses qu'il est coupable ?

– S'il a fait le coup, je n'arrive pas à comprendre *comment* il s'y est pris. Mais ça ne sent pas très bon pour lui, s'il empoche ces indemnités pour la mort de sa femme.

– Il y a beaucoup de choses qui ne sentent pas très bon pour lui, pourtant il garde son sang-froid depuis le départ.

– Est-ce que je retourne lui parler ? Pour lui poser quelques questions sur cette assurance-vie ?

– Attends un peu. Pas la peine de précipiter les choses. Pour l'instant, cette affaire est au point mort. Comme si la neige ralentissait tout… Par un temps pareil, la ville entre dans une semi-hibernation. Surtout quand la route est bloquée.

Tómas paraissait plus détendu que ses paroles le laissaient supposer. Il était habitué aux hivers rigoureux, le mauvais temps ne l'affectait pas.

Après un temps de réflexion, Ari Thór sortit de son silence.

– Alors on devrait l'interroger à propos des rumeurs dont Sandra a eu vent sur Hrólfur. Ce fameux secret à la Société dramatique : une histoire de liaison clandestine, quelque chose dans ce genre…

– Hum… Karl est le candidat idéal pour ça. Lui et la fille de l'Ouest, là. Ugla. Apparemment, elle n'est pas farouche.

Ari Thór sentit une douleur monter en lui. Il compta jusqu'à dix dans sa tête et donna le change. Il se leva brusquement. Un déchirement familier lacéra son épaule.

– Ah, merde… grommela-t-il.

– Un problème ?

– Non. C'est juste cette putain d'épaule. Elle me fait mal depuis…

Il marqua un temps d'arrêt.

– … depuis l'intrusion.

Ça sonne mieux que : depuis ma chute dans le salon.

– Tu devrais montrer ça à un médecin.

– Ça va se régler tout seul.

– Va voir un médecin tout de suite, ordonna Tómas d'une voix impérieuse. On ne peut pas se permettre d'avoir en service un homme blessé. Qu'est-ce qui se passerait si tu intervenais dans une bagarre ?

– D'accord. J'irai me faire examiner à l'hôpital dans la semaine.

– Non. Tu y vas maintenant. Point barre.

*

Le temps passait si lentement. Si péniblement. Ce matin, Nína avait essayé d'allumer la lumière et de s'asseoir près de la fenêtre avec un livre mais elle n'arrivait plus à se concentrer. L'attente était trop forte. Le moment où ils seraient ensemble, tous les deux, seuls dans leur monde approchait.

Elle gardait la preuve sous son lit. Une bonne cachette, sous le lit. Comme quand, autrefois, elle avait besoin de fuir les coups…

Il serait tellement fier d'elle. Elle l'avait emportée pour lui éviter de se faire arrêter. Dans sa tête, elle anticipait leur conversation : elle lui expliquerait ce qu'elle avait fait, ce qu'elle avait essayé de faire ensuite, même si ça n'avait pas marché. *Où est-ce qu'elle avait bien pu se tromper ?* Elle s'en voulait terriblement. Avec un peu de chance, il ne serait pas fâché.

Non, bien sûr que non. Il serait content d'elle.

Et après… après elle l'inviterait à dîner chez elle.

L'excitation la mettait au supplice.

*

Tómas avait appelé l'hôpital pour demander au médecin de garde d'examiner Ari Thór, même s'il n'avait
pas rendez-vous. Inutile de reporter plus longtemps cette
visite. Le 4 × 4 devait rester au poste, Ari Thór se rendit
à pied jusqu'à l'hôpital malgré la difficulté à progresser
dans cette houle blanche. Si la tempête s'était un peu
calmée, les bourrasques neigeuses continuaient de tour-
noyer violemment autour de lui, l'obligeant à fermer
les yeux à chaque nouvelle rafale cinglante.

Le médecin qu'il devait voir était occupé. Il s'assit
dans la salle d'attente, le souffle court après son expé-
dition. Pour l'instant, son épaule n'occupait pas la
première place sur la liste de ses soucis. Il parcourut
des magazines *people*, cornés et périmés depuis longtemps. Au bout d'un moment, il se leva pour demander
au guichet d'accueil si Gudrún, l'infirmière qui avait
assisté officiellement à la remise du testament auprès
de Thorsteinn, était de service.

– Oui, confirma la femme.

– Est-ce que je pourrais lui poser quelques questions
pendant que j'attends ?

– Je vais la faire chercher.

L'uniforme de policier présentait certains avantages.

L'infirmière arriva et ils s'installèrent à une table à l'extrémité de la salle, loin de l'accueil et de l'unique patient attendant sa consultation. Mieux valait ne prendre aucun risque.

– Je suis désolé de vous déranger pendant votre travail, dit Ari Thór pour la mettre à l'aise.

Gudrún, une femme entre deux âges d'apparence
amicale, ne semblait pas le moins du monde gênée.
Elle lui adressa un sourire franc.

– Ne vous inquiétez pas, dit-elle. Qu'est-ce que je peux faire pour vous ?

– J'aimerais vous poser quelques questions à propos du testament de Hrólfur Kristjánsson. J'ai appris que vous aviez assisté à son dépôt à titre de témoin.

– En effet. Ça s'est passé chez Thorsteinn et Snjólaug. Tout ce que j'ai fait, c'était de signer une attestation de présence.

– J'imagine que tout s'est déroulé dans les règles. Hrólfur était-il présent ?

– Oui, bien sûr.

– Vous saviez qui étaient les bénéficiaires du testament ?

Elle rougit.

– Mon Dieu, non ! Je ne l'ai pas demandé, ça ne me regardait pas.

– Vous est-il arrivé de parler de l'existence de ce testament à des gens ?

– Non. Thorsteinn a été très clair : il fallait que ça reste confidentiel, et je prends ce genre de choses très au sérieux.

Ari Thór la trouvait convaincante.

– Naturellement. Je n'en doute pas.

– Est-ce qu'il a été… assassiné ?

Ari Thór n'eut pas l'occasion de répondre : l'infirmière de l'accueil l'appelait.

– Désolé, je dois filer. Le médecin m'attend.

– Oui, d'accord. J'espère que je vous ai été utile…

– Tout à fait, répondit-il par politesse. Merci d'être venue.

Il se dépêcha de rejoindre le médecin, une grande jeune femme à l'air autoritaire, aux cheveux noirs coupés court.

– Alors, qu'est-ce qu'il vous arrive ? Tómas a parlé de votre épaule, c'est ça ?

Elle n'avait manifestement pas de temps à perdre.

Ari acquiesça, montra son épaule douloureuse.

– Je suis tombé sur la table de mon salon.

– Il n'y a pas d'endroit plus dangereux que chez soi, commenta-t-elle en lui pétrissant l'épaule. Ça fait mal ?

Il grimaça.

– Beaucoup.

Elle l'examina rapidement.

– Rien de bien grave. Une légère élongation des muscles. Vous allez encore avoir mal pendant quelques jours, et ça va s'arranger. Je vais vous donner un arrêt de travail, et vous devrez garder votre bras en écharpe.

Il voulait refuser mais n'en avait pas la force, pas sur l'instant. Il quitta l'hôpital le bras maintenu par un bandage, qu'il était bien décidé à retirer dès son arrivée au poste de police. Cependant, il se ravisa : il était stupide de s'obstiner. Après tout, il pouvait bien ménager son épaule pendant quelque temps.

Il n'était pas loin de l'hôpital quand il se retourna soudain et revint sur ses pas. Il voulait vérifier quelque chose qui l'aiderait peut-être à découvrir qui avait pénétré chez lui cette fameuse nuit.

*

L'information obtenue confirma sa théorie, même s'il restait quelques zones d'ombre dans le tableau. En chemin vers le poste, l'esprit plus léger, plus optimiste, il soupesait les différents scénarios. Il avait sa petite idée sur *qui* mais ne savait pas encore *pourquoi*. Cherchait-il un objet d'une quelconque valeur, peut-être lié à l'enquête ? Il pensa soudain à l'appareil photo.

Excité par sa découverte, il en oublia presque son épaule et les recommandations du médecin.

Il se précipita sur son ordinateur et, sans un mot pour Tómas, ouvrit le dossier contenant les photos prises au théâtre.

– Le Révérend a le bras en écharpe ? ironisa Tómas.

– Hein ? Ah, oui. Apparemment, je me suis fait une méchante élongation. Je dois y aller mollo pendant quelques jours.

– C'est bien ce que je pensais. Tu n'as qu'à permuter avec Hlynur. Je lui demanderai de prendre tes gardes de la semaine, comme ça, tu pourras revenir ce week-end.

– Je préférerais continuer à bosser, si ça ne te dérange pas. Ce n'est pas comme si j'avais autre chose à faire…

Hormis penser au travail, à Ugla et à Kristín.

– On va suivre les recommandations du médecin, d'accord ?

Le ton paternaliste de Tómas lui fit penser à son père. Il aurait dit exactement la même chose.

– Entendu. Mais je reste quand même dans le coin.

– Comme tu veux. Mais tu n'es *pas* en service, que ce soit bien clair.

Ari Thór se retourna vers l'écran et passa en revue les photos. Il ne voulait pas dévoiler sa théorie à Tómas avant d'en être tout à fait sûr, et il lui restait des détails à vérifier.

Qu'est-ce qui leur avait échappé ? Il scrutait les photos l'une après l'autre, encore et encore, mais rien ne lui sautait aux yeux. Le découragement le gagnait.

Il restait une possibilité : les montrer à Ugla, la seule en qui il avait confiance. Peut-être repérerait-elle quelque chose ? Mais ce n'était pas si simple. Ils devaient d'abord discuter. Et puis, cette histoire de testament... Sans parler du fait de divulguer les photos d'une scène de crime à une suspecte potentielle.

Il décida de sauter le pas. Il irait voir Ugla. Son avis lui serait utile.

Il grava les photos sur un CD qu'il glissa dans sa poche.

*

Au fil des ans, Hlynur avait changé, gagné en maturité. Quand il regardait en arrière, il se demandait comment il avait pu être un jeune homme aussi... disons... mauvais. Ignoble, même.

Il avait toujours été grand pour son âge. Et fort. Mais au lieu de se servir de sa force pour aider ses camarades d'école en difficulté, il préférait utiliser toute son énergie pour les taquiner. Taquiner n'était pas le bon mot, d'ailleurs.

Harceler, torturer correspondaient sans doute mieux à la réalité. Certaines nuits, il se réveillait en sueur, tourmenté par ses anciens péchés.

Ils m'enverront droit en enfer.

Tout cela se déroulait dans un passé lointain. Il était devenu un homme responsable. Il avait déménagé, était parti vivre au Nord à Siglufjördur. Il essayait sans cesse d'oublier ces années, mais peinait à ôter de sa mémoire le souvenir de ceux qu'il avait tant maltraités. Il se rappelait le nom de chacun. Ces dernières années, il avait tenté de recontacter ses victimes. Pour leur présenter ses excuses. La plupart les avaient acceptées. Certains donnaient l'impression d'avoir surmonté ce traumatisme – en surface, en tout cas. Et puis, il y avait les autres, moins enclins à lui pardonner.

Il les retrouva tous – sauf un. Son nom ne figurait

pas dans l'annuaire, ni dans le Registre national. Il ne trouva sa trace nulle part, jusqu'à ce qu'il cherche dans les archives des journaux sur Internet. Bientôt, le nom apparut dans plusieurs rubriques nécrologiques. Il les avait toutes lues et relues, pour arriver à la conclusion que l'homme s'était suicidé. Cela ne pouvait pas être lié à ce qu'il lui avait fait subir à l'école... Après tout ce temps, c'était impossible. Il n'avait pas encore pris contact avec la famille du défunt. Cette seule pensée lui donnait des sueurs froides. Il aurait voulu parler à ses parents, qu'ils le rassurent... Il hésitait encore. Il était terrifié à l'idée qu'ils puissent confirmer ce qu'il soupçonnait, au fond de lui. C'est avec ce garçon qu'il s'était montré le plus féroce. À la piscine de l'école, il le maintenait sous l'eau un peu plus longtemps à chaque fois, menaçant de le noyer. Le pauvre gamin était paralysé de terreur – et Hlynur ne le laissait pas en paix. Il était petit, rondouillard, timide, incapable de se défendre, et ça ne faisait qu'encourager Hlynur dans ses brimades. De temps en temps, il le tabassait. Et le petit garçon, devenu adulte, avait mis fin à ses jours. Depuis que Hlynur avait fait cette découverte, il songeait à en terminer de la même façon. Ce poids sur sa conscience devenait insoutenable.

Pourquoi s'était-il comporté... comme un salaud ?

Son unique fierté, c'était d'avoir su renouer une relation respectueuse avec un de ses anciens camarades – une autre de ses victimes. L'homme travaillait comme journaliste à Reykjavik. Ils s'étaient retrouvés autour d'un café, quelques années plus tôt, pour évoquer le passé. Ils s'étaient revus depuis à une ou deux reprises. Sa conscience le tourmentait jusqu'à l'insoutenable et il voulait tout faire pour améliorer la vie de cet homme. Il voulait tous les aider, en guise de pénitence pour ses fautes passées. Mais dans certains cas – un, du moins –, c'était trop tard.

Sa quête de rédemption l'obligeait parfois à enfreindre certaines règles. Il ne regrettait pas une seconde d'avoir transmis des informations au journaliste : c'était la moindre des choses. Ces affaires étaient les premières vraiment importantes à frapper la ville depuis qu'il s'y était installé, il ne pouvait pas laisser passer l'occasion d'en faire profiter son vieux camarade.

Tant pis si ça signifiait trahir Tómas et supporter ses jérémiades. Ce petit geste était l'une des rares choses qui l'empêchaient de commettre l'irréparable. Qui le maintenaient en vie.

Il regarda par la fenêtre. Il avait un jour de congé. Il s'assit un instant et observa la chute inexorable des flocons. Le manteau de neige enflait à vue d'œil, et l'obscurité gagnait tout.

*

– Ça n'est pas encourageant, commenta Tómas en raccrochant le téléphone, abattu.

Ari Thór n'avait aucune raison de rester chez lui. Il était encore au poste.

– Quoi ?

– Linda. Elle est toujours inconsciente et les médecins ne constatent aucune amélioration. Son état commence même à empirer…

– Ils ont prévenu Karl ?

– Ils sont en contact permanent avec lui.

– Qu'est-ce qu'il en pense ?

– Il a dit qu'il comptait descendre à Reykjavik dès que possible. Selon le médecin, il est bouleversé. Je ne suis pas sûr que ce soit le bon mot…

Tómas regarda Ari Thór d'un air grave. Guettant la réaction de son supérieur, le jeune homme confirma :

– Il se contrefout de Linda.

– Je crois que tu as raison. Mais je ne comprends pas.

– Il cache quelque chose…

De nouveau assis devant son ordinateur, Ari Thór entendit Tómas marmonner – à son intention, ou peut-être simplement pour lui-même.

Il cache quelque chose. Ari Thór chercha une adresse e-mail dans une liste d'unités de police internationales. Il était temps de se renseigner davantage sur cet homme…

Il rédigea rapidement son message et l'envoya. Maintenant, il fallait attendre. S'il obtenait les résultats qu'il espérait, il aurait un sérieux atout dans son jeu.

Ugla surgit à nouveau dans ses pensées.

Ugla et Karl ? Était-ce le secret que Hrólfur avait mis au jour ?

Non. Putain, non… Pas Ugla.

Pendant une fraction de seconde, il douta de son propre jugement. Puis, secouant la tête, il évacua la jeune femme de son scénario.

Que penser d'Anna, en revanche ? Quand il lui avait rendu visite, il avait été frappé par son comportement franchement bizarre. Tout comme Karl, elle avait quelque chose à cacher. S'agissait-il du même secret coupable ? Ari Thór prit alors conscience qu'il n'avait vu aucun des deux à la réception suivant l'enterrement de Hrólfur. Ça n'avait pas forcément de signification, mais tout de même…

Karl avait-il poussé Hrólfur dans l'escalier pour préserver le secret d'une liaison avec Anna ?

Ou bien Anna elle-même ?

Il se tourna vers son chef.

– Je me demandais… Cette rumeur sur l'enfant que

Hrólfur aurait eu pendant la guerre ou juste après, tu crois qu'elle est vraie ?

– J'en doute, mon ami.

– Mais ça reste envisageable, non ?

– Tout est possible. Quand bien même… Je ne vois pas en quoi ça concernerait notre affaire.

– Et si c'était un membre de la Société dramatique ? Né pendant la guerre… ça lui ferait dans les soixante-cinq ans aujourd'hui. Pálmi ? Úlfur ?

– Ça m'étonnerait. Pálmi est trop vieux, et Úlfur… Eh bien, tout le monde connaît son père. Disparu en mer. Non…

Tómas réfléchit.

– Nína, en revanche…

– Quoi, Nína ?

– Elle est un peu plus vieille que moi. Sans doute née vers 1945.

– Pourquoi tu penses à elle ?

– Pardon. Parfois, je pars du principe que tu en sais autant que moi sur tout le monde…

Vas-y, crache le morceau.

Ari Thór scrutait Tómas en montrant des signes d'impatience.

– Nína a été élevée par sa mère et son beau-père, dont elle a pris le nom. Sa mère s'est mise en ménage avec lui peu après être tombée enceinte. Et je ne sais pas du tout qui est le véritable père de Nína. Si je me rappelle bien, pendant la guerre, sa mère vivait dans le Sud. J'ai toujours pensé que ça devait être un soldat…

*

Ari Thór sonna chez Ugla dans la soirée.

– Salut.

Elle semblait intimidée. Belle, comme à son habitude. Charmante.

– Qu'est-ce qui t'arrive ? gloussa-t-elle en montrant son bras en écharpe.

À sa façon de l'accueillir, Ari Thór sentit que leur relation prenait une tournure inattendue. Non qu'ils aient discuté de quoi que ce soit et, avec un peu de chance, elle n'allait pas le forcer à avoir une conversation sérieuse maintenant. Il devait d'abord parler à Kristín.

Il avait tenté de se convaincre que Kristín ne s'intéressait plus à lui, que tout était fini entre eux. Leur dernière conversation téléphonique s'était conclue de façon si abrupte – mademoiselle était trop occupée à travailler. Kristín était comme ça, en même temps ; elle n'avait jamais manifesté d'émotions débordantes.

Il se sentait bien auprès d'Ugla, il aimait sa compagnie. En ce moment, plus que jamais, il avait besoin de tendresse, d'être rassuré. Ses cauchemars empiraient nuit après nuit, tout comme sa claustrophobie. Au début, il avait simplement eu peur de se retrouver enseveli sous la neige. À présent que ce cauchemar était devenu réalité, dans ce lieu isolé, il avait l'impression d'avoir atteint sa limite. Cette foutue obscurité n'arrangeait rien. L'unique moyen de rester sain d'esprit, c'était le travail. La route était toujours fermée, et dans la soirée, une autre avalanche, plus petite celle-là, s'était déclenchée. Il avait désespérément besoin de quelqu'un.

Ils s'assirent et Ugla attaqua immédiatement :

– Au sujet de… l'héritage. Sincèrement, je ne me doutais de rien. Tu dois me croire.

– Je te crois, Ugla. Bien sûr que je te crois. Hrólfur était un personnage imprévisible. Et tu n'as pas à avoir honte : tu t'es toujours bien comportée avec lui, avec gentillesse. Tu étais son amie. Pourquoi ne t'aurait-il pas fait ce cadeau ?

– C'est beaucoup trop. Je suis mal à l'aise.

– Tu as tort. D'une certaine façon, ça peut te changer la vie. Tu vas pouvoir habiter gratuitement dans une immense maison, et pourquoi pas louer l'appartement du sous-sol ! Ou alors toute la maison, et te servir de l'argent pour poursuivre tes études ?

– Je sais, admit-elle, gênée. J'ai déjà réfléchi à toutes ces possibilités... Je lui suis tellement reconnaissante.

– Tu peux également vendre la maison et en tirer un bon prix.

– Pas question ! Je ne ferais jamais une chose pareille à Hrólfur. Je la garde en l'état, avec le mobilier et tout le reste. Mais qu'est-ce que les gens vont penser ? Tout le monde va être au courant...

– Ne te préoccupe pas des autres.

Ari Thór s'approcha d'elle et passa un bras autour de ses épaules.

Après un moment de silence, Ugla reprit :

– J'ai quelque chose à te dire. Quelque chose qui me pèse sur la conscience...

Il sentit son cœur s'emballer. Allait-elle passer aux aveux ? Si cela concernait la mort de Hrólfur... aurait-il le courage d'en parler à Tómas ?

– Je t'ai menti, en quelque sorte...

Ari Thór était à l'agonie.

– À propos d'Águst. Mon fiancé, qui est mort. Je t'ai raconté qu'il avait été frappé violemment par un inconnu. Ça n'est pas tout à fait vrai. Celui qui a tué Águst – involontairement –, je le connaissais. J'avais une liaison avec lui...

Un peu comme moi en ce moment, pensa Ari Thór.

– C'est pour cette raison que j'ai dû quitter

Patreksfjördur. Pas à cause d'Ágúst, mais de l'autre garçon, qui vit toujours là-bas. Et qui me rappelait constamment ma terrible erreur.

Ses larmes se mirent à couler. Ari Thór la consola du mieux qu'il put.

Dès qu'elle fut remise de ses émotions, il revint au motif initial de sa visite :

– Tu peux me rendre un service, tu crois ?

Elle sourit.

– Bien sûr. Tout ce que tu voudras.

– J'ai pris quelques photos au théâtre, le soir de la mort de Hrólfur. J'aimerais que tu y jettes un coup d'œil. Tu te rappelles que quelqu'un est entré une nuit chez moi ? Je pense qu'il en avait après mon appareil photo. Mais je n'arrive pas à comprendre pourquoi…

Il s'installa devant l'ordinateur d'Ugla et glissa le CD dans le lecteur.

Elle prit tout son temps pour bien examiner les photos, revenant en arrière chaque fois que c'était nécessaire. Elle ne remarqua qu'une chose. Un petit détail. Mais très intéressant.

Un simple nom qu'elle prononça et qui surprit Ari Thór. Il avait besoin d'approfondir ses recherches pour en saisir toutes les implications. À moins qu'il ne s'agisse d'une fausse piste ?

Il quitta Ugla sur un baiser. Comme un collégien, le cœur léger…

36

Siglufjördur, mercredi 21 janvier 2009

Ari Thór se mit au lit en fin de soirée. L'enquête, les membres de la Société dramatique, Karl, Linda et Sandra, tout se bousculait dans son esprit. Pour une fois, il dormit à poings fermés, sans cauchemar oppressant, sans éprouver ce sentiment habituel d'impuissance. Peut-être commençait-il, petit à petit, à s'acclimater ? Il se réveilla reposé, le regard neuf. Une idée en particulier avait germé en lui. Il repensa à sa conversation avec Sandra et se mit à rassembler timidement quelques-unes des informations récoltées le long de son enquête.

Un crime terrible pouvait-il avoir été commis à Siglufjördur ? Il y a longtemps. Un crime dont personne n'aurait eu connaissance à l'époque.

Il lui fallait poser de nouvelles questions à Sandra. Une demi-heure plus tard, il prit la direction de la maison de retraite. C'était une magnifique journée d'hiver et son humeur, elle aussi, rayonnait. Le martèlement permanent de la neige avait cessé et l'air était immobile. Grâce à son bras en écharpe, la douleur dans son épaule commençait à s'apaiser.

Le regard de Sandra s'illumina lorsqu'il pénétra dans sa chambre.

– Je savais que vous reviendriez ! Notre conversation était tellement intéressante, la dernière fois.

Allongée dans son lit, elle se redressa sur les coudes pour lui parler. D'un geste timide, elle lissa ses draps.

– Quel dommage que je ne sois pas plus présentable.

– J'espère que vous allez bien ? dit Ari Thór pour la mettre à l'aise.

– Pas trop mal. Je suis toujours là !

– Je me suis rappelé quelque chose que vous m'aviez dit, je voulais vous en reparler…

– Ah ? Allez-y.

La question d'Ari Thór parut troubler la vieille femme, la consterner même.

– Vous pouvez répéter ? demanda-t-elle doucement. Il répéta.

– Je croyais avoir mal entendu. Pourquoi diable voulez-vous savoir ça ? l'interrogea-t-elle, perplexe.

– J'essaie de découvrir si Siglufjördur a été, il y a plusieurs années de cela, le théâtre d'un meurtre.

Elle comprit brusquement ce qu'Ari Thór disait, et son regard intrigué céda la place à un rictus horrifié. Elle réfléchit un temps avant de lui donner ce qu'il était venu chercher. Puis elle ajouta, pensive :

– Vous ne pensez quand même pas…

– Si. Je commence même à avoir de sérieux soupçons. Ravi de vous avoir revue. Je reviendrai vous voir, si vous voulez un peu de compagnie.

Il paraissait sincère.

– Vous êtes toujours le bienvenu, mon cher garçon.

Au moment de sortir de la chambre, il entendit Sandra murmurer :

– Eh bien ça… une ville si tranquille…

*

La maison de retraite dépendait de l'hôpital. Ari Thór en profita pour passer un coup de fil et demanda à parler au médecin. Sa réponse confirmait parfaitement la théorie qu'il venait juste de forger.

Tant de choses s'éclaircissaient. Il était tout près de résoudre le mystère de la mort de Hrólfur. Son instinct l'avait d'abord conduit à accuser Karl, mais la photo montrée par Ugla l'emmenait dans une autre direction. Vers une personne qu'il n'avait jamais soupçonnée sérieusement.

*

Emmitouflé dans une épaisse parka fourrée, Ari Thór rejoignit le poste de police. La tempête s'était réveillée, encore plus terrible, redoublant de force et projetant des tourbillons de neige qui s'amassaient de plus en plus haut, contre le moindre obstacle.

Ari Thór s'était cru presque guéri de sa claustrophobie et de ses angoisses. En réalité, il en était encore loin.

Hlynur veillait seul cette nuit, un mug de café pour toute compagnie. Ari Thór s'assit non loin de la cafetière.

– Tu as entendu ? Il y a eu une manif à Reykjavik, des types ont foutu le feu au sapin de Noël.

Ari Thór le dévisagea, intrigué.

– Le sapin de Noël ?

– Ouais. Sur la place Austurvöllur, près du Parlement. Le sapin géant que les Norvégiens vous envoient chaque année, tu sais ?

– Quoi ? Le sapin d'Oslo ? Incroyable !

– Je n'arrive pas à imaginer que la même chose se produise ici. Nous, c'est les Danois qui nous envoient leur sapin à Noël. Tu imagines le scandale, si quelqu'un y flanquait le feu ? On pourrait toujours courir pour en recevoir un nouveau l'année d'après…

– Les manifestants étaient peut-être morts de froid, ironisa Ari Thór.

Puis, changeant de sujet :

– C'est plutôt calme en ce moment, hein ?

– Oui… Qui pourrait avoir envie de sortir par un temps pareil pour enfreindre la loi ? Oh, au fait, le labo de Reykjavik a appelé, juste après le départ de Tómas. Au sujet de Linda.

– Ils ont dit quoi ?

– Ils ont trouvé quelque chose sur le manche du couteau. Des traces infimes de fibre – de la laine, je crois. Mais aucune empreinte.

– Des fibres qui viennent des vêtements de Linda ? demanda-t-il, se rappelant au même moment qu'elle avait été découverte à demi-nue.

– Non. Elles ne correspondent pas à la chemise retrouvée dans l'appartement. Elles sont de couleur bleue. Et je crois bien qu'ils ont parlé de laine. On vérifiera ça demain.

Il bâilla.

– J'en parlerai à Tómas dès qu'il arrivera.

Ari Thór sentit une sueur froide lui couler dans la nuque. De la laine bleue. Un pull en laine bleu marine. La neige et le corps inerte dans son halo de sang.

Karl.

Cet enfoiré de Karl.

Enfin, un indice qui le rattachait à l'affaire ; du moins au couteau.

– Intéressant, dit-il en ravalant son excitation.

Mieux valait ne pas trop en dire pour l'instant.

Ari Thór s'assit devant son ordinateur. La compagnie d'assurances lui avait envoyé un e-mail récapitulant ses conditions générales. Sa boîte contenait un autre message, venu de l'étranger celui-là. Sans doute la réponse à sa requête de la veille. Il le parcourut, ainsi que la pièce jointe, aussi rapidement que sa connaissance de la langue le lui permettait puis, le cœur battant, imprima tous ces messages.

Il lut aussi le document envoyé par la compagnie d'assurances.

Ça, pour une surprise...

Son cœur s'emballa. Sans rien montrer, il salua Hlynur d'un geste amical et releva la capuche de sa parka. Les pièces du puzzle se mettaient en place l'une après l'autre ; la vérité serait dévoilée ce soir.

Il sortit dans la pénombre blanche. Quelque part, dans le tréfonds de son esprit, une voix lui murmurait de faire attention, d'attendre plutôt le matin. Plus prudent. Après tout, mieux valait éviter d'aller seul à la rencontre d'un homme qui en avait si lourd sur la conscience.

Le temps semblait empirer à chaque pas. Les rafales de vent soulevaient la neige fraîchement tombée et la projetaient en un tourbillon glaçant. Comme une mise en garde de la nature. Ari Thór y voyait à peine, mais il savait précisément où il voulait aller, et comment s'y rendre. Il irait jusqu'au bout.

37

Siglufjördur, mercredi 21 janvier 2009

L'épuisement qui marquait le visage de Karl fut rapidement remplacé par la surprise quand il découvrit Ari Thór, qui patientait sur le pas de sa porte. Il fronça les sourcils.

– Qu'est-ce que vous voulez ?

Toute trace de courtoisie avait disparu. Les gens ne respectent-ils que les policiers en uniforme ? Karl avait-il joué un rôle tout ce temps, celui de l'homme bien élevé, s'inquiétant pour sa compagne ? Révélait-il enfin son vrai visage ?

Il reconnut tout de suite l'odeur de l'alcool. Karl n'était pas ivre, mais pas sobre non plus. Et il carburait sans doute à quelque chose de plus fort que la petite bière du mercredi soir. Ari Thór hésita à tourner les talons et attendre jusqu'au matin. Après tout, il n'était pas en service et l'homme n'était pas en état d'être interrogé. Il était pourtant fermement décidé à entrer dans le vif du sujet.

– Je peux vous parler ?

Karl l'inspecta des pieds à la tête. Dans son regard, autant de crainte que de curiosité. Il haussa finalement les épaules.

– Pourquoi pas ?

Il s'écarta pour le laisser entrer. Il faisait froid dans son appartement. Pas autant que dehors, mais suffisamment pour le remarquer.

Karl le devança dans le salon et baissa le volume de la télévision. Il retourna s'installer dans le fauteuil en cuir qu'il devait occuper avant l'arrivée d'Ari Thór. Un verre était posé sur la table basse, à côté d'une bouteille de tequila, d'un citron vert coupé en rondelles, d'un autre encore intact, d'un couteau et d'une salière. Le bois de la table était lacéré de coups de couteau. Ari Thór remarqua, légèrement inquiet, que Karl se trouvait à mi-chemin entre lui et la porte, posté tel un chien de garde. Il s'assit sur le vieux canapé jaune avec ses étranges coussins brodés. Il se sentait déstabilisé, en position de faiblesse sur le territoire de Karl. Celui-ci fixait Ari Thór.

– J'ai quelques questions à vous poser.

– Quoi ?

Karl but une longue gorgée et parut se détendre.

Ari Thór rassembla ses esprits et, d'un ton résolu, répéta :

– J'ai quelques questions à vous poser.

Karl restait silencieux.

Ari Thór sortit son calepin et feignit de relire ses notes, alors qu'il savait parfaitement ce qu'il voulait lui demander.

– C'est au sujet de votre adresse, Karl... Est-il exact que vous êtes officiellement domicilié à Kópavogur ?

Commencer petit... Se donner le temps de reprendre courage.

Karl rit.

– Si c'est exact ? Quelle question ! Ne tournez pas autour du pot ! Bien sûr que je suis domicilié à Kópavogur, vous l'avez déjà vérifié. Ce que vous voulez savoir, c'est pour quelle raison…

Ari Thór acquiesça.

– J'ai des dettes… Un demi-million de couronnes, à peu près. Je préfère que certaines personnes ne sachent pas où je vis en ce moment.

– Quelles personnes ? Votre banque ?

Nouveau rire – il semblait cette fois sincèrement s'amuser.

– La banque ? Non. Je parle de messieurs peu habitués aux méthodes conventionnelles… Ils m'ont sans doute oublié à l'heure qu'il est. En tout cas, il y a peu de chances qu'ils aient l'idée de me chercher jusqu-ici. Quel homme un tant soit peu sensé viendrait se perdre à Siglufjördur au beau milieu de l'hiver ?

Il marqua un temps d'arrêt puis reprit, avec un large sourire :

– À part un crétin venu du Sud…

Ne le laisse pas te provoquer.

– J'ai appris qu'on vous avait vu avec une autre femme.

L'hameçon était lancé. Il faut parfois savoir jouer avec la vérité.

Nouveau sourire de Karl.

– Bah, il fallait bien que ça arrive un jour ou l'autre, pas vrai ? Les parties de cache-cache, ça devient fatigant à la longue, mais c'est marrant tant que ça marche. Alors, qui nous a balancés ?

– Hrólfur, répondit Ari Thór, pensant que c'était tout à fait plausible.

– Hrólfur ! Ce vieux salaud ! Il espionnait ses voisins…

Ses voisins ? Anna ?

– Vous vous voyez toujours ? Vous et… Anna ?

– Bah, qu'est-ce que ça peut vous foutre ? Ça vous intéresse de savoir avec qui je baise ?

Karl se tut, comprenant subitement ce que cela impliquait.

– Et voilà… maintenant vous allez penser que j'ai poussé le vieux dans l'escalier !

Il éclata de rire, mais son visage était un masque.

– C'était vous ?

Karl lui lança un regard noir.

– Non.

– Vous n'avez pas honte de tromper votre femme ?

– Honte ? Non. Bien sûr, je n'aurais pas adoré que Linda le découvre. C'est elle qui paie le loyer. Mais maintenant… Maintenant je m'en contrefiche, puisqu'elle est morte – enfin, c'est tout comme.

Comment ce type pouvait-il proférer pareille chose ? Une fureur sourde montait en Ari Thór.

– Et Anna ? J'imagine qu'elle n'aimerait pas que toute la ville soit au courant ?

– Non, certainement pas. Elle projette de rester définitivement ici et de devenir instit.

Et, avec un petit air suffisant :

– Ce n'est pas mon problème. Moi, je me casse. J'ai trouvé un job à Akureyri.

Son regard se tourna vers la fenêtre. Le silence reprit ses droits tandis que la tempête se déchaînait autour d'eux. Ari Thór écoutait le vent geindre au-dehors.

– Vous êtes venu jusqu'ici pour me demander si j'avais tué le vieux ?

Ari Thór fixa son interlocuteur, bien décidé à ne pas se laisser manipuler. Maintenant qu'il se trouvait dans la tanière du lion, il irait jusqu'au bout pour faire éclater la vérité.

– Vous pensez que j'ai aussi tué Linda ?

Le ton était ouvertement railleur.

– Non.

Ari Thór soutenait son regard.

– Vraiment ? Alors vous n'êtes peut-être pas aussi stupide que vous en avez l'air.

– Je sais très bien que vous ne l'avez pas agressée. Je suis au courant, pour l'assurance-vie.

Stupéfait, Karl dut faire un effort pour se recomposer un visage.

– Putain, comment vous savez ça ?

– Vous connaissiez donc l'existence de cette assurance.

– Je me vois mal dire le contraire, maintenant…

– Il y avait des fibres de laine provenant de votre pull sur le manche du couteau.

– Vous êtes un petit malin en fin de compte, Ari Thór. Peut-être que je devrais simplement l'admettre pour me débarrasser de vous.

– Vous n'êtes pas coupable de l'agression, c'est entendu. Mais arrêtez avec votre sourire, parce que je sais ce que vous avez fait.

– Vraiment ? Eh bien, dites-le-moi. Je suis impatient.

– Vous avez déplacé le couteau. Vous l'avez caché derrière les haies pour qu'on ne le retrouve pas près du corps de Linda. Pour donner l'impression qu'il y avait bien un agresseur.

– Et pourquoi j'aurais fait un truc pareil ?

Il parlait de façon posée, comme s'il s'adressait à un enfant.

– J'imagine que vous avez lu les conditions du contrat d'assurance-vie, ou que vous aviez une idée de leur teneur. Vous ne touchez aucune indemnisation si elle se suicide si tôt après le début du contrat.

L'expression de son visage était éloquente.

– Vous croyez qu'elle a tenté de se suicider ? demanda Ari Thór.

– Aucune idée, répondit Karl en détournant la tête. Elle se plaignait toujours. Elle ne supportait pas la météo, elle détestait cette obscurité permanente… Si elle voulait vraiment mettre fin à ses jours, elle se serait coupé les veines, quelque chose comme ça. Je crois qu'elle voulait juste attirer l'attention. Elle en parlait parfois, de se mutiler… Elle jouait avec les couteaux de cuisine. Je lui disais de fermer sa gueule et de grandir un peu.

Après un silence, il poursuivit :

– Elle a dû mal s'y prendre… Elle s'est coupée trop profondément et a perdu beaucoup de sang. Quelle idiote ! Elle voulait sans doute défier le destin. Se taillader comme ça, dans la neige… Ce qu'elle pouvait être mélo ! En même temps, reconnaissez que ça faisait un beau contraste, ce rouge sur la neige blanche. Elle a toujours eu un petit côté artiste.

Tout ce mépris… Cette froide analyse ne le faisait ressortir que davantage.

– Et, cerise sur le gâteau, tout ça est arrivé par la faute de Hrólfur !

– La faute de Hrólfur ? répéta Ari Thór.

– Après sa chute dans l'escalier, l'état de Linda a empiré. Elle est devenue plus instable, surtout avec les premières rumeurs de meurtre.

– Mais vous reconnaissez avoir déplacé le couteau pour toucher l'assurance ?

– Je ne reconnais jamais rien. Ça ne vaut pas le coup. Pour ce que j'en retire… Je joue le jeu quand il y a quelque chose à gagner. Ah si, je reconnais que c'est l'enfer de vivre avec quelqu'un qui fait ce genre de conneries. Quelle image ça donne de moi ?

Il s'interrompit. Et soudain, d'un ton plus agressif :

– Je vois bien que vous espériez me coller un truc grave sur le dos. Mais vous n'allez pas m'envoyer sous les verrous pour avoir déplacé un couteau...

Non, hélas.

Ari Thór sortit de la poche de sa parka quelques feuilles qu'il déplia et posa sur la table. Son portable sonna. Il le tira de sa poche de pantalon et regarda l'écran. Ugla. Il coupa la sonnerie.

– Qu'est-ce que c'est ? Qu'est-ce que vous me sortez ?

Karl avait légèrement bredouillé. Il perdait de sa superbe. Il ne chercha même pas à bondir. Il se contenta de prendre un citron et de le couper en rondelles. Sans se préoccuper de taillader un peu plus le plateau de la vieille table.

Ari Thór ne répondit pas tout de suite.

– Putain, c'est quoi ce truc ?

– Des documents que la police danoise m'a envoyés.

Le visage de Karl demeurait impavide, mais il se mit à cisailler le citron avec un surcroît de force.

– Vous avez vécu quelque temps là-bas, n'est-ce pas ?

– Vous le savez déjà. Qu'est-ce que vous essayez de me faire dire, espèce d'enflure ?

– Ces rapports proviennent de vieilles archives. On dirait que vous avez eu quelques démêlés avec la police...

– Et après ? C'était pour des conneries...

– Un incident était apparemment plus notable que les autres. Et vous avez été interrogé comme suspect dans une affaire très grave... Suspect principal, mais aucune preuve.

Pas de réaction.

– Je vous rafraîchis la mémoire ?

Silence.

– Un cambriolage dans la maison d'une femme, dans la banlieue d'Århus. Vol de bijoux. Ça ne vous rappelle rien ?

Karl affichait une expression aussi froide et dure que la pierre. Il arrêta de couper ses rondelles de citron et, comme par réflexe, posa la lame contre le canapé, la remonta lentement sur l'accoudoir, éraflant le cuir.

– Une femme a été agressée. La suite, vous la connaissez, pas vrai ?

Le visage de Karl s'ouvrit en un large sourire. Un frisson parcourut la colonne vertébrale d'Ari Thór. Il ne put réprimer un tremblement.

– Oui. Je connais la suite.

38

Elle essaya encore d'ouvrir la porte. Son cœur explosait dans sa poitrine. Elle l'entendit approcher, le sentit tout près d'elle.

Et puis, ce bruit – le plus beau qu'elle n'eût jamais entendu. Le déclic de la porte. Enfin déverrouillée. Elle recula d'un pas afin de pouvoir l'ouvrir vers l'intérieur, puis de courir aussi vite que ses jambes le pourraient. Elle courrait en pensant à son mari, à ses enfants et à ses petits-enfants. Elle courrait pour arriver à temps chez le traiteur indien et se prendre du poulet – avec du riz, cette fois.

*

Blême, il comprit qu'elle tentait de s'enfuir. Sa fureur lui procura un regain d'énergie et il se précipita vers la porte, le couteau dans une main, le téléphone dans l'autre. Il raccrocha au nez de son ami, celui qui lui avait indiqué cette maison comme une cible facile – une femme qui se retrouvait souvent seule. En échange de ce tuyau, il lui filerait une partie du butin.

Il avait déjà tué, mais pas dans des circonstances semblables. Et jamais avec violence. Tuer ne l'avait pas du tout affecté : c'était juste une des actions à accomplir pour obtenir ce qu'il voulait. Pourquoi en irait-il différemment, cette fois ?

Sans aucune hésitation, Sans qu'aucun éclair de conscience ne le traverse, il brandit la lame et l'enfonça profondément.

*

Elle avait le dos tourné et ne le vit pas. Il y eut juste cette douleur fulgurante. Elle jeta péniblement un regard par-dessus son épaule et le vit retirer le couteau de la plaie. Elle ferma les yeux, ne vit pas le second coup. Puis elle ne vit plus rien du tout.

*

Il avait vu juste : il n'avait rien éprouvé, pas l'ombre d'un remords. Seulement la colère d'avoir laissé à la femme la possibilité de s'enfuir et, bien sûr, la frustration de ne pas avoir pu mettre la main sur le contenu du coffre. Ça n'avait plus d'importance. Une seule chose comptait désormais : s'enfuir.

Il sortit dans la tiède pénombre de la soirée danoise et s'évanouit parmi les imposantes maisons de cette banlieue où les gens mettaient un point d'honneur à ne jamais rien remarquer.

39

Karl fixait Ari Thór sans un mot.

– Personne n'a jamais été inculpé pour ce meurtre, conclut Ari Thór sans baisser les yeux.

Karl haussa les épaules.

– Et en quoi ça me concerne ?

Il reprit son couteau et se remit à couper ses rondelles de citron.

– Vous êtes habile avec un couteau.

– J'ai appris à m'en servir très jeune.

Il prit un air renfrogné et ricana.

– Vous n'avez rien contre moi. Un puceau stupide qui débarque du Sud et vient chez moi pour me foutre la trouille… On croit rêver.

Sa voix était déterminée.

Ça, on verra.

Ari Thór avait vu juste jusqu'à présent. C'était certain, bien que Karl n'ait pas vraiment confirmé ses soupçons. Un dernier point à éclaircir et il s'en irait.

– Quand êtes-vous parti à l'étranger ?

– Au Danemark ? En 1983. Et je n'aurais jamais dû m'emmerder à revenir ici.

– Vous êtes revenu cet été ?

– Non, à l'automne.

– J'ai cru comprendre que votre famille avait pas mal galéré, à Siglufjördur.

– Où vous voulez en venir ?

– Vos parents n'étaient pas si riches, n'est-ce pas ?

– Ces imbéciles ont toujours été trop pauvres pour me payer quoi que ce soit.

– Pourtant, vous avez pu vous offrir une voiture, à l'époque. La jeep. La jeep que le père d'Anna vous a rachetée.

Pour la première fois, une lueur d'inquiétude passa sur le visage de Karl.

– Bordel, mais je ne vois pas le rapport !

– Une très belle voiture, insista Ari Thór qui ne l'avait jamais vue.

– Très belle, oui. Ça m'a foutu les boules d'être obligé de m'en séparer.

– Pourquoi votre famille a-t-elle quitté l'Islande ?

– Ça ne vous regarde pas.

Karl réfléchit un instant, puis décida de jouer la carte de l'apaisement.

– À cause du boulot. Mon père ne trouvait pas de travail ici.

– Vous êtes sûr que c'est la seule raison ?

– Qu'est-ce que vous voulez dire ?

Il avait cessé de couper son citron. Il gardait le couteau à la main.

– Comment avez-vous pu vous payer une voiture aussi chère ?

Karl ne répondit pas.

– La vieille dame ne vous payait pas si bien que ça…

Toujours pas de réponse – mais un visage soudain plus pâle.

– La mère de Pálmi, vous travailliez pour elle, pas

vrai ? Des petits boulots, si j'ai bien compris : nettoyer, exterminer la vermine… J'ai appris bien des choses en interrogeant de-ci de-là. Une ancienne vendeuse du Co-Op s'est souvenue que vous aviez acheté de la mort-aux-rats. Pour débarrasser Mme Pálsson des souris, sans doute…

Karl s'agitait dans son fauteuil, mal à l'aise.

Enfin…

– Pálmi m'a raconté que sa mère ne faisait pas confiance aux banques et qu'elle cachait ses économies. Or, à sa mort, elle a laissé à peine de quoi payer l'enterrement. Un peu bizarre, vous ne trouvez pas ?

Ari Thór attendit. Karl se leva. Il resta debout, immobile, la main crispée sur le manche du couteau.

– On pourrait imaginer qu'elle avait suffisamment confiance en vous pour vous confier qu'elle gardait toutes ses économies sous son toit. Ou que vous êtes tombé dessus par hasard, en faisant le ménage. Quoi qu'il en soit, elle est morte brusquement, à l'été 1983. Hémorragie cérébrale. J'ai interrogé un médecin, qui m'a confirmé que l'absorption de mort-aux-rats pouvait entraîner ce genre de réaction. À l'époque, personne n'a rien soupçonné. Une femme de soixante-sept ans qui décède d'une hémorragie… Peu de temps après, l'aimable jeune homme qui travaillait pour elle se paye une magnifique jeep. Vos parents sont les seuls à avoir fait le rapprochement ?

La fureur se lisait clairement sur le visage de Karl. Ari Thór reprit :

– C'est évident, Karl. Vous avez tué la mère de Pálmi pour rafler toutes ses économies. Ça s'élevait à combien ? Assez pour vous acheter une jeep, ça, on le sait. Et le reste ? Vous avez réussi à la tromper comme vous m'avez eu au départ : en surface, un type sympathique, bien élevé. L'innocent parfait. Mais vos parents voyaient clair dans votre jeu. Ils ont quitté le pays avant que la vérité éclate. Eux, vous ne pouviez pas les tromper, n'est-ce pas ? Ils savaient qui vous étiez, au fond. Ce dont vous êtes capable.

Karl s'approcha tout près de la table.

Ari Thór resta assis. Seule la table les séparait.

– Salaud ! Tu vas fermer ta gueule, sinon…

– Sinon quoi ?

Ari Thór regretta sa question aussitôt posée. La menace appelle la menace.

Karl bondit par-dessus la table et empoigna l'épaule blessée d'Ari Thór, son bras encore en écharpe.

La douleur explosa dans tout son corps, et la peur le saisit. Un rat pris au piège, acculé.

– Je vais régler ça tout de suite…

La folie avait embrasé les yeux de Karl. Il brandit le couteau. Ari Thór vit la lame s'approcher…

Il se leva brusquement, le poing serré – et déséquilibra son agresseur d'un uppercut. Karl tituba en arrière, lâcha son arme. Ari Thór sauta par-dessus la table et s'élança vers la porte au bout du couloir. Il avait laissé son téléphone sur la table.

Il entendit Karl se relever en rugissant, ouvrit la porte en grand et se précipita dans la tempête, dans l'obscurité, aveuglé par les flocons en rafales. Ses pieds avaient la lourdeur du plomb, comme dans ses pires cauchemars.

Il prit un raccourci par le vieux terrain de foot englouti sous des couches de neige. Cela faisait des années qu'il n'avait plus couru sur un terrain de foot – depuis son enfance à Reykjavik.

Il n'allait pas laisser les choses se terminer comme ça. Il devait atteindre son but. Karl le talonnait, et il était assez désespéré pour faire n'importe quoi. Si Ari

Thór s'arrêtait maintenant, sa vie aussi, il le savait. Il finirait seul, dans la neige, au milieu d'une mare de sang.

Il sauta par-dessus une épaisse congère et atterrit sur le trottoir devant la boutique de spiritueux de la ville. Il accéléra, luttant contre l'envie de regarder derrière lui. La perspective d'envoyer Karl derrière les barreaux le dopait.

Il déboucha sur la place de la Mairie. Il n'avait plus qu'à la traverser et tourner au coin pour atteindre le poste de police.

Il accéléra encore.

Il allait y arriver. Il y était presque.

Il fallait qu'il s'en sorte.

40

Siglufjördur, mercredi 21 janvier 2009

Le soir de la première approchait.

Le soir où Nína tenterait sa chance.

Elle avait pris sa décision. L'attente avait assez duré. C'était uniquement pour se rapprocher de lui qu'elle avait proposé de travailler à la Société dramatique. L'homme qu'elle aimait.

Malgré ses dénégations à lui, elle avait toujours eu la conviction qu'ils finiraient ensemble, d'une façon ou d'une autre. Il s'était montré si gentil avec elle.

Elle lui parlerait pendant la réception qui suivrait la première. Lui proposerait un rendez-vous. Comme une adolescente…

Elle était passée à côté de sa jeunesse. Elle avait tellement attendu de vivre la *vraie vie* qui lui avait filé devant, comme un paysage à travers la vitre d'une voiture roulant beaucoup trop vite.

Nína sentait son ventre palpiter.

Tellement excitée.

*

C'est seulement en arrivant devant le poste de police qu'Ari Thór, épuisé physiquement et mentalement, osa jeter un coup d'œil par-dessus son épaule. Personne.

Hlynur bondit de sa chaise en le voyant entrer d'un pas titubant. Débraillé, transi de froid, Ari Thór lui lança un regard implorant. Il mit un certain temps avant d'articuler une phrase intelligible :

– Karl… l'enfoiré… il a essayé de me tuer. Il est armé et dangereux. J'ai découvert qu'il a assassiné la mère de Pálmi et une autre femme, au Danemark…

– On se calme, Révérend.

Hlynur enregistra la nouvelle tranquillement, comme s'il s'était attendu à voir Ari Thór débouler dans cet état.

– Assieds-toi et prends un café. Je viens d'appeler Tómas.

– Tómas ? Tu l'as déjà prévenu ?

Il prit le mug que lui tendait son collègue.

– Karl a appelé il y a quelques minutes.

– Karl ? s'étrangla Ari Thór. Bon Dieu, pourquoi ?

Hlynur posa doucement la main sur son épaule – la bonne épaule.

– Il veut porter plainte.

– Quoi ? Une plainte ?

Il avait du mal à former des phrases complètes. La parade trouvée par Karl le stupéfiait : le meurtrier allait l'accuser, lui ? Il enfouit son visage dans ses mains tremblantes et s'effondra.

– Calme-toi… ne t'en fais pas, le réconforta Hlynur. On sait comment est Karl, personne ne va le croire. Mais sa plainte va quand même remonter par tous les canaux de la hiérarchie. C'est la règle.

Ari Thór restait sans voix.

– Il prétend que tu es entré de force chez lui, qu'il buvait un verre et que tu t'es mis à l'interroger, alors que tu n'étais pas en service. Il porte plainte pour coups et blessures. Tu l'as frappé, c'est vrai ?

– Il essayait de me tuer !

Il se leva et jeta par terre son mug – il vola en éclats et le café se répandit partout.

– Cet assassin voulait me tuer, putain, tu m'entends ?

– Attendons Tómas, d'accord ?

Hlynur essayait de parler d'un ton réconfortant.

– Non ! hurla Ari Thór. Fonce chercher Karl tout de suite ! Il doit être en train de s'enfuir, tu comprends ?

– Il n'ira nulle part.

– Tu te fous de moi, Hlynur ? C'est lui ou c'est moi que tu crois ? Tu dois aller l'arrêter chez lui, bon Dieu !

Ari Thór était fou de rage.

– Allons, allons, Révérend… Je vais te refaire un café.

*

– Raconte-moi encore ce qui est arrivé.

Tómas s'efforçait de parler calmement, d'une voix douce. Mais Ari Thór était énervé et son discours incohérent.

– Est-ce que tu l'as agressé ?

– Non, bien sûr que non ! Il avait un couteau, j'ai été obligé de le frapper pour m'enfuir ! Je lui ai exposé mes théories… le suicide de Linda, le fait qu'il avait maquillé ça en meurtre en déplaçant le couteau…

– Pourquoi aurait-il fait ça ?

– À cause de l'assurance-vie ! répéta Ari Thór, à bout de patience. En cas de suicide, il n'aurait pas pu toucher les dix millions !

– Et il a avoué ?

– Plus ou moins. Il n'a pas nié, en tout cas !

– Ça, mon garçon, j'ai bien peur que ça ne suffise pas, objecta Tómas d'un ton toujours aussi posé. De toute façon, interférer dans une enquête de police ne relève, au mieux, que d'une infraction.

– Mais enfin... il a aussi tué deux personnes !

– Vraiment ?

– La mère de Pálmi. Sandra, la vieille dame, m'a expliqué qu'il faisait toutes sortes de petits boulots pour Mme Pálsson, y compris exterminer des animaux nuisibles... Je lui ai demandé des précisions. Elle m'a dit qu'il avait acheté de la mort-aux-rats au Co-Op. La mère de Pálmi est morte peu après, sans laisser un sou, juste avant que Karl se paie une jeep et parte avec ses parents à l'étranger. Ils ont dû comprendre la situation et déménager précipitamment...

Ari Thór essayait de reprendre son souffle entre chaque phrase.

– Les symptômes d'empoisonnement par mort-aux-rats sont les mêmes que ceux constatés sur Mme Pálsson : hémorragie cérébrale.

– Ce n'est qu'une théorie, mon ami. Je crois que Karl est capable de tout et n'importe quoi, mais il nous faut de vraies preuves. Tu en as ? Des éléments concrets ? Qu'est-ce qui me dit que tu n'arranges pas la réalité selon tes désirs ?

– Il ne m'a pas contredit !

– Peut-être qu'il s'amuse avec toi, Ari Thór. Qu'il te provoque...

– En tout cas, la dernière histoire est sûre et certaine. J'ai vu les rapports de la police danoise. Je les ai imprimés, ils sont sur mon bureau. Karl était le suspect n° 1 dans une affaire de cambriolage avec meurtre. Une femme a été tuée et des bijoux ont disparu.

– Je le répète : qu'est-ce qu'on peut faire, maintenant ? Les policiers danois ont sûrement fait leur maximum. Tu devrais rentrer chez toi te reposer...

– Tu ne vas pas l'arrêter ? s'écria Ari Thór, scandalisé.

– Je vais lui parler. Tu dis qu'il t'a menacé avec un couteau ?

– Eh bien...

Il hésita.

– Quand je suis arrivé, il avait un couteau. Il coupait des rondelles de citron.

– OK... Ça suffit pour le moment, mon ami.

C'est la parole d'Ari Thór contre celle de Karl, songea Tómas. Le gosse n'était pas en service, sans doute un peu déstabilisé. Et apparemment, il avait frappé un suspect. Ça faisait pas mal d'erreurs en une seule soirée. Mais il avait aussi échafaudé des théories intéressantes, même si la plupart ne pourraient sans doute jamais être prouvées. Le gamin avait du potentiel ; il devait juste se montrer plus prudent.

*

Tómas interrogeait Karl au poste pendant que Hlynur fouillait son appartement.

Karl était calme, maître de lui-même. Il répondait par monosyllabes, ou bien se taisait. Tómas l'avait prévenu qu'il était un suspect potentiel et qu'il pouvait demander la présence d'un avocat ou, à défaut, se faire assister par téléphone – Karl avait refusé.

Il nia catégoriquement toute responsabilité dans la mort de la mère de Pálmi. Tómas orienta ses questions sur Linda.

– Des traces de laine bleu marine ont été retrouvées sur le couteau. La couleur du pull que vous portiez lorsque vous avez trouvé le corps. Linda avait souscrit

303

une assurance-vie dont vous étiez l'unique bénéficiaire en cas de décès. Alors, dites-moi…

Tómas plongea ses yeux dans ceux de Karl.

– … dites-moi pourquoi je ne devrais pas vous arrêter pour tentative de meurtre ?

Silence.

– Elle avait le couteau dans la main quand je l'ai découverte. Vous ne pouvez pas m'accuser de l'avoir agressée – impossible !

Karl semblait contrôler parfaitement la situation.

Tómas attendit la suite.

– Je ne sais pas ce qui m'a pris. J'ai caché le couteau dans le jardin d'à côté pour… bah… pour protéger sa réputation. Erreur de jugement de ma part, bien sûr…

– Et aussi parce que vous saviez que vous ne toucheriez pas une couronne en cas de suicide avéré.

– J'ignorais ce détail.

Large sourire. Il savait qu'aucun exemplaire de la police d'assurance ne serait découvert pendant la fouille chez lui.

Tómas évoqua les actes de violence domestique envers Linda, bien qu'ils soient fondés sur un simple soupçon et le témoignage de leur voisin, Leifur. Les derniers avis médicaux laissaient peu d'espoir quant à la possibilité que la femme de Karl reprenne conscience et puisse témoigner contre lui.

– Vous avez menacé Ari Thór avec un couteau ? lança Tómas, prenant Karl à contre-pied.

– Absolument pas. Je tenais un couteau quand il a fait irruption chez moi, c'est vrai. Je lui ai laissé l'occasion de parler, bien qu'il m'ait paru très excité. Quand il a commencé à proférer des accusations outrageantes, je me suis levé et je lui ai demandé de sortir. C'est à ce moment-là qu'il s'est jeté sur moi. J'espère que ma plainte sera transmise à qui de droit.

– Ne vous en faites pas. Maintenant, je vais vous demander de bien vouloir attendre ici un moment.

Tómas sortit de la salle d'interrogatoire pour passer un coup de fil à l'avocat-conseil de service. Après lui avoir exposé la situation, il demanda quelles suites donner à la procédure.

– À vous entendre, vous n'avez aucune preuve solide pour l'impliquer dans l'agression sur Linda. Quant aux autres affaires, les plus anciennes, je ne vois vraiment pas ce que vous pourriez faire. Vous n'avez que des hypothèses. Pour moi, rien ne justifie une détention provisoire.

Tómas attendit que Hlynur soit rentré de la fouille – qui se révéla infructueuse – pour informer Karl qu'il pouvait partir.

– Mais ne quittez pas la ville dans les prochains jours, ajouta-t-il, en guise d'avertissement.

– Avec les routes toujours fermées, je ne vois pas où je pourrais aller de toute façon, railla Karl avant de sortir dans la nuit, enveloppé par la neige.

Le sourire et la démarche d'un homme qui sait qu'il venait d'échapper à la justice, se dit Tómas. Et ce n'était pas la première fois.

41

Siglufjördur, jeudi 22 janvier 2009

Le poisson.

Tout était la faute du poisson.

Sans poisson dans cette mer, personne n'aurait jamais pensé à s'installer ici. La première maison n'y aurait pas été construite et Ari Thór ne serait jamais venu à Siglufjördur où, à présent, il n'était même plus certain de garder son job, sous la menace d'une accusation pour voies de fait.

Putain de poisson.

Anéanti par les événements de la veille, Ari Thór avait dormi d'un sommeil profond. En chemin vers le poste, il s'arrêta à la boulangerie pour s'acheter un petit pain – avec l'impression que tout le monde l'observait, dans la boulangerie comme dans la rue. Des yeux le scrutaient, l'épiaient, comme si la nouvelle de son altercation avec Karl avait déjà fait le tour de la ville. Il s'efforça de calmer sa respiration. Personne n'en savait rien, voyons. Il devait se ressaisir, reprendre pied. L'ensemble des habitants de Siglufjördur ne fomentaient pas de complot contre lui.

– Bonjour ! Bien dormi ? lui demanda avec entrain Tómas.

Ari Thór confirma d'un signe de tête et avisa Hlynur.

– Désolé pour tout le bordel, hier soir…

– Le bordel ? De la rigolade comparée à ce qui s'est passé dans le Sud… Ces manifestations commencent à dégénérer. J'ai appris que des collègues avaient dû faire usage de gaz lacrymogène.

– C'est la vie, intervint Tómas. Au moins, dans le coin, on est tranquille question manifs.

– Tu ne disais pas, l'autre jour, que tu n'avais pas connu l'âge d'or dans la région ? demanda Ari Thór. Ça fait une bonne raison de se révolter, non ? Bref. Vous avez parlé à Karl hier ?

– Oui, répondit Tómas. Et on a dû le relâcher. Pour le moment.

Ari Thór s'y attendait, mais la déception le fit tout de même grimacer. Savoir Karl en liberté lui était pénible.

– Ce matin, j'ai aussi parlé à la compagnie d'assurances, ajouta Tómas. Je leur ai expliqué que nous révisions l'affaire sous l'angle de la tentative de suicide. Si Linda meurt – ce qui ne semble hélas pas improbable –, Karl ne touchera rien. Il y a quand même une justice… J'ai aussi discuté avec le chef de la police d'Akureyri. Qui nous félicite pour notre enquête sur l'affaire Linda. Ils n'envoient personne, finalement : la situation est suffisamment claire.

Ari Thór avait imprimé une partie des documents reçus de la police danoise. Karl avait été interrogé à l'époque, dans le cadre de l'enquête. Le mari de la victime était arrivé le matin, de bonne heure, et avait découvert le corps de sa femme devant sa porte. Elle avait reçu deux coups de couteau dans le dos. Le second l'avait tuée instantanément. L'affaire restait ouverte.

– Tu as interrogé Karl à propos de ce crime au Danemark ? demanda Ari Thór.

– Au vu de ce que nous avons, on ne peut absolument pas l'inculper, répondit Tómas d'un air grave. On n'a aucun élément nouveau. Peu importe ton intime conviction et ce que tu penses avoir déduit de son attitude. Désolé. Pour ma part, je suis sûr que tu as raison.

– Et concernant la mère de Pálmi ?

– Ta théorie est excellente. Très convaincante. Mais il faut se rendre à l'évidence : il n'y a aucune chance qu'il finisse par avouer quoi que ce soit. Il a refusé de répondre à mes questions hier. Il n'est pas du genre à craquer sous la pression, mais on va quand même essayer de le mettre sur le gril. J'ai demandé à Hlynur d'interroger Sandra et de prendre sa déposition concernant la mort-aux-rats.

Ari Thór se sentit requinqué.

– Mais ne t'emballe pas, hein ? Karl ne tombera jamais pour ce meurtre, je suis sûr qu'il n'y a pas assez de preuves pour obtenir sa condamnation. On va aussi enquêter du côté de ses parents qui vivent encore au Danemark. On verra où cela nous mène… Si ta théorie s'avère exacte et qu'ils ont quitté le pays pour éviter des ennuis à leur fils, je serais surpris qu'ils le balancent aujourd'hui.

– Je ferai le maximum pour avoir sa peau.

– Désolé, l'ami… Tu restes en dehors de l'enquête. À cause de la plainte. Elle a été envoyée au procureur général. Mais ne t'inquiète pas, je suis certain qu'elle sera rejetée une fois les faits replacés dans leur contexte. Après tout, ce type brandissait un couteau…

Ari Thór n'avait pas prévu qu'il pourrait être écarté de l'enquête. Lui qui croyait réparer ses erreurs en se consacrant corps et âme à l'affaire… Déçu, frustré, il se tut.

– Reconnais que tu as été *très* maladroit. Tu n'as pas

réfléchi. Normalement on devrait t'adresser un blâme. On verra… Espérons qu'on pourra s'en passer. Pendant que j'y pense, il faut qu'on te fournisse un nouveau téléphone. Le tien constitue désormais une preuve.

Ari Thór rendit les armes. Il n'avait pas son mot à dire. La veille, il avait raconté à Tómas sa fuite, et comment il avait oublié son téléphone chez Karl.

– Et la voiture ? s'enquit-il.

– La voiture ? Quelle voiture ?

– La jeep de Karl. Celle qu'il a achetée avec l'argent volé à Mme Pálsson. Tu ne peux pas essayer de voir s'il l'a effectivement payée en liquide ?

Tómas nota l'information sur un papier.

– Je m'en occupe, jeune homme.

*

La nouvelle se répandit rapidement, à partir d'un article publié sur un site d'informations de Reykjavik – et brossé à grands traits bien racoleurs.

« Un habitant de Siglufjördur soupçonné d'un meurtre remontant à vingt-cinq ans »

Fondé sur des « sources fiables », l'article précisait que l'homme avait déjà été soupçonné d'un meurtre au Danemark et que sa petite amie était la femme retrouvée dans la neige, plus morte que vive, la semaine précédente.

Hlynur n'avait rien dit à son ami journaliste de la tentative de suicide.

Aucun écho dans la presse non plus à propos de la liaison entre Karl et Anna. La raison en était simple :

Hlynur préférait, autant que possible, protéger les innocents.

*

Leifur observa Úlfur monter timidement sur la scène du vieux théâtre. Cette fois, le metteur en scène avait toute l'attention de sa troupe.

Adossé à un mur, Leifur parcourut la salle du regard. Nína se tenait dans le couloir, non loin de là où le corps de Hrólfur avait été découvert. Cela semblait une éternité…

Anna et Ugla étaient assises légèrement en retrait, Pálmi au premier rang, l'air épuisé, accablé. Ce jeune policier du Sud avait réussi à mettre au jour un meurtre présumé remontant à plusieurs années : celui de la mère de Pálmi, fauchée au crépuscule de sa vie par un tueur sans pitié. C'était du moins ce qu'il semblait, aucune preuve n'ayant pu être apportée.

Leifur ne pouvait pas l'aider. Un conducteur avait tué son frère et fait exploser le bonheur d'une famille. Il acceptait un peu mieux chaque jour le fait que le chauffard ne serait jamais retrouvé ; que certaines questions resteraient sans réponses.

Úlfur s'éclaircit la gorge.

Les mots « *The show must go on* » flottaient dans l'air, mais il se garda bien de les prononcer – cela aurait été déplacé. Il se contenta de bredouiller quelques mots, comme pour lui-même, puis leva les yeux vers l'auditorium.

– Nous allons devoir trouver une solution pour régler… la question Karl. Je conçois parfaitement que nous n'ayons pas tous le cœur à fouler les planches ces jours-ci, mais je suis persuadé que le mieux reste de maintenir la date de notre première pour ce week-end. J'ai discuté… avec Leifur. Il a bien réfléchi. Il se sent prêt à jouer le rôle principal. Même dans un délai aussi court.

Il se tourna vers Leifur qui sourit timidement, puis revint vers l'auditorium. Pálmi n'avait pas remué un cil. Sans doute était-il déjà au courant. Les autres échangèrent des murmures surpris. Personne n'aurait cru Leifur assez confiant dans ses propres capacités pour endosser un premier rôle.

— Oui, je crois que je peux le faire, dit-il.

Il avait pris sa décision la veille au soir. Il maîtrisait suffisamment le texte, en tant que doublure de Karl, et avait pris quelques jours de congé pour se préparer au mieux. Il était bien décidé à connaître la gloire.

Il pensa à son frère aîné. Il aurait été si fier de lui.

Il se sentait pousser des ailes. Peut-être oserait-il même toucher un mot à Anna, après la première ? Elle avait tant de charme…

42

Siglufjördur, vendredi 23 janvier 2009

La ville était encore tapissée d'une épaisse couche blanche quand Ari Thór descendit sur les pontons du port au petit matin. Son visage portait les marques d'une nuit agitée. Des clôtures avaient été englouties par la neige et, dans beaucoup d'endroits, elle atteignait le rebord des fenêtres des maisons. Dans un jardin, une grive était juchée sur un poteau. En s'approchant, on remarquait qu'une nuée d'oiseaux s'étaient rassemblés autour des graines éparpillées par un habitant affectueux.

Ari Thór avançait le long du quai en regardant, par-delà la mer agitée, les montagnes majestueuses. L'été semblait encore si loin. Quand il arriverait, le jeune homme serait-il encore là, à Siglufjördur ? Ou, frappé de disgrâce, aurait-il été renvoyé chez lui ? À supposer même que l'issue de cette affaire lui soit favorable, que la plainte de Karl finisse aux oubliettes : aurait-il envie de rester ?

Il était fier de ce qu'il avait accompli, bien qu'il n'ait pas réussi à démêler le mystère de la mort de Hrólfur. Elle cachait quelque chose de sinistre, il en était convaincu.

Au fond, à ce moment précis, il se trouvait là où il devait être. Le travail de policier lui plaisait. Si la chance lui était donnée de continuer dans cette voie, alors il donnerait la sienne à Siglufjördur.

Et puis, il y avait Ugla. L'aimait-il ? Il avait besoin de le savoir.

Elle avait fait de son mieux pour le persuader de ne pas fuir la ville.

— Reste jusqu'au printemps, l'encourageait-elle. Parfois, au printemps ou au début de l'été, tu te réveilles et tu vois une brume flotter sur le fjord. La mer a complètement disparu, on aperçoit seulement la cime d'une ou deux montagnes, comme si elles flottaient dans l'air. Et soudain, le soleil apparaît et tout change. Alors, le paysage est d'une beauté à couper le souffle. Quand tu as vécu ce genre de moment, tu n'as plus jamais envie de quitter Siglufjördur.

Elle savait se montrer convaincante.

Ugla. D'abord le baiser, puis l'invitation à la suivre dans sa chambre. Il avait envie de coucher avec elle. Mais son sens moral avait finalement repris le dessus. Il ne pouvait pas être aussi déloyal envers Kristín. Il devait d'abord faire le point avec elle.

Bon sang… ç'avait été terrible de la laisser presque nue sous les draps. Ugla était magnifique en jean et en tee-shirt moulant blanc, mais résolument irrésistible une fois ses vêtements jetés en tas par terre.

Quand il lui avait annoncé qu'il partait, sans expliquer pourquoi, il s'était senti l'homme le plus stupide du monde. Elle ne connaissait pas l'existence de Kristín. La conversation s'annonçait compliquée.

Ari Thór contempla les montagnes. À Reykjavik, il avait toujours l'impression de vivre dans l'ombre du mont Esja ; ici, cette sensation prenait tout son sens.

L'Esja se trouvait loin de son appartement dans le centre-ville. À Siglufjördur, les montagnes le surplombaient.

S'il était à Reykjavik, il lui serait impossible de ne pas entendre les manifestations annonçant la chute prochaine du gouvernement. L'Islande connaissait des heures difficiles et il serait aux premières loges pour assister à ces événements historiques. Mais il était parti vivre dans le Nord. Et rien de tout cela ne lui parlait plus. Toutes ces choses se déroulaient si loin... Presque un autre monde.

Il contempla le fjord. Imagina l'eau par une belle journée lumineuse, aussi immobile qu'un miroir. Il inspira et expira l'air profondément, et lentement.

*

En rentrant chez lui, il traversa la place de la Mairie et tomba nez à nez avec Pálmi. Ce dernier le salua d'un geste, apparemment pressé de continuer son chemin, mais il se retourna tout à coup, et s'arrêta.

– Merci, dit-il d'une voix sourde, chargée d'émotion. J'ai appris votre... eh bien, votre hypothèse à propos de la mort de ma mère. J'ai tendance à vous croire.

Les yeux perçaient derrière les lunettes.

– Tómas vous a parlé ?

– Oui. Hier matin.

– Karl risque de s'en tirer, malgré tout.

– Ça n'a pas d'importance. Perdre ma mère a été terrible. Si soudain. Je n'ai même pas pu lui dire au revoir. Si Karl l'a tuée, alors tout s'explique : ses économies volatilisées, la jeep de Karl...

– Tómas a retrouvé l'homme qui lui avait vendue, il l'a interrogé hier. Il se souvient très bien de ce gamin qui avait débarqué avec du liquide et l'avait payé sur-le-champ.

La voix d'Ari Thór vibrait de fierté.

Pálmi hocha la tête.

– Je vous autorise à exhumer son corps, répondit-il solennellement. Si ça peut aider à faire condamner Karl.

– Nous verrons. Je passe chez vous ce soir.

*

La première de la nouvelle production de la Société dramatique faisait toujours l'événement. Les billets s'étaient vendus en un rien de temps. Tous les habitants voulaient voir la pièce de Pálmi, et la dernière production à laquelle Hrólfur avait pris part – celle qui lui avait peut-être coûté la vie.

Dans l'après-midi de vendredi, la route de Siglufjördur fut enfin déblayée. Ari Thór eut l'impression qu'on lui retirait un poids des épaules, même si ses longues nuits oppressantes et sa claustrophobie tenace continuaient de le harceler. Il avait toujours des difficultés à s'endormir, son esprit vagabondait, mais la perspective du lendemain l'excitait. Il bouillait d'impatience à l'idée de retrouver Ugla au théâtre.

Il renonça à trouver le repos et descendit dans le salon pour récupérer le livre qu'elle lui avait prêté : *Au nord des collines*. Le moment était bien choisi pour s'y plonger enfin. Comme une marque de respect pour son auteur.

Dès les premières pages, Ari Thór bascula dans un univers magique. Le récit comme le style, si élégant, le captivèrent. Les *Strophes pour Linda*, à la tonalité douce-amère, se révélèrent bien plus que des poèmes d'amour. L'émotion submergea Ari Thór, incapable de reposer le livre avant de l'avoir terminé. Et, pour la première fois depuis des mois, il s'endormit apaisé.

43

Siglufjördur, samedi 24 janvier 2009

Le vieux théâtre d'Adalgata était en pleine efferves-
cence. La neige avait refait son apparition mais, cette
fois, les flocons sinuaient délicatement vers la terre.

Beaucoup de spectateurs s'étaient mis sur leur
trente-et-un. L'air vibrait d'une attente, d'une excitation palpable.

Dans le rôle féminin principal, Ugla reçut un accueil
triomphal. Pendant toute la représentation, Ari Thór ne
put la quitter des yeux. Leifur livra pour sa part, malgré
seulement quelques heures de répétition, une interpréta-
tion brillante – lui qui n'avait jamais joué que les dou-
blures. La pièce elle-même fut une belle surprise – bien
meilleure que tout ce à quoi on pouvait s'attendre. Ce
mélodrame aigre-doux se déroulait loin de Siglufjördur
et mettait en scène deux amants incapables de vivre leur
passion au grand jour. Le talent de Pálmi était évident.

Après trois rappels, la troupe fut saluée par une ultime
standing ovation. Sous un tonnerre d'applaudissements,
Ugla parcourut l'auditoire du regard et se fixa sur un
spectateur : Ari Thór.

La réception qui suivit fit le plein. Toutes les chaises
avaient été repoussées le long des murs pour faire de

la place. Des élèves de l'école de Siglufjördur circulaient parmi les spectateurs en leur proposant des amuse-gueules. Chacun faisait de son mieux pour que la soirée soit un succès. Ne revêtait-elle pas une signification toute particulière ?

Ari Thór et Tómas discutaient sur scène avec Pálmi, Rosa et Mads. Nína les observait, un peu en retrait. Elle se déplaçait toujours avec des béquilles et semblait attendre une occasion pour participer à la conversation.

– Nous regagnons Reykjavik demain, annonça la vieille dame en anglais. Notre séjour a été inoubliable, et quelle chance d'avoir assisté à la représentation !

– Ce n'était pas toujours facile à suivre, commenta Mads en riant. Nous essaierons de perfectionner notre islandais avant notre prochaine visite !

Ugla rejoignit le petit groupe. Ari Thór lui adressa un sourire timide. Il avait hâte de se retrouver seul avec elle, une fois la réception terminée. Était-il en train de tomber amoureux ? Il fallait qu'il parle à Kristín.

Ugla se présenta aux invités danois.

Mads lui prit la main.

– Bonsoir. Moi, c'est Mads. Nous venons du Danemark et Pálmi nous héberge.

La vieille dame tendit la main à son tour.

– Rosalinda, mais vous pouvez m'appeler Rosa. Tout le monde m'appelle Rosa…

Elle lança un regard à Pálmi.

– Sauf votre pauvre papa, Pálmi. Pour lui, j'ai toujours été Linda.

44

Siglufjördur, samedi 24 janvier 2009

Ari Thór sursauta. Les pièces du puzzle s'agençaient les unes après les autres. L'effraction, la photo, le parapluie, l'enfant supposé de Hrólfur... Le talent de Pálmi ne surgissait pas de nulle part. Et il ne faisait aucun doute qu'il avait écrit une très belle pièce.

Tout s'éclairait soudain. Le testament de Hrólfur et la raison pour laquelle il avait mis si jeune un terme à sa carrière littéraire – à jamais l'auteur d'un unique ouvrage.

– Il vous appelait Linda ? demanda Ari Thór.

La vieille dame acquiesça.

– Et... il vous a dédié un poème ?

Rosa parut étonnée.

– Non, non. Aucun poème. En tout cas, je ne suis pas au courant.

Ari Thór observa Pálmi. Il semblait avoir vieilli de dix ans en quelques minutes.

– Pálmi, demanda Ari Thór, passant de nouveau à l'islandais, qui a écrit *Au nord des collines* ? Vous le savez, n'est-ce pas ?

Il comprit que Pálmi ne nierait pas. Il n'avait ni l'aplomb ni la volonté inébranlable de Karl. Il semblait au contraire soulagé que quelqu'un ait enfin découvert la vérité.

Il soupira et répondit d'une voix grave, toujours en islandais :

– Eh bien, c'est mon père.

Rosa et Mads l'interrogeaient du regard, sans comprendre un mot de ce qui se disait. Tómas et Ugla dévisageaient Pálmi, stupéfaits quant à eux de ce qu'ils entendaient.

– Ça n'est pas Hrólfur ? demanda Ari Thór.

– Non…

Pálmi paraissait vidé de toute son énergie.

– Hrólfur… ce salaud… commença-t-il en élevant la voix. Il a volé le livre de mon père !

Puis, plus bas :

– Mon père était au Danemark, et Hrólfur le veillait sur son lit de mort. Ce livre, il l'a écrit pour Rosa. Pour Linda, comme il l'appelait. *Strophes pour Linda…* Je n'avais jamais compris pourquoi Hrólfur, avec le talent qu'on lui prêtait, n'avait plus rien publié.

– Quand avez-vous compris ?

– La veille du jour où… Hrólfur est mort. Nous évoquions, avec Rosa, sa vie au Danemark. Elle m'a révélé que mon père la surnommait Linda. Elle m'a aussi parlé de leur relation, et tant de choses me rappelaient le livre de Hrólfur… J'ai fait le rapprochement, sans aller jusqu'au bout de la logique. Je savais que Hrólfur avait passé du temps avec mon père, mourant, à l'hôpital. Petit à petit, mes soupçons ont grandi. Jusqu'à ce que je me demande si mon père n'était pas l'auteur du livre.

Il se tut un moment. Respira profondément. Reprit son récit.

– J'avais besoin de parler à Hrólfur le plus vite possible, et la première occasion a été cette soirée de répétition. Je suis sorti, comme tout le monde, pour aller dîner chez moi...

– Vous avez pris un parapluie, ajouta Ari Thór.

– Exactement. Et quand je suis revenu, avec tout ce qui venait de se passer, je l'ai oublié.

– Nína a voulu vous éviter des ennuis. Elle a fait passer le parapluie pour le sien alors qu'elle était arrivée au théâtre plus tôt dans la journée, quand il ne pleuvait pas encore. Elle se doutait sûrement qu'il attirerait l'attention sur vous. Si j'avais su que c'était le vôtre, j'aurais compris que vous étiez déjà revenu de dîner. Dans la nuit, elle est aussi entrée chez moi par effraction pour me voler mon appareil photo.

– Quoi ? Mais pourquoi aurait-elle fait une chose pareille ? demanda Pálmi, perplexe.

Se tenant juste à côté, Nína ne perdait pas une miette de l'échange, fixant Pálmi comme sous un puissant charme. Ari Thór lut de l'admiration dans son regard. De l'amour.

– Ce soir-là, j'ai pris plusieurs photos dans l'auditorium et dans le hall. Sur l'une d'elles, on voit le parapluie accroché à une patère. En sortant précipitamment de chez moi, Nína a glissé sur une plaque de verglas et s'est cassé la jambe. J'avais entendu du bruit et j'ai failli la surprendre en flagrant délit... Juste avant de perdre moi-même connaissance dans mon salon, j'ai entendu quelqu'un crier de douleur devant chez moi. L'hôpital m'a confirmé que Nína était venue aux urgences et qu'elle s'était fracturé un os... Quand j'ai montré mes photos à Ugla, elle a reconnu votre parapluie à pois – aisément repérable. Du reste, elle m'a dit que vous étiez un des rares habitants de Siglufjördur à utiliser un parapluie.

Ari Thór se tourna vers Ugla puis vers Nína.

– C'est bien comme ça que les choses se sont passées, n'est-ce pas ?

Tómas, furieux, ne parlait pas. Ari Thór savait qu'il allait se faire sermonner pour avoir montré à Ugla des photos liées à une enquête dans laquelle elle était également suspecte.

Nína approcha, d'un pas hésitant, couvant toujours Pálmi du regard.

– Oui. Mais tout ce que j'ai fait, je l'ai fait… pour lui.

– C'est toi qui as pris mon parapluie ? demanda Pálmi, décontenancé et en colère. Je me demandais où il était passé…

– Je voulais te le rendre ce soir et te dire… te dire que j'étais au courant de toute l'histoire. Pálmi, mon amour… ç'aurait été notre secret…

– Notre… quoi ? demanda-t-il, abasourdi.

Ari Thór intervint.

– Donc, vous êtes allé dîner chez vous et vous êtes revenu ?

– Oui. J'avais oublié l'exemplaire corrigé de la pièce. Úlfur et Hrólfur avaient amendé certains passages et m'avaient demandé de rapporter le texte chez moi à la pause pour en imprimer une version définitive. À mi-chemin, je m'en suis souvenu. Quand je suis arrivé au théâtre, Hrólfur était tout seul au balcon. Nína n'était pas au guichet.

– J'étais au sous-sol, l'interrompit-elle. J'ai entendu une dispute dans l'auditorium. Tu étais déjà parti quand je suis remontée. Je n'ai pas remarqué que tu avais oublié ton parapluie avant que la police arrive…

À l'évidence, elle était ravie que Pálmi prenne conscience des risques qu'elle avait encourus pour le protéger.

– Est-ce que vous avez fait part de vos soupçons à Hrólfur ? demanda Ari Thór à Pálmi.

– Oui. Je lui ai demandé directement s'il avait volé le livre de mon père. Il avait trop bu, il a seulement éclaté de rire. Il m'a répondu que ce n'était pas exactement un *vol*, qu'il avait plutôt sauvé le livre, qu'il lui avait donné la vie. Selon lui, mon père aurait été incapable de le vendre ou d'en tirer quoi que ce soit. Pour je ne sais quelle raison absurde, il avait l'air de croire qu'il avait tous les droits sur l'œuvre parce qu'elle avait vu le jour grâce à *lui*. Vous imaginez bien que je ne pouvais pas le tolérer. Je l'ai traité de menteur, de voleur… Je lui ai demandé s'il avait écrit ne serait-ce qu'une seule phrase dans le livre. Plein de morgue, il m'a fait cette réponse atroce : « Non, votre père a très bien travaillé. Je n'ai pas eu besoin de changer une virgule. » Puis il m'a dit de me calmer, et m'a expliqué qu'il m'avait donné ma chance au sein de la Société dramatique, que c'était une façon de se racheter… *Un renvoi d'ascenseur*… Mon père avait fait de lui un romancier, il faisait de moi un dramaturge.

Pálmi se tut. Ses mains tremblaient sous l'effet de la rage.

Rosa et Mads, de plus en plus perdus, voyaient leur hôte se décomposer.

– Je lui ai aussi demandé si mon père voulait que le livre soit publié et il me l'a confirmé. Le salopard… Non seulement mon père voulait que son livre soit publié, mais il avait demandé à Hrólfur qu'elle…

Il tendit l'index vers Rosa, qui se demanda pourquoi.

– … en reçoive un exemplaire. Hrólfur a trahi sa promesse. Il a trahi les dernières volontés d'un homme à l'agonie. Il avait même interdit la vente des droits à tout éditeur danois afin que Linda – Rosalinda – ne puisse jamais le lire et découvrir sa véritable origine…

Pálmi reprit son souffle.

– Maintenant que vous savez tout, je suis soulagé. Je peux lui dire la vérité. Elle pourra enfin lire ce roman que mon père avait écrit pour elle.

Il sourit à Rosalinda, qui ne comprenait pas comment elle avait pu devenir le centre de cette conversation.

– C'est pour ça que Hrólfur vous a fait hériter des droits d'auteur. C'était légitime. Et, pour lui, une façon de réparer l'injustice…

– Quel vieil enfoiré… Comme si ça allait changer quoi que ce soit ! Toute sa vie, il a tiré le bénéfice des efforts d'un autre homme ! Mon père est mort, oublié, et Hrólfur a vécu comme un roi pendant soixante-dix ans. Pour autant… je n'ai jamais eu l'intention de le tuer…

– Vous l'avez poussé ?

La question était superflue.

– Je l'ai bousculé, dans le feu de l'action, et je me suis enfui quand j'ai vu qu'il était mort. C'est à ce moment-là que j'ai oublié mon parapluie. Je l'avais accroché au vestiaire par habitude quand j'étais revenu chercher ma pièce.

Il laissa échapper un sanglot.

– Je n'ai jamais eu l'intention de le tuer… Je ne dors plus la nuit. Dieu merci, tout est fini…

– Il va falloir que vous m'accompagniez au poste, Pálmi, dit Tómas avec douceur. On va prendre votre déposition.

– Hum… oui, bien sûr, articula-t-il, visiblement dérouté.

– Une dernière chose, reprit Ari Thór. L'enfant que Hrólfur était censé avoir élevé ? C'était un mensonge ?

– Oui.

324

Pálmi prit un air honteux.

– Je suis désolé. J'étais tellement choqué quand je vous ai entendu dire que votre enquête prenait une tournure criminelle… J'ai inventé ça pour vous mettre sur une fausse piste. Je le regrette.

Ari Thór n'avait aucun doute sur sa sincérité.

– Et j'ai foncé dans le panneau…

– Quand je vous ai raconté cette histoire, je pensais à Nína, ajouta-t-il comme s'il oubliait qu'elle se tenait juste à côté de lui. Personne n'a jamais su qui était son père.

Nína sursauta, comme si tout son univers venait d'un coup de s'effondrer.

– Tu as… tu as essayé de me faire porter le chapeau ? Elle tombait des nues.

Pálmi la regarda, une expression coupable sur le visage. Les yeux de Nína étaient devenus vitreux, comme si, en pensée, elle venait de disparaître.

– Pálmi, on va y aller maintenant, insista Tómas.

*

Les convives regardèrent, stupéfaits, le sergent Tómas escorter Pálmi hors du théâtre.

Ce qu'Úlfur avait entendu de la discussion entre Pálmi et les policiers suffisait à alimenter ses propres conclusions. Depuis quelque temps déjà, il avait compris que quelque chose ne tournait pas rond. En quittant Hrólfur ce soir-là pour aller dîner, il s'était aperçu que Pálmi avait oublié le texte de la pièce alors qu'à son retour au théâtre, il avait apparemment trouvé le temps d'intégrer les corrections.

Il avait préféré ne pas lui poser de questions à ce

sujet. Et encore moins faire part de ses interrogations à la police.

Il éprouvait une immense compassion pour cet homme.

*

Inquiet, Pálmi se retourna vers le théâtre. La brume de Siglufjördur et ses blizzards dévastateurs semblaient l'avoir englouti.

Il était terrifié. Il craignait d'être envoyé en prison. Mais son esprit était occupé par tout autre chose.

Il désirait plus que tout obtenir le pardon de cette petite communauté du Nord, au bord de l'océan. Il voulait de nouveau pouvoir regarder droit dans les yeux ces gens qu'il connaissait depuis tant d'années.

*

Ari Thór avait ressenti du plaisir à confondre Pálmi. Et même, de la fierté.

Mais il avait aperçu le visage de ce dernier quand, dévasté, il s'était retourné une dernière fois vers l'auditorium.

C'était injuste. Terriblement. Pálmi se retrouvait aux mains de la police et Karl était un homme libre.

L'espace d'un instant, Ari Thór avait cru que la justice pouvait exister dans ce monde.

Pauvre imbécile... Sa propre expérience d'orphelin le lui avait pourtant appris : la justice n'est qu'une amère illusion.

45

Siglufjördur, samedi 24 janvier 2009

Karl quittait la ville. Direction Akureyri. Il allait rejoindre un vieil ami pour travailler avec lui, et avait bien l'intention d'y rester un moment avant d'envisager autre chose.

Il n'avait pas vraiment pris Tómas au sérieux quand il lui avait demandé de ne pas bouger de Siglufjördur. Il espérait bien que son départ ne lui vaudrait pas de poursuites – il avait toujours eu de la chance de ce côté-là.

Il laissa dans l'appartement la plupart des biens appartenant à Linda. Il ne prit que les objets de valeur, pour ne pas s'encombrer inutilement – au sens propre comme au sens figuré. Quelle vacherie de devoir tirer un trait sur les dix millions de l'assurance. Ça l'aurait bien dépanné...

Il n'avait jamais vraiment compris pourquoi Linda restait avec lui alors qu'il la traitait si mal. Il l'avait battue plus d'une fois. Pas mal de fois, en fait... Bien sûr, au début il s'était montré charmant. Il l'avait attirée dans son piège, sans jamais lui avouer ses crimes passés. Il se dit qu'elle s'était mis en tête de le sauver. Son bon cœur l'avait perdue. Il ne la reverrait sans doute jamais : les médecins disaient qu'elle ne s'en sortirait pas, et il ne comptait pas descendre à Reykjavik pour lui dire adieu.

Ces derniers jours, il était souvent question de lui aux informations, et pas sous un jour très favorable. Tôt ou tard, il serait sûrement obligé de quitter le pays. L'opinion publique l'avait d'ores et déjà déclaré coupable.

La voiture pénétra dans le tunnel, Karl ne se retourna pas. S'il pouvait l'éviter, il ne retournerait jamais dans cette ville glacée.

*

Leifur ne s'était jamais senti aussi bien qu'après la représentation. Le public l'avait apprécié. Et, à sa grande surprise, il avait pris du plaisir à évoluer sous les projecteurs. Peut-être essaierait-il, pour la prochaine, de passer plus de temps sur scène qu'en coulisses. Il était sorti de sa zone de confort, et ça lui avait réussi. Pendant la réception, il avait même osé s'approcher d'Anna et lui proposer de sortir ensemble, un de ces jours. Elle avait poliment décliné l'offre, mais au moins, il avait eu le cran. Demain, il se rendrait au poste de police pour demander officiellement à Tómas et à ses collègues de relancer l'enquête sur l'accident de son frère. Bien sûr, au fond de lui, il savait que cela n'aboutirait à rien – il y avait si longtemps… Mais cela mettrait un point final à cette histoire. Après quoi il pourrait reprendre le cours de sa vie.

*

Depuis que les médias reprenaient en boucle les crimes imputés à Karl, Anna était consciente d'avoir évité le pire. Elle ne lui avait plus reparlé depuis, et n'avait aucune intention de le revoir. Elle espérait qu'il était déjà loin. Dieu merci, personne ne semblait au courant de leur liaison. Avec un peu de chance, on n'en saurait jamais rien, même si les secrets avaient une fâcheuse tendance à remonter à la surface dans une petite ville comme Siglufjördur. À présent, elle était déterminée à se concentrer sur son nouveau travail à l'école. Cette perspective la stimulait. Elle avait eu la surprise d'être abordée, après la pièce, par ce type assez timide, Leifur. Maladroitement, bien sûr, mais l'intention était touchante. Pour le moment, Anne préférait éviter toute histoire sentimentale – illicite ou non. Et puis, Leifur n'avait pas cette noirceur et cette dangerosité qui l'avaient tant attirée chez Karl...

46

Siglufjördur, samedi 24 janvier 2009

Kristín essayait d'appeler Ari Thór depuis deux jours mais son téléphone ne répondait pas.

Sa décision de partir s'installer dans le Nord l'avait rendue dingue. Sans préavis ni discussion. Alors qu'il venait d'accepter de partager sa vie avec elle. Elle pensait avoir enfin trouvé l'homme qu'elle pourrait aimer et avec lequel, vivre peut-être, jusqu'à la fin de ses jours... Mais il avait décampé. Direction Siglufjördur. Et elle était restée trop longtemps seule dans cet appartement, avec ses livres pour unique compagnie.

Elle n'avait pu se résoudre à l'accompagner ce premier week-end. Elle n'aurait pas supporté les adieux en larmes et la longue route du retour en solitaire.

Comment avait-il pu partir sans un dernier regard et l'abandonner ainsi ?

Jour et nuit, les mêmes pensées l'obsédaient. En boucle. Jusqu'à la folie. Elle ne pouvait plus se concentrer sur ses manuels. Elle se laissait distraire. Elle n'aurait jamais cru cela possible. Preuve qu'elle était *forcément* amoureuse. Pour la première fois de sa vie.

Elle avait mis plusieurs semaines à comprendre tout cela, à essayer de se ressaisir. Lui parler au téléphone était devenu de plus en plus douloureux – ces conversations lui rappelaient combien il était loin. Combien sa voix était douce. Combien il lui était impossible de le toucher, de l'embrasser, de se blottir dans l'étreinte chaude de ses bras...

Peu après le départ d'Ari Thór, le père de Kristín avait perdu son travail, puis sa mère. Tous ses repères s'étaient volatilisés. Elle mourait d'envie d'appeler Ari Thór, de pleurer au téléphone. Elle avait besoin de lui comme jamais.

Noël était arrivé, et il l'avait de nouveau laissé tomber. Il lui avait *promis* qu'il descendrait à Reykjavik pour les vacances. Elle les guettaient avec une joie et une sincérité enfantines – jusqu'à ce coup de fil où il lui avait annoncé qu'il serait finalement de garde.

La déception l'avait laissée muette. Elle avait raccroché, après des adieux très froids, et avait éclaté en sanglots. Pleuré comme jamais depuis son enfance. Le manque était physiquement douloureux. Elle maudissait son orgueil. Son incapacité à exprimer ce qu'elle ressentait. À régler la situation. À assumer ouvertement ses sentiments, le besoin qu'elle avait de lui...

Elle avait amèrement regretté de ne pas l'avoir appelé pour le réveillon, mais sa colère avait pris le dessus. Elle se sentait abandonnée. Elle ne contrôlait plus rien.

Peu à peu, elle avait retrouvé un certain équilibre. Le moment était venu de réparer ce qui s'était brisé. Même si les conversations téléphoniques s'étaient espacées, elle sentait qu'ils avaient avancé, tous les deux. Ils avaient besoin de temps, voilà tout. Ari Thór savait bien que ce n'était pas son genre, d'exprimer ses émotions, qu'elle était parfois trop plongée dans le travail pour prendre le temps de discuter. Mais maintenant, elle allait faire un pas de géant pour sauver leur relation, leur avenir.

Elle avait envoyé sa candidature pour travailler pendant l'été à l'hôpital d'Akureyri – une ville suffisamment proche de Siglufjördur pour pouvoir s'installer chez Ari Thór. Et elle était acceptée. On lui proposait même d'y faire sa dernière année de stage avant le diplôme. Elle devait donner sa réponse très rapidement. Dans la journée de samedi, elle avait tenté d'appeler Ari Thór sur son portable, mais sans succès. Elle avait donc accepté la proposition. Et refusé un poste équivalent à l'Hôpital national de Reykjavik. La place avait été aussitôt prise par une autre candidate ; impossible de faire machine arrière.

Il était tard ce samedi soir quand son téléphone sonna. Elle ne reconnut pas le numéro de portable. Elle décrocha et entendit la voix d'Ari Thór.

Elle allait enfin pouvoir lui annoncer la bonne nouvelle.

Épilogue

Printemps

Tómas regardait le brouillard se lever sur le fjord. À cette heure matinale, la ville sommeillait encore. Les jours rallongeaient, rappelant à tous l'imminence de l'été. Alors qu'en hiver Siglufjördur était plongée dans le froid et l'obscurité, l'été voyait la ville resplendir sous une chaude lumière – bien plus chaude qu'à Reykjavik et dans le Sud-Ouest.

Karl avait quitté Siglufjördur pour de bon. Malgré les efforts de Tómas, aucune charge n'avait pu être retenue contre lui. Il fallait s'attendre à ce qu'il poursuive ses méfaits ailleurs, mais Tómas avait au moins réussi à protéger Siglufjördur, sa ville. Linda était morte sans jamais avoir repris conscience, et avec elle l'espoir d'inculper Karl pour les violences domestiques.

Ce dernier n'avait pas donné suite à sa plainte déposée contre Ari Thór. Le gosse pouvait s'estimer heureux. Tómas l'aimait bien. Il était intelligent et, bien que d'un tempérament impulsif et colérique, ses intentions étaient toujours pertinentes. Qualité appréciable. Si Ari Thór ne s'épanchait pas vraiment sur sa vie privée, Tómas avait cru comprendre qu'il avait rompu avec sa petite amie de Reykjavik. Difficile de ne pas s'en rendre compte :

le jeune homme avait traversé après cela une phase de déprime et de solitude. Tómas espérait que des temps plus cléments lui redonneraient foi en la vie.

Il était quasiment sûr que les fuites à la presse étaient le fait de Hlynur, pas d'Ari Thór. Au fil des semaines, le policier lui semblait d'ailleurs de moins en moins concentré sur son travail. Quelque chose le tourmentait, Tómas ignorait quoi. Il n'était pas sûr de l'interroger au sujet des fuites. Dans un sens, il se félicitait que les journaux aient diffusé les informations sur Karl, et pas sur sa liaison avec Anna. Si Hlynur était effectivement derrière tout ça, au moins avait-il agi avec un certain sens de la justice.

Tómas se tenait immobile face au fjord et aux montagnes qui, progressivement, s'éveillaient sous les premiers rayons du soleil. Les versants neigeux étincelaient, tout comme la surface de l'eau. Le début d'une belle journée.

L'épouse de Tómas avait décidé d'emménager à Reykjavik pour ses études. Il n'avait pas l'intention de la suivre – pas pour le moment, du moins. Il n'était pas encore prêt à quitter Siglufjördur.

Remerciements

Je tiens à remercier les habitants de Siglufjördur qui m'ont autorisé à situer mon roman dans leur magnifique ville. Je suis tout particulièrement reconnaissant à mes défunts grands-parents, Ragnar Jónasson et Gudrún Reykdal, qui ont passé la plus grande partie de leur vie à Siglufjördur et qui auraient, je l'espère, aimé retrouver leur ville dans ce contexte inhabituel.

Naturellement, je précise que cette histoire est totalement fictive et qu'aucun des personnages que j'y décris n'est inspiré de personnes réelles.

Je remercie aussi l'équipe des Éditions de La Martinière ainsi que mon agent Monica Gram de la Copenhagen Literary Agency d'avoir permis de faire découvrir Ari Thór à un public francophone. Ma plus profonde gratitude va à mes éditeurs islandais, Pétur Már Ólafsson et Bjarni Þorsteinsson, qui, grâce à leur soutien inestimable, m'ont aidé à concevoir la série *Dark Iceland*. Beaucoup d'autres personnes ont permis à *Snjór* de voir le jour en Grande-Bretagne, notamment mon ami Bob Cornwell. Mes parents, Jónas Ragnarsson et Katrín Guðjónsdóttir, méritent aussi tous les éloges pour m'avoir encouragé à écrire dès mon plus jeune âge, et pour avoir relu chaque version de chaque livre ou nouvelle à être sortis de ma plume.

Enfin, je remercie ma merveilleuse famille pour leur amour et leur soutien sans réserve : mon épouse María et mes filles Kira et Natalía.

Vous n'avez pas eu suffisamment froid ?
Ça tombe bien, on a gardé quelque chose pour
vous dans le congélateur.

La suite des enquêtes d'Ari Thór !
À paraître le 9 mars 2017
aux Éditions de la Martinière

Ragnar Jónasson

MÖRK

Traduit de la version anglaise,
d'après l'islandais, par Philippe Reilly

Éditions de la Martinière

Note de l'éditeur : les événements de *Mörk* se situent environ cinq ans après *Snjór*. Ari Thór Arason travaille toujours comme policier dans la petite ville de Siglufjördur…

Dérangeant.

Oui, c'était le mot. Il y avait quelque chose de dérangeant dans cette vieille maison délabrée. La pluie aveuglante renforçait l'austérité des murs couleur plomb. Ici,
l'automne n'était pas une véritable saison, plutôt un état
d'esprit. Il semblait s'être perdu en route, quelque part
vers le nord, tandis que fin septembre, début octobre,
l'hiver avait promptement succédé à l'été. L'automne ne
manquait pas vraiment à Herjólfur, du moins pas celui
de Reykjavik, sa ville natale. À Siglufjördur, l'inspecteur
de police avait appris à aimer l'été, avec ses journées
d'une clarté vertigineuse, et l'hiver, avec sa pénombre
enveloppante qui se lovait autour du monde comme
un chat géant.

La maison se dressait non loin de l'entrée du tunnel
de Strákar. Pour ce que Herjólfur en savait, cela faisait
des années que personne ne l'avait occupée. Elle était
trop à l'écart, trop en retrait de l'endroit où la ville
étreignait le rivage. Comme si elle avait été laissée aux
mains puissantes de la nature – qui s'étaient abattues
sur elle brutalement.

Herjólfur s'intéressait tout particulièrement à cette
bâtisse à l'abandon, et ce n'était pas sans lui poser
problème. Il éprouvait rarement de la peur, son métier

l'avait habitué à mettre de côté les sentiments importuns. Mais, cette fois, il n'y arrivait pas. Et ça ne lui plaisait guère. Il s'était garé au bord de la route et hésitait à sortir de la voiture de patrouille. Sans la grippe d'Ari Thór, l'autre policier de la ville, il n'aurait même pas dû être de service...

Il resta un long moment assis sans bouger. Des rafales de pluie cinglaient la voiture. Ses pensées le ramenaient à la douce chaleur de son salon. Emménager dans la région avait été une sorte de choc culturel, mais sa femme et lui commençaient à s'y sentir bien. Ils avaient peu à peu réussi à faire de la maison banale qu'ils habitaient un vrai foyer. Leur fille était restée dans la capitale où elle suivait un cursus universitaire, tandis que leur fils vivait avec eux. Il occupait un appartement au sous-sol de la maison, et étudiait au lycée du coin.

Si Ari Thór se remettait vite sur pied, Herjólfur serait bientôt en vacances. Il avait prévu de faire la surprise à son épouse d'une escapade de quelques jours à Reykjavik. Il avait pris des billets d'avion au départ d'Akureyri et réservé des places de théâtre. Chaque fois que l'occasion se présentait, il essayait de ménager ce genre d'intermède dans leur petite routine. Il focalisa toute son attention sur ce séjour, comme une bouée de sauvetage au beau milieu de la nuit – une façon de se convaincre que tout se passerait bien quand il franchirait le seuil de la maison abandonnée.

Sa femme vint ensuite occuper son esprit. Vingt-deux ans qu'ils étaient mariés. Il l'avait épousée très tôt, dès l'annonce de sa grossesse. Sans une hésitation – ni vraiment le choix. Sa décision n'avait pas été guidée par la foi mais plutôt par un certain sens de la dignité. C'était pour lui une valeur cardinale. Il avait reçu une bonne éducation, et croyait fermement à l'importance de donner l'exemple. Et, bien sûr, ils étaient amoureux. Il n'aurait jamais pu épouser une femme sans en être amoureux. Puis leur fille était née, la prunelle de ses yeux. Elle avait la vingtaine, suivait des études de psychologie – son père avait essayé de lui conseiller le droit, mais elle ne s'était pas laissée convaincre. C'était une voie qui aurait pu l'amener à travailler avec la police, à évoluer dans le même univers que son père : celui de la justice et du maintien de l'ordre.

Leur fils était arrivé trois ans plus tard. Aujourd'hui âgé de dix-neuf ans, c'était un garçon flegmatique et studieux qui terminait ses études secondaires[1]. Peut-être opterait-il lui pour une filière juridique ? À moins qu'il passe directement le concours d'entrée à l'école de police…

Herjólfur avait toujours eu à cœur de faciliter la vie de ses enfants. Il avait acquis une certaine influence au sein de la police et, si l'un d'eux décidait de se lancer dans la carrière, il n'hésiterait pas à faire jouer son réseau. Il se sentait parfois coupable de les pousser un peu trop dans cette direction. Mais il était fier de ses enfants et il espérait qu'ils éprouvaient le même sentiment à son égard. Il n'avait pas ménagé ses efforts pour offrir aux siens des conditions de vie privilégiée dans un monde difficile. Dans son métier, la pression était incontournable.

Le krach financier avait heurté durement la famille : du jour au lendemain, pratiquement toutes leurs économies s'étaient envolées. Époque pénible de nuits sans sommeil, de nerfs rudement éprouvés, de peur qui jetait son ombre sur tout. Aujourd'hui, enfin, la situation semblait s'être stabilisée. Herjólfur occupait un bon poste et

---

1. En Islande, le lycée dure quatre ans, de seize à vingt ans (toutes les notes sont du traducteur).

sa famille vivait confortablement, à l'abri du besoin. Ari Thór ne lui en avait jamais parlé, mais Herjólfur savait qu'il avait lui aussi postulé pour devenir inspecteur. Il avait reçu le soutien actif de Tómas, l'ancien inspecteur de Siglufjördur, appelé à de nouvelles fonctions à Reykjavik. Sa recommandation enthousiaste avait laissé peu d'espoir à Herjólfur, bien qu'il ait lui-même son lot de relations. Pourtant, c'était lui qui avait décroché la promotion, pas Ari Thór. Herjólfur avait encore du mal à se faire son idée sur le jeune homme. Ce n'était pas un bavard et il se laissait difficilement percer. Herjólfur se demandait s'il lui en voulait. Ils ne travaillaient pas ensemble depuis longtemps ; le fils d'Ari Thór était né à la fin de l'année écoulée, la veille de Noël, et les quatre mois de congé paternité s'étaient ajoutés à un mois de vacances. Les deux hommes n'étaient ni amis ni même en termes particulièrement cordiaux, ceci dit leur relation était toute récente.

Herjólfur sortit de la voiture en essayant de ne plus penser à son collègue. À présent, les sens en éveil, il approchait lentement de la maison. De nouveau, cette intuition. *Il y a un truc qui déconne...*

S'il fallait en passer par là, il se savait largement de taille à affronter un homme. Deux, ce serait trop : sa forme physique des jeunes années n'était plus qu'un souvenir. Il secoua la tête, comme pour dissiper des craintes injustifiées. Cette bicoque ne pouvait être que déserte. Sa sensation de malaise le déconcertait.

Aucune circulation. Qui pouvait avoir intérêt à se rendre à Siglufjördur en cette période de l'année, surtout au milieu de la nuit, par un temps pareil ? Officiellement, selon l'ancien calendrier islandais, l'hiver commençait le week-end suivant. Cela ne ferait que confirmer ce que tout le monde ici savait déjà : l'hiver était là.

Herjólfur s'immobilisa soudain. Il venait d'apercevoir un faisceau lumineux à l'intérieur de la maison. Lampe de poche ? En tout cas, il y avait bien *quelqu'un* tapi dans l'obscurité. Pourquoi pas plusieurs personnes mêmes. Cette intervention prenait une tournure désagréable. Herjólfur sentit ses nerfs se tendre.

Fallait-il crier et se faire connaître ? Ou bien tenter une approche discrète pour évaluer soi-même la situation ?

Il secoua de nouveau la tête et se ressaisit. D'un pas décidé, presque furieux, il se remit en marche. *Arrête d'être mou comme ça... Putain, arrête un peu !* Il savait se battre, et les intrus n'étaient sans doute pas armés.

Mais s'ils l'étaient ?

Le faisceau lumineux attira de nouveau son attention. Cette fois, il était braqué droit dans ses yeux. Surpris, plissant les paupières, Herjólfur s'arrêta, plus effrayé qu'il n'osait se l'avouer.

– Police ! Qui est là ? cria-t-il avec toute l'autorité dont il était capable.

Mais le frémissement de sa voix le trahissait.

Le vent atténuait la force qu'il avait mise dans ses paroles. Elles avaient quand même dû parvenir jusqu'à la maison, jusqu'aux inconnus postés derrière les embrasures béantes des fenêtres.

– Police ! Qui est là ? répéta-t-il.

La lumière l'aveuglait. Un sentiment d'urgence monta en lui : il fallait qu'il bouge, qu'il s'abrite quelque part. Mais il hésita, conscient d'agir contre son instinct. *C'est le policier qui est censé détenir l'autorité*, se rappela-t-il. Il n'aurait pas dû se sentir ébranlé, il n'aurait pas dû éprouver le besoin de se cacher.

Il reprit sa marche en direction de la maison, à pas prudents.

Alors, il entendit le coup de feu. Assourdissant. Fatal.

RÉALISATION : NORD COMPO À VILLENEUVE-D'ASCQ
IMPRESSION : CPI FRANCE
DÉPÔT LÉGAL : MARS 2017. N° 134021-5 (3023957)
IMPRIMÉ EN FRANCE

Éditions Points

Le catalogue complet de nos collections est sur Le Cercle Points, ainsi que des interviews de vos auteurs préférés, des jeux-concours, des conseils de lecture, des extraits en avant-première…

www.lecerclepoints.com